Do 06/04

IJZER

Rum en Coca-Cola

Theo IJzermans

Rum en Coca-Cola

2004
uitgeverij Signature / Utrecht

Europese thrillers van wereldniveau

© 2004 Theo IJzermans
© 2004 uitgeverij Signature, Utrecht
Alle rechten voorbehouden.

Omslagontwerp: Wil Immink
Typografie: Pre Press B.V., Zeist
Druk- en bindwerk: Koninklijke Wöhrmann, Zutphen

ISBN 90 5672 120 8
NUR 305

1

Amsterdam, 18 juni 2001

Ik kan absoluut niet tegen bloed. Die geur alleen al. Toen ik misselijk werd ben ik snel weggegaan van de plaats waar het allemaal gebeurde. Het grootste tumult is nu voorbij. Na een halfuur is iedereen wat praktischer geworden. Zó snel gaan die dingen. De politie in het blauw was er binnen een paar minuten. De jongens van de ambulance kwamen vlak daarna binnenstormen; ze konden ook niets anders dan vaststellen dat de man morsdood was. Het wachten is nu op de recherche en de jongens en meisjes van het lab. Hiernaast, in het midden van de lege danszaal, ligt het lijk in een grote donkerrode plas, klaar voor het onderzoek. Eromheen bloeddoordrenkte watten en bandages die aan de randen zwart beginnen te worden. De donkere huid van de dode man krijgt al een grijze kleur.

De een na de ander is aangeslagen de bar binnengekomen. We moeten wachten tot we verklaringen kunnen afleggen. Wie heeft wat gezien? Het gebeurde allemaal in een mum van tijd. Volgens Sasja, die bleek en snotterend haar verhaal doet, had de Mexicaan al een tijd staan kijken hoe de Cubaanse man danste met een blonde vrouw. Plotseling had hij toen dat mes uit een plastic tasje gehaald. Hij stormde naar voren en had de Cubaan verschillende keren in de buik gestoken. De vriendin van de man, later hoorde ik dat ze Anita heette, heeft hem nog proberen tegen te houden, maar hij duwde haar opzij. Op dat moment gingen wij zo op in het dansen op de keiharde salsamuziek dat we niets in de gaten hadden. Willy Chirino stond toen op, *Baila Conmigo*. Ineens begon iedereen te schreeuwen en in paniek door elkaar te hollen, en die Mexicaanse man, type Charles Bronson, rende de deur uit. Een van de meisjes van de bediening, die op dat moment binnenkwam, werd daarbij omvergelopen. Donald, de dj, zette de muziek uit. Hysterie en paniek, dat was het. Twee, drie mensen bogen zich over de man die bloedend op de grond lag. Eén vrouw trad echt efficiënt op. Zij griste de EHBO-kist van achter de bar, trok er watten en verband uit en ging de wonden afplakken. Het leek mij een verpleegster. Haar lichtbeige jurk zat onder het bloed, terwijl ze schreeuwde om een ambulance. Het ging allemaal zo snel dat nauwelijks tot ons doordrong wat er gebeurde.

Het is nu een uur of negen. We wachten nog steeds in de bar naast de danszaal tot we aan de beurt zijn om gehoord te worden door de politie. Die houdt zitting in een zijkamertje, een kantoortje of zoiets. Wij zijn de officiële getuigen van een moord. Iedereen heeft zo zijn ideeën erover. De vermoorde man heet Carlos, een Cubaan. Dat weten we inmiddels. Hij is hier eerder gesignaleerd, maar niemand van ons kent hem goed. Volgens Sasja, die dat soort dingen altijd in de gaten houdt, is hij hier vaker geweest met die lange, blonde vrouw die nu ook bij hem was. Het zou haar niet verbazen als die Mexicaan haar ex was. Zij kent hem van vroeger. Nee, niet persoonlijk, maar van gezicht. Zo'n uiterlijk vergeet je nooit. Eddy, een Surinaamse jazztrompettist, die zenuwachtig zijn zoveelste sigaret rookt, denkt dat er drugs in het spel zijn. Zo te zien een afrekening. Nee, bewijzen heeft hij niet, maar alleen al die professionele, efficiënte manier waarop het gebeurde. Als het uit jaloezie is dan ziet het er allemaal rommelig en amateuristisch uit. Hij praat erover alsof hij regelmatig uiteenlopende typen van moorden ziet gebeuren. Een echte kenner.

Orlaidis en ik waren twee uur geleden aangekomen in de dancing van Ben Bron, waar op zondagmiddag vanaf vier uur de eerste salsaworkshops worden gegeven. De avond is bestemd voor de meer ervaren dansers. Ik hoor er nog niet helemaal bij, maar het begint te komen. Orlaidis is Cubaanse en ik ken haar nu een paar maanden. Zij heeft mij in korte tijd wat pasjes geleerd en ik begin er steeds meer lol in te krijgen. Volgens haar heb ik het al redelijk onder de knie, maar ik zie toch wel een behoorlijk verschil met al die Latino's hier. Het is eigenlijk geen eerlijke vergelijking, want die zijn al voor de lagere school begonnen met salsa.

De politiemensen in burger wachten in het kantoor van de manager. In burger, nou ja. Vanaf een kilometer kun je ze al herkennen als politiemensen, met die sportieve jacks en sneakers. Sinds Starsky en Hutch is er weinig veranderd in de mode van agenten in burger. Een van de twee probeert er nog een artistiek tintje aan te geven met een paardenstaartje met een elastiekje eromheen. Geen gezicht, vooral als je bovenop kaal bent. Alle twee zijn ze aan het schrijven en ze wijzen naar een stoel tegenover hen.

"Uw naam?"

"Eckhardt, Lex Eckhardt."

"Beroep?"

"Forensisch onderzoeker."

Daar kijkt die kale met het staartje van op. Ik heb een bloedhekel aan kale mannen met zo'n staartje in hun nek. Het is een mislukte poging om hun alternatieve jeugdigheid van de jaren zestig en zeventig vast te houden.

"Werkt u dan bij de politie?"

"Ik heb er vroeger gewerkt, maar dat is al een tijd geleden. Ik ben meer de administratieve kant uitgegaan. De politie huurt me vaak in voor boekenonderzoek bij criminele organisaties of bijvoorbeeld voor van die 'pluk-ze'-acties, als een drugshandelaar financieel uitgekleed moet worden. Maar ik werk ook voor particuliere bedrijven als ze een vermoeden hebben van verduistering, oplichting en dat soort zaken."

"Vertel eens wat u gezien hebt met die forensische blik van u?"

Laat ik me niet gaan ergeren aan deze paljas met zijn lullige opmerkingen. Rustig, Eckhardt! Veel bijzonders heb ik trouwens niet te melden. Ik heb de vermoorde man wel eens eerder gezien. Zo te zien kwam hij vooral voor de muziek en het dansen. Ik herinner me hem alleen met die vriendin die hij nu ook bij zich had.

"Ik hoorde net van iemand dat die Mexicaan, of wat het ook was, haar ex is. Maar daar weet ik niks van. Ik kom hier nog niet zo lang."

Ik vertel de heren van mijn Cubaanse vriendin en mijn dansles-sen, maar daar zijn ze niet in geïnteresseerd.

"Wij denken zelf ook in de richting van een kwestie rondom die dame. Jij bent niet de eerste die dit noemt. Ach, je weet hoe ze zijn, die aangebrande Latino's", zegt de jongere rechercheur.

Hij doet nu pas voor het eerst zijn mond open. Ik heb gezien dat hij steeds ongeduldig op zijn stoel zit te wippen. Misschien heeft hij al te veel dezelfde verhalen gehoord vanavond of wie weet heeft hij een afspraak met zijn meisje en loopt de dienst uit.

De heren noteren nog wat adresgegevens, voor als er nog vragen mochten zijn, en lopen naar de deur om de volgende getuige binnen te laten. Het is Sasja, een van mijn ex-vriendinnen. Ze is al weer een beetje tot rust gekomen. Zo te zien geniet ze van haar glansrol. Met een dramatische blik in haar ogen schrijdt ze het kamertje binnen. Ik wens haar sterkte toe, maar haar aandacht is al helemaal bij de rechercheurs. Ook zij hebben meer oog voor haar dan voor mij. Ach, Sasja is een stuk, en dat weet ze.

Orlaidis en ik hebben na dit alles geen zin meer in het Amsterdamse uitgaansleven. We zijn nog een beetje trillerig. Ik stel voor om naar mijn huis te lopen en daar een muziekje te draaien en een pilsje te pakken. Het is een mooie avond. Overdag was het warm, maar het is nu lekker afgekoeld. Links en rechts zien we mensen hun auto uitladen. Klapstoelen en koelboxen worden naar boven gesjouwd. Ze zullen wel uren in de file hebben gestaan, want vanochtend is iedereen naar Zandvoort gereden. Het is een buitenkansje als het op zondag zulk mooi strandweer is. Orlaidis kruipt tegen mij aan, alsof ze bescherming zoekt. We wandelen door de Kinkerstraat. Pas na vijf minuten zegt ze iets.

"Geloof jij wat de politie denkt?"

"Hoezo?"

"Ze denken dat hij uit jaloezie is vermoord."

Dat hadden de rechercheurs haar dus ook verteld.

"Waarom zou dat niet kunnen?"

"Die man leek mij een professionele killer, door de manier waarop hij wegliep en die kop van hem. Ik weet het niet. Precies wat Eddy ook al zei."

Ze spreekt Nederlands met een zangerig Cubaans accent waar ook nog eens een scheutje Friese tongval doorheen klinkt.

Orlaidis is 31. Ze is een halfbloed of mulattin, zoals ze dat daar noemen, afkomstig uit Guantánamo. Een kleine, vrolijke vrouw met lang donker krulhaar. Ze woont een jaar of twee in Nederland. Vier maanden geleden is ze naar Amsterdam gekomen waar ze tijdelijk in het huis van een vriendin heeft gewoond. Ze is gescheiden van haar Nederlandse man, een huisarts uit Heerenveen. Ze leerde haar Friese ex-echtgenoot, Jan, kennen toen hij een aantal jaren geleden na een eerdere scheiding op vakantie in Cuba was. Zij werkte toen als zangeres bij een son- en changuiband. Hij is daarna meerdere malen in Cuba geweest en trouwde daar twee jaar geleden met haar. Niet lang daarna is ze naar Nederland gekomen. Na een jaar in Heerenveen verveelde ze zich natuurlijk suf. Ze probeerde van alles. Zo is ze begonnen met lesgeven op een dansschool en ze is Nederlands gaan studeren, wat redelijk goed ging. Op dit moment woont ze in Amsterdam om meer contact te krijgen met andere Latino's. Amsterdam is veel internationaler dan Heerenveen. Er wonen veel Spaanstaligen, die ze op allerlei plekken tegenkomt. Hoewel ze gescheiden is, schijnt haar ex nog steeds garant voor haar te staan, anders zou haar verblijfsvergunning worden ingetrokken. Maar er komt natuurlijk een dag dat Jan ophoudt om financieel garant te staan voor haar. Hij zou wel gek zijn. Ik denk dat ze stiekem hoopt dat ik dan in zal springen. Ik sta niet erg te trappelen, hoe gek ik ook op haar ben. Ik heb al genoeg verplichtingen aan mijn ex en mijn dochter.

We komen in de buurt van mijn huis op het Prinseneiland. Er lopen alleen nog een paar hondenbezitters op straat die op dit late uur hun beestjes uitlaten. Het is een mooie buurt in het oude centrum van Amsterdam, een gebied met zeventiende-eeuwse pakhuizen en ophaalbruggen. Ze zouden iets moeten doen tegen die hondenbezitters. Minstens twee keer in de week glij ik uit over een drol van een van hun schatjes. Ikzelf ben trouwens een kattenliefhebber. Als ik de sleutel in het slot steek hoor ik al het gemiauw van Boemibol, mijn huisgenoot, die trouw wacht op mij en het blikje Gourmet; voor minder doen ze het niet meer, die luxe katten van tegenwoordig. Als ze Orlaidis ziet, kijkt ze bedenkelijk. Waar gaat het baasje nu weer aan beginnen? Er is hier sprake van een milde vorm van jaloezie, je hoeft geen rechercheur te zijn om dat te zien.

Orlaidis is voor het eerst bij mij thuis, maar ze heeft weinig belangstelling voor het huis en haar bewoners. Ze is nog te veel met zichzelf bezig. Misschien verkeert ze in een soort shock?

"Ik zie nog steeds dat gezicht van die man voor me. Hij was toen nog niet dood. Alsof hij verbaasd uit zijn ogen keek. Wat overkomt me nu?"

Ze begint weer te huilen. Ik ga naast haar zitten op de bank, mijn armen om haar heen geslagen. Boemibol springt boven op ons. Die laat zich niet zomaar buitensluiten.

Snikkend doet ze haar verhaal.

"Ik ben zo bang voor wat er nu allemaal gaat gebeuren. Ochún heeft het aangekondigd. Afgelopen nacht had ik vleermuizen in mijn droom. Ik heb je al verteld dat de Orishas via dromen berichten doorgeven. Het was een hele zwerm vleermuizen. Er zullen dus ook meer doden vallen." Orlaidis kijkt me aan met grote angstogen. Er zitten zweetdruppels op haar ronde, bruine voorhoofd. Haar donkere krullen voelen vochtig aan, alsof ze koorts heeft.

Ze gelooft in *Santería*, zoals zoveel Cubanen. De *santos* bestaan uit een mengeling van Afrikaanse goden en katholieke heiligen. Ze heten Orishas. Haar favoriet is Ochún, de Afrikaanse naam voor de Virgen de la Caridad, zoals de Cubaanse katholieken deze Mariafiguur noemen. Een paar jaar geleden heeft de paus deze Virgen de la Caridad tot patroonheilige van Cuba verheven. Hij moest eens weten dat hij in feite een wellustige Afrikaanse godin van de liefde op de troon heeft gezet. Bij haar thuis in Amstelveen, een kamer van twee bij drie, heeft Orlaidis een altaartje met een klein beeldje van deze Heilige Maagd. Zij is adviseur in belangrijke zaken; elke dag bidt Orlaidis tot haar en voert lange gesprekken met haar.

"De Maagd zei gisteren dat er verschrikkelijke dingen gaan gebeuren en ik moest ook jou waarschuwen. Ik heb je niet bang willen maken. Maar na vanavond moet ik het wel zeggen."

Eerlijk gezegd hou ik niet van deze hocus-pocus, maar als een aardig iemand zoals zij daar zo vol geloof over vertelt, kun je dat niet zomaar wegwuiven.

"Wat kan ik doen om geen gevaar te lopen?"

"Blijf naar mij luisteren, ik heb een goede band met de Maagd. Vertrouw op mij. Zij zal ons beschermen."

Ze zit rechtop en kijkt mij diep in de ogen. Voor het eerst vanavond straalt ze kracht en zelfvertrouwen uit.

Op het laatste nieuws van AT5, de Amsterdamse televisiezender, zie ik nog net een aangeslagen Ben Bron vertellen hoe vreselijk hij het allemaal vindt. Er is nog nooit iets in zijn dansclub gebeurd. Ik herken meteen de plek waar hij staat door de grote Bacardireclame op de achtergrond. De politiewoordvoerder heeft weinig te melden. Ook volgens hem ging het om een uit de hand gelopen ruzie om een vrouw. En vermoedelijk is de voortvluchtige moordenaar de ex van de vrouw met wie de vermoorde man danste. De kijker kan weer rustig gaan slapen. Zoals die politieman al zei: "Je weet hoe die Latino's zijn." Als brave Amsterdammer moet je je met dat soort lui niet inlaten, is de stille boodschap. Ze vechten altijd om vrouwen of drugszendingen en ze zijn ook nog eens continu stoned of anderszins gedrogeerd.

Ik heb haar met de auto naar Amstelveen gebracht. Voor de deur hebben we stevig zoenend afscheid genomen. Het liefst was ze bij me blijven slapen. Maar ze merkt dat ik afstand hou. Het is niet anders. Ik heb al te veel aan mijn hoofd met de zorgen om mijn dochter van zestien over wie mijn ex en ik elkaar voortdurend verwijten maken. We waren trouwens ook alle twee uitgeput van de emoties. Echt zin in vrijen hadden we geen van beiden.

Het is al laat. Via de galerij loopt Orlaidis in de richting van de flat waar ze woont. De voordeur gaat gemakkelijk open. Te gemakkelijk. En de jongens die daar in het donker in de gang staan, zijn geen aardige jongens. Nu pas ziet ze dat het spaarlampje in de gang uit is. Nu zijn de twee pikzwarte lange mannen bijna niet te zien. Er reflecteren alleen een paar lichtvlekken op hun kale schedels en in de gouden kettingen waarmee ze versierd zijn. Gillen heeft geen zin hier. Het is ook gevaarlijk, je weet nooit wat ze doen. Als gillen al zou lukken, want haar keel zit dicht van angst. Of ze gewapend zijn is niet eens belangrijk. Ze zijn bijna twee keer zo groot als zij. Ze kunnen haar zo oppakken en over de reling gooien. Ze staan nu voor haar en Orlaidis moet omhoogkijken naar de man die gebaart om alleen maar te luisteren en te zwijgen. Hij fluistert: "*Cuidate muchacha*, kijk uit meisje, ik weet niet wat dat witte vriendje van jou allemaal van plan is na vanavond. Ik zou hem maar waarschuwen dat hij zich op de vlakte houdt. Jij hebt het beste met hem voor. Toch?"

Hij spreekt Spaans met een accent dat ze niet thuis kan brengen. Hij is in elk geval geen Cubaan en het is ook niet dat keurige Castiliaans uit Spanje. Hij zal wel ergens uit het Caribische gebied komen. Zij heeft geen idee waar die lui het over hebben. Voor haar wijst niets erop dat Lex betrokken is bij die moordzaak van vandaag. Door de halfopen deur ziet ze de mannen met lange schaduwen via de trap verdwijnen.

Er komt een vliegtuig met oorverdovend lawaai over, vlak voor de landing op het naburige Schiphol. Ze schrikt er steeds weer van. Na een jaar Heerenveen kan ze er maar niet aan wennen.

Trillend steekt ze een kaarsje op en geknield voor Ochún probeert ze wat wijzer te worden. Maar Ochún zwijgt als het graf. Zij heeft meer verstand van de liefde dan van dit soort engerds.

2

Santiago de Cuba, 1 januari 1959

Juan Echavarría zit rechtop op de rand van het bed. Hij wrijft over zijn hoofd dat niet alleen pijnlijk is, maar ook nat van het zweet. Door de kieren in de luiken ziet hij dat het daglicht helder is, beter dan de somberheid van de afgelopen dagen. In deze tijd kan het in Oost-Cuba soms dagen achtereen regenen. De vochtige tropenwarmte is op deze tijd van de dag, rond een uur of elf, nog niet binnengedrongen in Juans eeuwenoude koloniale herenhuis, waarvan de buitenmuren ongeveer een meter dik zijn. Vanaf de patio hoort hij de ongewoon opgewonden stemmen van het personeel. Hij kan ze niet verstaan. Op de achtergrond klinkt het krakende geluid van de radio. Radio Rebelde is nu permanent in de lucht met het laatste nieuws over de revolutie.

Lang voordat hij zijn ogen opende, waren de feestelijke straatgeluiden al tot hem doorgedrongen. De luiken trilden van het getoeter, het geknal en de muziek. Zijn hoofdpijn is er zeker niet minder door geworden. Zijn mond is droog van te veel rum afgelopen nacht. Heel langzaam dringt de actualiteit zijn hersenen binnen. Vandaag vindt de intocht plaats van de rebellen uit de Sierra Maestra. Het oudejaarsfeest van afgelopen nacht in de Club San Carlos aan het Parque Céspedes kreeg een onverwachte wending toen bekend werd dat dictator Batista zojuist het land ontvlucht was. Na de overgave van drieduizend soldaten in Santa Clara aan een kleine groep rebellen onder leiding van Che Guevara, lag de weg naar Havana open. De positie van de dictator werd onhoudbaar. Terecht had hij zich zo snel mogelijk uit de voeten gemaakt, vermoedelijk naar de Dominicaanse Republiek, waar zijn vriendje dictator Trujillo hem met open armen zou opvangen. Fidel Castro reageerde direct. Via Radio Rebelde eiste hij onmiddellijke overgave van Santiago door de legercommandant. Tot vanmiddag zes uur hebben ze de tijd. Iedereen in de club was het erover eens dat Kolonel José Rego, de legercommandant, geen moment moest aarzelen. Het zou de enige manier zijn om verder bloedvergieten te voorkomen.

Zijn vrouw Aletta komt hem al tegemoet op de patio met de laatste berichten.

"Ze zijn het eens geworden met de commandant. Ik hoorde net Fidel op de radio."

Ze kijkt bezorgd. Ze geeft hem geen zoen, waarschijnlijk heeft ze de pest in over zijn gedrag van gisteravond op het oudejaarspartijtje. Het is een stil verwijt voor zijn wandaden. Hij had weer te veel gedronken en overmatig aandacht aan andere dames geschonken.

"Ik ga naar de zaak, we hebben een hoop te regelen. Zie ik je nog op de nieuwjaarsreceptie?"

"Ja, waarschijnlijk ga ik er met Carmen naartoe."

Carmen is de oudere zus van Aletta. Ze is met Ernesto Garrido, de bekende advocaat, getrouwd.

Vandaag zullen de mannen van Fidel dus de stad binnentrekken. Juan en zijn vrouw kijken daar verschillend tegenaan. Hij heeft sympathie voor de mannen die het corrupte regime omver willen werpen. Haar familie, de Del Campo's, bestaat weliswaar niet uit Batista-aanhangers, maar in politiek opzicht is het een behoorlijk conservatief gezelschap. Het spreekt voor zich dat zij als grootgrondbezitters niet erg blij zijn met deze revolutie. Ze zijn al flink wat grond kwijtgeraakt in de buurt van El Caney, waar de rebellen sinds enkele maanden de macht hebben. Een deel van de mangoplantages is verdeeld onder de arbeiders en Fidel heeft beloofd dat hij dit na 'de triomf van de revolutie' in wetten gaat vastleggen.

Als Juan een uur later de deur uitloopt ziet hij om de hoek de eerste feestelijkheden. Zingend bewegen mensen zich in de richting van het centrum. Er loopt zelfs een groepje jongeren met de roodzwarte vlag van de 26e-julibeweging. Hartstikke link. Tot de dag van vandaag was dit voldoende reden om door de politie van Batista 'per ongeluk' neergeschoten te worden. De afgelopen tijd zijn op die manier heel wat betogende studenten gesneuveld. Via de radio van de rebellen zijn die inmiddels al uitgeroepen tot Helden van de Revolutie. Het wordt steeds drukker als hij in het straatje naast de kathedraal komt. De voorkant van de kathedraal kijkt uit op Parque Céspedes, het centrale plein van de stad. Iedereen is opgewonden. Nu gaat het dan gebeuren, de bevrijding van de tiran, en alles zal beter worden. Het valt op dat er opeens geen politie meer op straat is. De agenten hebben het waarschijnlijk druk met het verstoppen van hun uniformen uit angst voor represailles, ook al dringt Radio Rebelde er bij het volk op aan om het recht niet in eigen handen te nemen. De bestraffing van de misdadigers tegen het volk moet worden overgelaten aan de revolutionaire rechtbanken. Het verstoppen van uniformen zal hen overigens niet veel helpen. Iedereen kent de foute agenten en de gewelddadige aanhangers van Batista. Het gerucht ging vannacht dat er een aantal boten is vertrokken vanuit het naburige Siboney. Ze vluchten achter hun vroegere baas aan en waarschijnlijk puilen ook hún koffers uit met dollars uit de staatskas. De Dominicaanse Republiek is maar een paar uur varen.

Het is nu halfeen en op de Parque Céspedes is nog weinig te zien. De deur van de kathedraal staat open voor zondaars die misschien nog willen biechten op deze nieuwjaarsdag. Het borstbeeld van Manuel Céspedes, de voorvechter van de afschaffing van de slavernij, staat met de rug naar de kathedraal alsof hij weinig verwacht van de kerk. Uit het gebouw van de Ayuntamiento, het gemeentehuis aan de overkant, komt een rookwolk. Waarschijnlijk is er een vuurtje op de patio. Juan vermoedt dat de archieven worden verbrand door de achtergebleven ambtenaren.

Waar zou Yamilet zijn? Hij loopt Aguilera in, een belangrijke straat die op het plein uitkomt. Maria, haar zus, hangt uit het raam zoals altijd en gebaart hem dat Yamilet nog slaapt. Hij roept dat hij naar boven komt. Yamilet is al lange tijd zijn maîtresse. Zij is een 24-jarige, bloedmooie mulattin, die danst in de Grupo Folclorico de Oriente. Samen met haar zus woont ze hier in dit comfortabele appartement, dat door Juan wordt gehuurd. Ze schrikt wakker als hij op de rand van haar bed gaat zitten. Ze kijkt even verward uit haar inktzwarte ogen. Ze is niet opgemaakt. Haar donkere krullen steken wild alle kanten uit.

"Hoe laat is het?" vraagt ze slaapdronken, terwijl ze met haar bruine handen zacht over zijn dijen wrijft. Juan voelt een golfje seksuele opwinding, maar staat niet toe dat het verder bezit van hem neemt. Hij heeft nu andere dingen aan zijn hoofd.

"*Disculpa, mi amor*, onze afspraak van vanmiddag kan niet doorgaan."

Hij vertelt haar kort de laatste ontwikkelingen en ook waarom hij de komende uren naar het Bacardi-hoofdkantoor moet gaan en daarna waarschijnlijk naar de fabriek in San Pedrito. Kreunend en slaperig kruipt ze tegen hem aan. Zoals altijd toont ze veel begrip voor Juan, haar weldoener die ze zo bewondert. Ze spreken af dat ze elkaar nog zien als er vanavond feest is in Parque Céspedes.

De 35-jarige Juan is directeur van Hatuey, de grote bierbrouwerij in San Pedrito, een buitenwijk van Santiago de Cuba. De brouwerij is bezit van het Bacardi-concern, oftewel van de familie Bacardi, want niemand anders heeft aandelen. Het is allemaal begonnen met de grote Bacardi-rumfabriek in Santiago. Maar inmiddels is de familie ook eigenaar van brouwerijen en distilleerderijen in andere delen van Cuba alsook in andere landen van Latijns-Amerika. Juan is chemicus van beroep; hij heeft gestudeerd aan de universiteit van Philadelphia. Hij is afkomstig uit een eenvoudig onderwijzersgezin in Guantánamo. Door zijn specialisme en zijn goede contacten heeft hij een bliksemcarrière gemaakt binnen het Bacardi-concern. In de Cubaanse tak van het bedrijf behoort hij tot de top-vijf en daarmee is hij een vooraanstaand man in Santiago. De leden van de hoogste kringen brengen een groot deel van hun vrije tijd door in de exclusieve Club San Carlos en in Hotel Casa Granda, die naast elkaar liggen aan Parque Céspedes. Alleen blanken zijn lid van de club. Alles is overzichtelijk geregeld in Santiago de Cuba. Iedereen weet zijn plaats.

Juan is twee jaar geleden getrouwd met Aletta, een lid van de vooraanstaande familie Del Campo, zijdelings verwant aan de Bacardi-familie. Volgens sommigen was het een verstandshuwelijk, puur om hogerop te komen. Maar in werkelijkheid had hij dat niet nodig, hij had immers al een goede positie binnen het concern dankzij zijn intelligentie en kundigheid op het gebied van de brouwtechnologie.

Nee, het was een gewoon huwelijk uit liefde en kameraadschap, waarbij beide partijen tot de betere standen behoren.

Yamilet, zijn maîtresse, kent hij al uit de tijd toen hij nog verloofd was met Aletta. Nette katholieke vrouwen in Santiago hebben geen seks vóór het huwelijk. Seks is iets voor de mannen die troost zoeken in het bordeel of bij hun maîtresse. Hiervoor bestaat alle begrip. Een beetje man heeft dat nodig. Maar het zijn ook weer geen zaken waarover hardop wordt gesproken, behalve dan door de mannen onder elkaar.

In de directiekamer in de Aguilera zijn alle directeuren van de Santiago-vestiging aanwezig. President-directeur Pepin Bosch is er niet bij. Hij is afgelopen nacht spoorslags naar Havana vertrokken na het bericht over de vlucht van Batista. Het gerucht gaat dat hij als ex-politicus benaderd is voor de Voorlopige Regering, die misschien nu tijdelijk de macht gaat overnemen. En hij zal ook wel een en ander te regelen hebben in de Havana-vestiging, van waaruit de internationale contacten worden onderhouden. Daniel Bacardi, die de dagelijkse leiding in Santiago heeft en ook vandaag de vergadering voorzit, geeft de directeuren en bedrijfsleiders de laatste instructies. Iedereen moet de rebellen hier in Santiago gastvrij ontvangen en uiting geven aan de steun van het Bacardi-concern aan de bevrijding van Cuba.

Het is een publiek geheim dat verschillende leden van de Bacardi-familie steun geven aan Fidel Castro. Bij sommige familiefeestjes kan dit tot hoog oplopende conflicten leiden. De vrouw van Pepin Bosch, Enrequita Schueg Bacardi, heeft pas nog een brief rondgestuurd aan alle familieleden om niet meer over politiek te praten tijdens familiefeestjes. Volgens haar wordt daardoor de sfeer bedorven. Dat moeten de heren dan maar in de club doen. Pepin Bosch heeft aan enkele vertrouwelingen laten weten dat hij de laatste tijd zijn twijfels heeft over Fidel Castro. Hij denkt dat het een autoritaire, ondemocratische communist is waar ze heel voorzichtig mee moeten zijn. Maar hij is politicus genoeg om dat niet hardop te zeggen. Het gaat tegen de mening in van de meerderheid van de Cubanen en het zou ook het bedrijf in de problemen kunnen brengen. Dat is het enige wat voor Pepin telt.

Ze besluiten dat Hatuey vandaag en morgen, in verband met het nationale feest van de bevrijding van Cuba, overal in de stad gratis bier zal schenken. Juan staat al binnen enkele minuten met de hoorn van de telefoon in de hand om de dienstdoende chef van de brouwerij opdracht te geven om alle tankwagens te vullen. De paarden en wagens moeten versierd worden met de Cubaanse vlag. Ook geeft hij opdracht om zijn auto, een Pontiac convertible die op deze vrije dag op het fabrieksterrein staat, naar de Aguilera te sturen om hem op te halen.

Na de vergadering neemt Daniel hem nog even apart in de hal

van het gebouw. Juan ruikt de sigarenlucht die zo typerend is voor Daniel.

"Juan, dit blijft onder ons. Wij gaan voorbereidingen treffen om een deel van het familiekapitaal naar het buitenland te brengen. Pepin heeft mij gevraagd om dit met jou voor te bereiden. Dit is een hoogst geheime operatie. We zullen de komende tijd voor honderd procent meewerken met Castro en zijn mannen als hij de macht krijgt. Maar Pepin maakt zich zorgen over mogelijke nationalisaties die eraan komen. We moeten op alles voorbereid zijn."

"Zijn wij drieën de enigen die van deze operatie weten?"

"Ja. We willen geen enkel risico lopen. Je weet, er zijn nogal wat sympathisanten met Fidel in de familie. Als de Fidelistas er lucht van krijgen, komen we in de problemen."

De mannen spreken af hier later op terug te komen om de details door te spreken. Juan weet nog niet wat hij ervan moet denken. Kennelijk is hij een van de weinigen binnen Bacardi die honderd procent vertrouwd wordt. Het wonderlijke is trouwens dat Daniel door iedereen gezien wordt als een sympathisant van de revolutie. Het is een slimme zet van Pepin om juist Daniel uit te kiezen voor de operatie, hij is wel de laatste die ze zullen verdenken. Het is algemeen bekend dat Daniel het afgelopen jaar heel wat geld heeft geschonken aan de rebellen in de Sierra Maestra. Hij is er wel eens over ondervraagd door de politie van Batista, maar hij heeft het ontkend en er waren geen bewijzen. Een gewone ziel was alleen al vanwege dit gerucht in de bak gegooid en gefolterd, maar dat doe je niet met een vooraanstaand lid van Bacardi. Ook de macht van Batista had zijn grenzen.

Als Juan met zijn chauffeur Ánibal tegen de avond vanaf de fabriek de stad weer in gaat op weg naar de nieuwjaarsreceptie in Club San Carlos, moeten zij stapvoets rijden door de grote drukte op straat. Bij de Paseo Alameda, de grote boulevard die langs de haven loopt, zien ze de eerste colonnes vrachtauto's de stad in rijden. Ze zitten vol met juichende en zwaaiende barbudos, zoals de baardmannen van Castro heten. De auto's zijn bedekt met bloemen en confetti. De mooiste meiden klimmen op de vrachtwagens en zoenen de mannen. De colonnes worden gevolgd door tanks van het Cubaanse leger die nu bedekt zijn met de roodzwarte M26-vlaggen. Daniel laat zijn chauffeur het dak van de Pontiac omlaaghalen om niets te missen en om terug te kunnen zwaaien.

Als ze na lange tijd Parque Céspedes naderen, zien ze dat de rebellen – duidelijk te herkennen aan hun lange haren en baarden – posities hebben ingenomen op de daken. Boven op het nieuwe gebouw van de Banco National de Cuba staan mitrailleurs gericht op het plein. Er kan van alles gebeuren. In de stad zijn nog genoeg Batista-aanhangers verborgen die in actie kunnen komen.

"Fidel gaat vanavond het volk toespreken", roept een enthousiaste voorbijganger die hij vagelijk kent.

3

Amsterdam, 19 juni 2001

Ik neem de bedreiging van Orlaidis door die twee heren heel serieus, hoewel ik er niets van begrijp. Een stevige dame trouwens, die Cubaanse vriendin van mij. Ze is wel gevoelig, maar gelukkig niet zo'n hysterische paniekzaaier. Dat ben ik wel anders gewend. Vanochtend was het weer raak toen mijn ex, Sonja, weer eens belde. Er waren problemen met Vera, onze 16-jarige dochter. Huilen, huilen en nog eens huilen, afgewisseld met verwijten aan mijn adres. Jij geeft te weinig aandacht aan haar. Jij geeft het slechte voorbeeld. Noem maar op. Ze vertelde dat Vera de afgelopen nacht niet thuis was gekomen van een feestje.

Na een paar telefoontjes naar haar vriendinnen, krijg ik te horen dat ze bij een vriendje zit.

"Ik was bij Johan, het was zo laat dat ik bij hem in slaap gevallen ben", hoor ik haar slaperig en schuldbewust door de telefoon zeggen.

"Ga maar snel naar huis, want je moeder maakt zich echt zorgen."

Ik probeer geen ironische bijklank in mijn stem te hebben. Volgens mij lukt dat heel aardig.

"Dat bedoel ik nou, het interesseert jou geen bal", krijg ik als stank voor dank van Sonja te horen als ik haar van de situatie op de hoogte breng. Daar ga je weer met je goede bedoelingen. Ik wilde haar alleen maar geruststellen.

Acht jaar geleden heb ik de echtelijke woning verlaten na veel gedonder. Ik had toen een hitsige relatie met een getrouwde collega, inclusief alle leugens en bedrog die daar bij horen. Na mijn vertrek liep onze echtelijke communicatie jarenlang via advocaten. Het waren ruzies over de hoogte van de alimentatie en de bezoekregeling van Vera. Het arme kind zou veel geestelijke schade ondervinden als ze regelmatig bij dat immorele beest op bezoek zou gaan. Sinds een paar maanden heb ik weer contact met mijn ex en met Vera. De verhoudingen zijn nu in rustiger vaarwater gekomen. Toch blijft elke confrontatie met Sonja een slopende aangelegenheid. Ik moet te veel op mijn woorden letten. Het initiatief tot het contact van de laatste tijd is uitgegaan van Vera. Zij wilde mij langzamerhand weer eens zien. Het is haar inmiddels duidelijk dat ik toch niet zo'n onmens, dronkelap en seksmaniak blijk te zijn als ze al die jaren van haar moeder te horen heeft gekregen. Zij zou het liefste bij mij wonen. Sinds Sonja een nieuwe vriend heeft, ziet ze het thuis helemaal niet meer zitten. Vera noemt hem een sul die de hele avond voor de tv hangt met een flesje bier. Adriaan, zo heet hij, is soms drie dagen in de week bij hen thuis. Ik hou wijselijk mijn mond als ze weer eens op hem zit af te geven; bemoei je nooit met de nieuwe vriend van je ex. Het leven hier in Amsterdam lijkt Vera veel spannender dan in die buitenwijk van Alphen aan den Rijn. Als het aan haar lag, zou ze het liefst twee keer in de week naar concerten in Paradiso en de Melkweg gaan of naar de nieuwste film in het City-theater. Soms, als ze weer eens haar zin niet krijgt, dreigt ze haar moeder dat ze naar Amsterdam gaat. Ondanks alles lukt het mij om uit pedagogische overwegingen één lijn met Sonja te trekken. En ik moet er eerlijk gezegd ook niet aan denken dat ze bij mij komt wonen. Ik heb het al moeilijk genoeg met mijn onregelmatige werk en mijn chaotische gezinsleven. Een keer in de veertien dagen logeert Vera nu in het weekend bij mij. We doen dan gezellig van die grotestadsdingen: naar de film, uit eten en naar een concert. Ze is vaak ook uren de stad in om foto's te maken met mijn digitale fotocamera. Daarna is ze soms een dag muisstil bezig om op mijn computer de artistieke plaatjes die ze gemaakt heeft te bewerken. Een enkele keer denk ik wel eens dat ze vooral naar Amsterdam komt om met mijn apparatuur te spelen. Maar het gaat redelijk goed tussen ons. Van tijd tot tijd is er natuurlijk het gebruikelijke pubergezeur: ze vindt mij een saaie ouwe lul als ik haar vermanend toespreek over het belang van studie en huiswerk, of als ik gewoon een avondje tv wil kijken.

De moord bij Ben Bron en de daaropvolgende bedreiging van Orlaidis blijven me bezighouden. Het leidt me af. Ik ben nu bezig met een onderzoek in opdracht van de Nederlandse Vereeniging voor Juweliers. De NVJ. Er wordt getwijfeld aan de echtheid van een deel van de certificaten die afgegeven worden voor juwelen met edelstenen. Door de aanhoudende burgeroorlog in Sierra Leone is er een duistere parallelhandel ontstaan in diamanten die door de rebellen het land uit worden gesmokkeld. De legale handel heeft een boycot van deze toevoer afgekondigd, maar die wordt steeds omzeild door gerommel met certificaten van herkomst. Ik moet dubieuze certificaten natrekken en een rapport schrijven over het systeem zoals dat nu bestaat. Er ligt een stapel kopieën van certificaten voor me.

Ik kan me moeilijk concentreren. Het officiële politieverhaal over die 'crime passionnel' gaat er bij mij niet in. Vanochtend stond het weer in de krant. Het is mij te simpel. Zeker na die geheimzinnige dreiging door die twee baseballtypes bij Orlaidis. Peinzend kijk ik naar de telefoon. Dit is een goed moment om mijn vriend Freddy te bellen. Als ik wil weten wat ze echt denken bij de politie in plaats van die officiële verhalen te geloven, dan moet ik bij hem zijn. Het liefste zou ik een gesprek willen met die blonde vriendin van het slachtoffer. Maar de politie heeft haar natuurlijk al behoorlijk doorgezaagd, terwijl het arme mens nog midden in haar rouwproces zit. Nog even wachten dus.

"Hoi Fred, met Lex Eckhardt."

"Ha, ouwe rakker. Hoe is het met onze avontuurlijke boekhouder?"

Hij klinkt afwezig. Waarschijnlijk zit hij achter zijn computer weer spannende dingen te doen op het world wide web.

"Mij hoor je niet klagen. Ik leid een bloeiend liefdesleven en ik kom om in het werk. Wat wil een man nog meer?"

Ik ken Freddy al jaren. Hij is een even geniale als gevreesde whizzkid die dag en nacht bezig is op internet. Als ik niet meer weet hoe ik informatie boven tafel moet krijgen dan bel ik Freddy. We hebben pas nog samengewerkt aan een onderzoek naar een Surinaamse bananenhandelaar. De man werd stinkrijk en reed in de nieuwste BMW rond, terwijl hij de bananen voor dezelfde prijs verkocht op de Albert Cuyp als hij ze gekocht had in Paramaribo. Iedereen krabde zich op zijn hoofd. Ra, ra, hoe kan dat. De politie vroeg mijn advies in deze kwestie. Ook ík, met mijn boekhoudkundige achtergrond, kon er niks van bakken. Maar het bleek echt te kunnen. Althans, wanneer je een deel van de bananen opvult met cocaïne en daarna weer dichtnaait met nylondraad. Via zijn internetvriendjes in Paramaribo was Freddy de details aan de weet gekomen.

"Fred, kun jij uitzoeken hoe ze bij de recherche aankijken tegen die moord afgelopen zondag bij Ben Bron? Wil je eens rondkijken in het systeem van het bureau wat daar nu precies over bekend is?"

Hij klinkt nu echt geïnteresseerd.

"Ben je alleen nieuwsgierig of doe je een officieel onderzoek?"

"Ik was er toevallig bij toen het gebeurde. Ik weet alleen wat er in de krant staat en dat is niet veel."

"Ik ben nu met een klus bezig, maar ik zal vanmiddag even in hun systeem kijken."

"Zal ik om een uur of vijf bij je langskomen?"

"Prima, dan kun je zien wat ze hebben."

"Tot dan."

Geen moment hoor ik twijfel in zijn stem of het zal lukken om in het politiesysteem te kijken. De toegang krijgen tot welk netwerk dan ook, is voor hem hoogstens een kwestie van minuten en in het allerergste geval van een paar uur. In het netwerk van de politie is hij waarschijnlijk kind aan huis, wat ze daar ook allemaal bedenken aan beveiligings- en coderingssystemen.

Freddy woont op de derde etage in de Westerstraat. Als ik hijgend van het traplopen binnenkom zit hij zoals gewoonlijk achter de computer. Onderuitgezakt hangt hij op een kruk terwijl zijn vingers zich razendsnel over het toetsenbord bewegen. Hij heeft koperrood haar en draagt een grasgroene bril met een stevig montuur.

"Hai Fred."

Hij kijkt niet om en reageert met een brom die zoiets als 'hallo' betekent.

Ik vat het niet persoonlijk op. Ik weet hoe contactgestoord hij is. Al jaren doe ik pogingen om hem inzicht te geven in het effect van zijn gedrag op anderen. Als het weer eens mis is, vraagt hij mij om advies over zijn liefdesleven. Dat wil maar niet van de grond komen. Na een aantal pogingen om hem achter de computer vandaan te krijgen en hem socialer te maken, geven zijn vriendinnen meestal de moed op.

"Ik heb links en rechts in het politiesysteem gekeken. Niemand komt verder dan een gevecht om een blonde dame. Die Mexicaan was door haar aan de kant gezet en die Cubaan was de nieuwe verloofde."

Met de rug naar mij toe vertelt hij zijn bevindingen.

Ik ben op de sofa gaan zitten. Dat is de enige plek die nog vrij is. De hele ruimte is gevuld met computers en monitoren die onrustig bliepen. Op het tafeltje voor me staan volle asbakken en lege bierflessen.

"Dan gebeuren dat soort dingen", vervolgt hij zijn verhaal.

"Er wordt een erekwestie van gemaakt, 'wie denk je wel niet dat ik ben'. En dan gebeurt het: de messen komen tevoorschijn. Ook uit de getuigenis van die blondine komt dat naar voren. Hij had wel vaker gedreigd, maar ze hadden het niet serieus genomen. Kijk maar hier. Ik heb een paar files gedownload."

Ik loop naar de computer en kijk op het scherm.

"Ken jij die lui? Dit zijn de procesverbalen van de rechercheurs Hoogeboom en Weber. Zij waren zondagavond in El Centro."

Ik herinner me de kale met het artistieke staartje en zijn zwijgende collega.

Er staat weinig nieuws in de rapporten. Uit het verslag dat ik lees over het verhoor van Anita, later op de avond, blijkt dat ze er slecht aan toe is. Ze vindt dat zij eigenlijk schuldig is aan de dood van haar vriend. Slachtofferhulp heeft zich over haar ontfermd. Voor de politie is het een duidelijke zaak. Het is een kwestie van de dader oppakken, maar dat is niet makkelijk. Die is allang de grens over. Er is nu een signalement de deur uit en vanavond komt er een tekening op de televisie bij *Opsporing Verzocht*. Daar wordt hard aan gewerkt.

Ik vertel Freddy het verhaal van de bedreiging van Orlaidis. Hij haalt zijn schouders op.

"Je hebt geen namen, er waren geen getuigen bij en jij weet ook niet in wat voor kringen jouw nieuwe vriendinnetje verkeert. Je kunt hier alleen mee aankomen als die verhalen controleerbaar zijn. Die rechercheurs zijn allang blij dat ze een mooie afgeronde zaak hebben met een dader, een motief en getuigen met duidelijke verklaringen. Daar kun jij met dat verhaal niet tegenop. Daar hebben ze het te druk voor."

Ik moet het met hem eens zijn. Hoe jong en contactgestoord hij ook is, soms maakt hij heel verstandige opmerkingen. Als er verder niets gebeurt kan ik het maar beter laten zitten.

Terwijl hij naar een andere computer loopt om te kijken hoe het staat met de housemuziek die hij downloadt, vertelt hij over zijn nieuwste klus bij een grote bank. Hij kan een hoop geld verdienen als het hem lukt om binnen te dringen in hun spaarrekeningen. Ze denken dat het systeem waterdicht is en hebben een paar betrouwbare hackers zoals hij, die er niet met de centen vandoor gaan, gevraagd om lekken te zoeken.

"Hoezo waterdicht, dat verhaal kennen we. Ik ben nu twee dagen bezig en ik denk dat ik het al weet."

Hij begint een verhaal in een soort digi-taal waar ik geen touw aan kan vastknopen.

Freddy behoort tot de groep van tophackers die door allerlei instellingen gevraagd wordt om beveiligingen te testen. Hij heeft veel minachting voor *crackers* die eropuit zijn om via internet informatie te verzamelen om die op een illegale manier te gebruiken, zoals nummers van creditcards. Het ergste tuig is volgens hem de groep van de *script-kiddies*. Dat zijn de opscheppers die alleen maar uit zijn op de kick. Ze lopen te koop met een computerkraak waarbij ze methoden gebruiken die anderen voor hen bedacht hebben. Je kunt die overal op het web vinden. Dit zijn de echte vandalen die het lollig vinden om bij je binnen te dringen en je computer te ontregelen. Daar kan hij woedend over worden. Freddy heeft een overzichtelijke beroepscode. Zijn belangrijkste principe is dat hij geen informatie levert aan criminelen. Inbreken in een systeem voor je eigen gewin mag niet. Wel vindt hij dat informatie voor iedereen toegankelijk moet zijn. Wat is er bijvoorbeeld mis mee om bij de politie binnen te dringen, zoals hij nu voor mij gedaan heeft? Wij betalen toch met z'n allen de politie!

Ik probeer het verhaal van de moord uit mijn hoofd te zetten. Op weg naar huis denk ik grinnikend aan het verhaal dat Freddy me ooit vertelde over het begin van zijn hackercarrière. Toen hij twaalf was, inmiddels dertien jaar geleden, werd hij gearresteerd omdat hij samen met een vriendje het computersysteem van de Nederlandse luchtmacht had ontregeld. Op school liet hij trots alle geheime gegevens over raketsystemen zien, inclusief de landkaarten waar ze opgesteld waren. Zijn klasgenoten kunnen nog steeds smakelijk vertellen over de dag dat de school werd omsingeld door een zwaarbewapend arrestatieteam, dat in opdracht van de BVD Freddy en zijn vriendje Henk kwamen arresteren. Het liep allemaal met een sisser af. Freddy en Henk werden afgevoerd in een zwarte wagen met geblindeerde ramen. Toen na een dag bleek dat de gegevens niet aan de Russen waren geleverd, werden ze weer vrijgelaten. Ze waren de helden van de klas. Freddy, die het brein achter de kraak was, dwong zoveel respect af dat hij daarna nooit meer is uitgescholden voor vuurtoren. Zijn faam als whizzkid was gevestigd.

De Brouwersgracht, waarover ik nu loop, is op z'n mooist in dit zomerse avondlicht. Bewoners zitten op hun stoepjes met een glaasje wijn en borrelnootjes. Onder in mijn schoudertas, ik was hem helemaal vergeten, gaat mijn mobieltje af. Het is Sasja; haar stem klinkt gejaagd.

"Lex, ik moet je spreken! Zo snel mogelijk."

"Waar gaat het over, schat?"

"Ik heb vanmiddag met Anita gesproken, de vriendin van die Cubaan die gisteren in El Centro vermoord is."

"Wat is daar mee?"

"Kan ik zo over de telefoon niet zeggen. Waar ben je nu?"

"Ik loop over de Brouwersgracht op weg naar huis."

"Is het goed als ik bij je langskom? Dan spring ik zo in de auto."

Sasja, die Anita vagelijk al langer kende uit het salsacircuit, had haar vanmiddag gebeld. Ze was slaperig en in de war aan de telefoon gekomen. Waarschijnlijk zat ze flink onder de medicijnen. Sasja had aangeboden om bij haar langs te komen. Typisch Sasja, altijd bezig hulp te bieden aan de medemens. Ze werkt niet voor niets in de verpleging. Anita woont alleen in een appartement op de Lindengracht, in de Jordaan. Toen Sasja bij haar binnenkwam, had Anita zich wanhopig aan haar vastgeklampt. Ze was helemaal over haar toeren. De hele voorgaande nacht was ze op het politiebureau geweest. Tot in details was ze ondervraagd over wat er gebeurd was, hoe haar relatie was met Carlos en hoe het zat met die messentrekker, die Pablo blijkt te heten.

"Ze heeft mij het werkelijke verhaal verteld, dat ze niet aan de politie kon vertellen."

Met een doordringende blik in haar grijsgroene ogen kijkt Sasja me aan. Dit gaat weer heel dramatisch worden. Ze houdt van theater.

"Voor ik verderga, eerst dit: wil je mij absolute geheimhouding beloven? Anita zit in een uiterst gevaarlijke positie en ik heb haar beloofd dat ik zou proberen de politie erbuiten te houden."

"Ik beloof het, Sasja."

Het is een gecompliceerd verhaal dat ik van Sasja te horen krijg.

Het komt erop neer dat Anita betrokken is bij de smokkel van antiek uit Mexico. Zij werkt bij een reisbureau en gaat regelmatig op en neer naar Cancún van waaruit ze toeristen begeleidt op de Maya-route. Gemiddeld een keer per maand vliegt ze met een charter naar Amsterdam, blijft dan even en gaat vervolgens weer terug met een groep. Ze heeft Pablo leren kennen in Cancún. Hij is chauffeur op een van de busjes waarmee ze rondreizen. Carlos kent ze hier van het salsacircuit. Hij schijnt een politieke vluchteling te zijn. Hij had vervelende dingen gezegd over Fidel en wilde niet in militaire dienst. Daar heeft de politie in Cuba niet zo veel begrip voor. Met hem, die Cubaan dus, had Anita een intieme verhouding. De relatie was niet helemaal exclusief, maar echt trouw zijn die Cubanen zelf ook niet. Met Pablo had ze wel eens gevreeën tijdens een van hun tochten in Mexico, maar de laatste tijd nam ze wat meer afstand van hem. Het is haar type niet zo. Ze ging wel vaker met hem dansen toen hij vorig jaar een paar maanden in Nederland was. Hij is een prima salsadanser. Ze schrok enorm toen hij plotseling opdook bij El Centro, ze had hem niet in Nederland verwacht. Ze wist onmiddellijk dat het mis was. Carlos en Pablo hadden een paar dagen ervoor via de telefoon een hooglopend conflict gehad over geld van een deal. Zij kennen elkaar uit de periode dat Pablo in Amsterdam zat. In die tijd waren ze begonnen met een illegale handel in Zuid-Amerikaans antiek. Het conflict ging over iets waar Anita buiten stond. Ze had iets opgevangen over een lading uit Cuba.

"Zij kan met dit verhaal niet bij de politie aankomen. De versie van die jaloerse Latijnse minnaar bleek erin te gaan als zoete koek bij die lui die het onderzoek deden. De politie had verder niet veel belangstelling voor de achtergrond van de beide mannen. Haar probleem is dat ze niet goed weet wat ze hiermee aan moet. Ze is natuurlijk ook betrokken bij die antiekhandel en ze is doodsbang om in de bak te belanden voor iets wat ze zelf als een onschuldige bijverdienste ziet. Het is geen drugssmokkel per slot van rekening en ze loopt weinig risico. Ze brengt bijvoorbeeld van die kleine beeldjes uit de Inca- en Maya-periode hierheen. Die kan ze gewoon tussen haar toiletspullen verstoppen. Het kunnen net zo goed toeristische prullaria zijn. Hoeveel douaneambtenaren zien het verschil, denk je?"

4

Santiago de Cuba, 1 januari 1959

De nieuwjaarsreceptie in Club San Carlos is nog in volle gang als Juan om acht uur binnenkomt. Zijn vrouw is in een diep gesprek gewikkeld met de aartsbisschop van Santiago, monseigneur Pérez Serantes. Zij heeft al jarenlang een goede verstandhouding met de kerkvorst. Juan moet er niet zoveel van hebben. Dat roomse gebabbel over kuisheid en zondigheid haat hij. Soms wordt hij thuis met teksten om de oren geslagen die rechtstreeks uit de koker van de monseigneur komen. De laatste tijd schijnt hij ook nog eens regelmatig te informeren hoe het staat met het nageslacht na twee jaar huwelijk. Juan was woedend toen hij het hoorde. De prelaat is in vol ornaat aanwezig in zijn officiële paarse kledij met dito kalotje op zijn hoofd. Vanmiddag hoorde Juan dat de aartsbisschop later op de avond naast Fidel op het bordes staat en ook enkele woorden gaat spreken. Het gerucht gaat dat de hoeren in de bordelen van Calle Baracone en Parque Alameda vandaag en morgen een gratis wip aan de bevrijders hebben aangeboden. Lola, de madame van het gelijknamige Casa de Lola heeft hiertoe het initiatief genomen. Dat verdienen die jongens na maanden en soms jaren in de bergen te hebben doorgebracht. Laat de monseigneur het maar niet horen. De Kerk zou haar steun aan de revolutie wel eens kunnen intrekken.

De meeste dames en heren staan feestelijk aangekleed op het balkon te kijken naar de feestende menigte die wacht op de komst van Fidel. Veel mannen dragen een *dril cien*, een wit glimmend gabardine pak met een donkere vlinderdas. De dames zijn in vol ornaat komen opdagen. Er hangen wolken dure parfum om hen heen. Ze hopen te worden voorgesteld aan de nieuwe machthebbers. Beneden in het park wordt naast de Cubaanse vlaggen uitbundig met roodzwarte vlaggen met het M26-embleem gezwaaid. Geen idee waar die zo snel vandaan komen. Zo te zien zijn ze het product van haastige huisvlijt; bij sommige vlaggen is dat erg duidelijk omdat de kleuren rood zo verschillend zijn. Er klinkt een oorverdovend lawaai. Een son-orkestje begint te spelen op de hoek van de Calle Heredia, waarschijnlijk op het terras van Hotel Casa Granda. Uit alle richtingen klinken de ritmische klanken van de conga, een Afro-Cubaanse variant op de polonaise.

De gigantische blikken luidsprekers op het balkon van het gebouw van de Ayuntamiento worden getest met feestelijke marsmuziek.

Daniel Bacardi, die een beetje achteraf zit, wenkt naar Juan en gebaart hem naar hem toe te komen. Hij heeft een glas witte wijn voor zich, waarschijnlijk zijn favoriete Chablis. Juan gaat bij hem zitten. Er is niemand binnen gehoorsafstand. Als ook Juan voorzien is van een glas, begint Daniel op gedempte toon.

"We hebben de kluis in de Aguilera vanmiddag leeggehaald. Er zitten alleen nog Cubaanse peso's in, voldoende om voorlopig hier in Santiago vooruit te kunnen. We kunnen daar niet te lang mee wachten, want we krijgen bericht uit Havana dat de revolutionairen begonnen zijn de kluizen van de banken open te maken om te kijken wie welke rijkdommen heeft, die volgens hen eigenlijk aan het volk toebehoren. Zoals je weet zijn de meeste dollars van ons het land uit. Dat is heel goed aan de revolutionairen te verkopen. Ze weten van onze recente investeringen in Puerto Rico, Mexico en de USA. Vermoedelijk ligt onze toekomst voorlopig buiten Cuba. Waar het nu vooral om gaat zijn de familiebezittingen, zoals juwelen en kostbare stenen. Zoals gezegd, wij willen dat jij daar een belangrijke rol in gaat spelen. Op een gewone manier krijgen we die het land niet meer uit. Vanuit Havana hebben we al gehoord dat op het vliegveld iedere passagier grondig wordt gefouilleerd, iedereen wil natuurlijk zijn geld het land uit krijgen."

"Waar zijn de spullen nu?"

"Het meeste is bij mij thuis in Vista Alegre. Voorlopig is het daar een veilige plek. De Fidelistas zullen mij nu niet lastigvallen. Maar het is de vraag hoe lang dat duurt."

"Als Pepin gelijk heeft zullen ze al snel beginnen met nationalisaties."

"Waarschijnlijk is het het veiligst als de spullen het land uitgaan via de Amerikaanse basis in Guantánamo. Wij hebben daar goede contacten. Voor jou is het trouwens gemakkelijk om daar zonder verdenking naartoe te gaan, want je familie woont daar vlakbij."

Juan knikt. Een tripje naar het 90 kilometer verderop gelegen Guantánamo, gecombineerd met een familiebezoek, staat hem wel aan. Yamilet zal dat ook wel leuk vinden, die wil wel mee met dat soort tochtjes. Zij verheugt zich altijd weer op de grote badkuip in zijn favoriete suite van Hotel Brasil.

Onder oorverdovend lawaai komen Fidel en Raoul Castro om een uur of elf het balkon op van de Ayuntamiento. Ze zijn omstuwd door andere barbudos. Het lijkt wel of al het resterende vuurwerk van de afgelopen nieuwjaarsnacht wordt aangestoken. Boven de daken zijn vurige strepen te zien waar de rebellen hun geweren leegschieten in de tropische avondlucht.

Viva la revolucion. Viva Fidel. Viva Raoul, klinkt het uit duizenden kelen. Boven op de kathedraal kijkt het gigantische beeld van de engel Gabriël met de bazuin in de hand een andere kant uit. Alsof hij nog niet zeker weet of hij ook de loftrompet zal gaan spelen.

Pas na tien minuten lukt het Fidel om het woord te krijgen.

"*Pueblo de Santiago, Compadres de todo Cuba.*"

Oorverdovend gejuich.

"Eindelijk hebben we Santiago bereikt. Het was een lange, moeilijke weg. Ik ben hier in de nieuwe hoofdstad van de Republiek in overeenstemming met de wil van de voorlopige president, in overeenstemming met de wensen van het Revolutionaire leger, en ook in overeenstemming met de wensen van het volk van Santiago de Cuba dat het werkelijk verdient. Santiago zal voorlopig de nieuwe hoofdstad van Cuba worden."

"*Viva Santiago, viva Cuba, viva la Revolucion.*"

Dit is nieuws, niemand had dat verwacht.

Fidel legt de huidige stand van zaken in het land uit. Het blijkt dat dr. Manuel Urrutía, een belangrijke advocaat uit Santiago, de voorlopige president wordt van de Republiek. Dit bericht wordt met veel instemming ontvangen in Club San Carlos. Hij is een van hen. Hij is bekend geworden als de verdediger voor de rechtbank van vooraanstaande revolutionairen, onder andere van Fidel, tijdens de Moncada-processen die een paar jaar geleden zijn gevoerd.

Na drie kwartier toespraak vindt Juan het welletjes. Hij weet dat dit nog uren kan doorgaan. Ook via de radio weet deze man in zijn toespraken niet van ophouden. Na links en rechts geknikt te hebben naar bekenden en na een teken in de richting van zijn vrouw dat hij een straatje omgaat, verlaat hij de club. Hij hoopt dat hij via zijstraten bij het huis van Yamilet kan komen. Via de zijdeur komt hij op straat, hij hoeft zich maar een klein stukje door het gedrang te bewegen. Door enkele blokken om te lopen lukt het hem de Aguilar te bereiken. Het is maar een huizenblok verwijderd van de Parque Céspedes en er is hier bijna niemand op straat. Heel Santiago is uitgelopen en iedereen staat verderop op het grote plein. In de verte hoort hij de luidsprekers en het gejuich dat in golven opstijgt. Boven de huizen ziet hij het weerlichten van het vuurwerk en de vuurpijlen die de rebellen in de lucht schieten.

Yamilet komt al aanlopen in haar glimmend roze jurk als Juan in de buurt van haar huis komt. Ze stond in de achterste rij, had geen uitzicht op de Parque Céspedes, maar kon wel de toespraak volgen. Een buurvrouw had haar gewaarschuwd dat Juan eraan kwam. Ze is blij hem te zien. In het portaal van het huis kruipt ze tegen hem aan. Haar zachte lippen en haar tong sabbelen aan zijn oorlel en hij voelt haar stevige borsten door zijn dunne katoenen overhemd. Al dagen heeft hij haar niet zo dichtbij gehad. En ook nog eens die zoete parfumlucht. In zijn broek komt de snaar van de wellust onder hoge spanning te staan.

"Ik ben niet geïnteresseerd in macht, ik ben ook niet van plan die ooit naar mij toe te trekken. Wat ik wel wil, is ervoor zorgen dat de offers van zoveel landgenoten niet tevergeefs zijn geweest. Wat de toekomst voor mij ook in petto heeft!"

De stem van Fidel schalt door de straat, gevolgd door een oorverdovend: "Fidel, Fidel."

"Laten we naar binnen gaan, mi amor", fluistert Yamilet met haar hese stem.

"Eindelijk weer met zijn tweeën."

Zwetend liggen ze na te genieten in de slaapkamer van Yamilet. Zacht zoemt de ventilator die met een lichte bries hun lijven afkoelt. Yamilet kreunt als Juan zijn vingers zacht over haar ronde billen beweegt en stuk voor stuk de rondingen van haar wervels aanraakt. Buiten klinkt het lawaai van de stad en soms dringen vlagen van de toespraak de patio binnen waar Yamilets slaapkamerraam op uitkomt. Een buurman heeft de radio aanstaan waardoor soms vreemde geluidseffecten ontstaan omdat de stem van Fidel van verschillende kanten komt.

"Niemand heeft iets te vrezen. De fatsoenlijke militairen en de revolutionairen hebben zich vandaag met elkaar verbonden. Ze scharen zich samen achter de vlag van de nieuwe republiek. Er zal geen bloed meer vloeien..."

Op de rand van het bed, onder het genot van een Cointreau die altijd voor hem klaarstaat, vertelt Juan aan Yamilet zijn plannen voor de komende dagen.

"Ik ga een paar dagen naar Guantánamo en ik hoop dat jij mee kunt. Reken op een dag of drie."

Daar heeft ze wel oren naar. Door de verwarde toestand in het land is een tournee van haar dansgroep voorlopig afgelast. Ze reageert uitgelaten. Kirrend en ritmisch draaiend met haar blote billen maakt ze een rondedans door de kamer.

"Waaauw, drie dagen samen naar Guantánamo!" roept ze met haar hese stem.

Het is al na drieën als Juan haar huis verlaat. De toespraken zijn nog steeds in volle gang. Zou dat de stem van Raoul Castro zijn? Via een omweg probeert hij zijn huis te bereiken. In de Padre Pico ziet hij hoe een man zijn huis uit gesleurd wordt door een paar jonge langharige baardmannen. Kreunend betuigt de man zijn onschuld. "Dat maakt de Revolutionaire Rechtbank wel uit", snauwt een van de jongens hem toe terwijl hij een pistool tegen zijn hoofd houdt en hem een schop in zijn buik geeft. Een vrouw en een meisje van een jaar of twaalf kijken huilend toe in de deuropening hoe de man in een bestelwagen wordt gegooid, die onder de verlichte lantaarn gereed staat.

"Loop door man", krijgt Juan te horen als hij iets te lang stilstaat en toekijkt.

Juan denkt aan de mooie woorden die nu al uren in Parque Céspedes worden gesproken terwijl hij doorloopt en zich de gezichten van de knapen probeert te herinneren.

Ánibal steekt zijn pikzwarte hoofd naar buiten als Juan op de voordeur van zijn eigen huis klopt. Zijn chauffeur, secretaris en wat al niet meer, is zo zwart dat je in het donker alleen het wit van zijn ogen ziet. Zij zijn leeftijdgenoten, Juan kent hem al van de lagere school in Guantánamo. Ze kwamen elkaar weer tegen toen Juan na zijn studie bij Hatuey ging werken.

"Jij bent de eerste die weer thuis is. Iedereen is in de stad aan het feesten." Verantwoordelijk als altijd is Ánibal in huis gebleven en heeft de gebeurtenissen via de radio gevolgd. Er wordt nu marsmuziek gespeeld. Ánibal is een filosofisch ingestelde man. Van het type horen, zien, zwijgen en er het zijne van denken. Hij heeft ook nog geen duidelijke opinie over de 'triomf van de revolutie'.

"We zullen zien", is het schouderophalende commentaar van Ánibal terwijl hij met zijn ogen rolt.

Hij is in zijn nopjes als hij van Juan hoort dat ze de komende dagen naar Guantánamo gaan. Ánibal woont al meer dan tien jaar in Santiago, maar hij heeft nog steeds een beetje heimwee naar zijn geboorteplaats, waar zijn familie al generaties lang woont.

Juan heeft zich net uitgestrekt op bed en op de wekker gezien dat het al na vieren is, als hij een rumoerig gezelschap hoort binnenkomen. Hij herkent de stemmen van Aletta, haar zus Carmen en haar man Ernesto. Zo te horen zijn ze een beetje teut na de lange avond en nacht. Luid zingen ze, met begeleiding van handgeklap, *Son de la Loma*, een lied van Miguel Matamoros. Juan trekt zijn guayabera aan en voegt zich bij het gezelschap in de voorkamer. "Waar was je?" Hij mompelt dat hij wat rondgekeken heeft op straat en vervolgens Club San Carlos niet meer kon bereiken door de drukte.

Alle drie zijn ze uitgelaten. Juan blijkt veel gemist te hebben. Ze vertellen trots dat ze na afloop van de speeches door dr. Manuel Urrutía zijn voorgesteld aan Fidel en Raoul Castro. Volgens Carmen vallen ze erg mee, het zijn twee hartelijke mannen.

Raoul was zelfs een beetje teut van een paar glaasjes rum. Giechelend vertelt Carmen dat hij een oogje op haar had. Het zijn niet van die fanatieke gekken, zoals wel eens beweerd wordt. Ook Aletta is het erg meegevallen. Het laatste nieuws is dat Fidel en zijn mannen morgen vertrekken in de richting van Havana. Ze voegen zich onderweg bij de troepen van de commandanten Che Guevara en Camillo Cienfuegos, die nu oprukken naar Havana. Daar is een groot feest aan de gang.

Ernesto en Carmen blijven vannacht bij de Echavarría's slapen, omdat het nog niet helemaal veilig is in de buitenwijken. Ze wonen aan de rand van de stad en op sommige plaatsen wordt nog geschoten.

Amsterdam, 27 december 1998, 23.45 uur

Ik ben nu 29 en mijn leven is een puinhoop. Jos wil niets meer met mij te maken hebben. Hij vindt mij een en al bedrog en onbetrouwbaarheid, na alles wat gebeurd is. Terecht. Ik heb hem slecht behandeld, maar kon het anders? Wie had dat kind moeten opvoeden? Ik misschien? Iemand die nauwelijks voor zichzelf kan zorgen. De maatschappelijk werkster in de kliniek was het met me eens, het was mijn enige keus. Toch voelt het leeg na die abortus. Het was een fluitje van een cent. Ik heb me maar een paar dagen beroerd gevoeld. Maar dat gevoel in me, dat blijft. Ik heb mij altijd al leeg gevoeld, mijn hele leven al. Maar dit is erger. Even heb ik hoop gehad dat alles beter met mij zou gaan. Even leek het of de zwangerschap alles op zou lossen. Ik wilde niet verder met Jos. Het betekent een heel leven lang vastzitten aan elkaar voor een kind, het gevolg van een zwangerschap door een slordigheidje. Kun je dat kinderen aandoen? Jos vond van wel, maar ik heb mijn eigen beslissing genomen, zonder overleg met hem. Baas in eigen buik, toch?

De meeste van mijn vriendinnen hebben een warm tehuis bij hun ouders of in hun eigen gezin. Ze hebben vaste partners of echtgenoten en een enkeling heeft kinderen. Op het oog was het vanavond in Grand Café Luxembourg op het Spui erg gezellig. Het hoort ook bij de tijd van het jaar, die gezelligheid en die warmte. Alleen ik voelde het niet meer. Met een smoes ben ik eerder vertrokken. Barbara merkte dat er iets was. Ze liep me nog achterna. Wat is er? Of ik nog mee naar de Odeon ging? Of het iets met Jos te maken had? Ze weet dat we geen contact meer hebben. Maar de echte details kent ze niet.

Hier, thuis ben ik veilig. Ik voel me minder ongelukkig, omdat ik de schijn niet hoef op te houden. Ik zet een geliefde tango op. Melancholie is beter dan deze somberheid. Het is alsof ik in een glazen kooi zit, ik kijk naar de wereld buiten mij. Niets is echt. Een wereld zonder gevoel. De bandoneon begint treurig te spelen. Balada para un loco. *'Hou van mij zoals ik ben, gek, gek en nog eens gek.* Piantao, piantao, piantao.'

5

Amsterdam, 20 juni 2001

Anita woont in een yuppenappartement op de Lindengracht. Het duurt even voor er op mijn belsignaal wordt gereageerd. Het huis is goed beveiligd. Waarschijnlijk bekijkt ze me nu eerst goed door het video-oog. Wat zal ze van mij vinden? Ik ben vergeten mijn haar te kammen.

"Hallo, wie is daar?"

"Lex Eckhardt."

"Okay, druk maar tegen de deur."

Zoemend gaat de deur open. In de hal hangt een serie foto's van beren, waarschijnlijk in Alaska. Huisvlijt van een van de bewoners? Een goed onderhouden hardhouten trap voert naar de appartementen. Op de eerste etage staat ze in de deuropening te wachten. Een lange vrouw met stijl blond haar. Ze lijkt hier groter dan in de dancing van Ben Bron. Ze moet even groot of iets groter zijn dan ik, zo rond 1,85 meter. Ze heeft sluik, lichtblond haar met blauwe ogen. Het type dat je zo vaak ziet in de kop van Noord-Holland en in Friesland. Hoe heet die zwemkampioene ook al weer?

"Goed dat je wilde komen. Ik weet niet wat ik er allemaal mee aan moet. Behalve met Sasja heb ik hier met niemand over gesproken. Ze heeft je toch verteld waarom ik de politie hier buiten wil houden?"

Ik knik.

"Wil je koffie?"

"Graag."

"Melk en suiker?"

"Nee zwart, zonder iets is prima."

Als ze in de keuken bezig is met de koffie kan ik eens goed rondkijken. Alles ziet er schoon en goed onderhouden uit. Wij zitten comfortabel in een bruin nubucklederen bankstel met een glazen tafel ertussenin. Onder de tafel liggen stapels *HP/De Tijd* en *Cos-*

mopolitan. Aan de muur veel moderne kunst. Ik herken schilderijen van Herman Brood. Die zullen, nu hij van het dak gesprongen is, wel een paar centen waard zijn. In een verlicht nisje staat een boeddhabeeld, of beter gezegd, het zit er te zitten.

"Sasja vertelde dat jij vroeger bij de politie hebt gewerkt en mij misschien kunt adviseren. Ik kan toch alles in vertrouwen aan je vertellen?"

Ze kijkt mij onderzoekend en afwachtend aan, terwijl ze met haar rechterhand haar haren achter een oor stopt. Haar lange benen, die het goed zouden doen in reclames voor panty's en ontharingscrème, heeft ze over elkaar geslagen.

"Ja. Dat wil zeggen, ik loop niet naar de politie zolang je me niet vertelt dat je een moord gepleegd hebt. En ook als je mij toevertrouwt dat je weet waar de moordenaar nu uithangt, kom ik in de problemen. Door niets te doen zou ik in overtreding zijn. Ik ben geen psychiater of priester met een wettelijk beroepsgeheim en in mijn werk kan ik een strafblad niet gebruiken."

"Nee, het gaat niet om dat soort dingen. Ik wil alleen van je weten wat ik tegen de politie kan zeggen zonder zelf de bak in te draaien voor smokkel. Sasja heeft je dat toch verteld?"

Het valt me nu pas op hoe weinig expressief haar gezicht is. Het is een engelengezicht zoals je dat vaak ziet op de cover van modebladen. Je hebt geen idee wat er in haar omgaat.

Plotseling begint ze te huilen. Dat bedoel ik nou, ik zag het niet aankomen.

"Ik had nooit naar El Centro moeten gaan. Ik had Carlos moeten waarschuwen. Het was te gemakkelijk voor Pablo om ons te vinden. Ik wist dat er dingen tussen hen tweeën speelden. Volgens mij is hij rechtstreeks van Schiphol naar El Centro gekomen. Hij weet dat we daar elke zondag zijn. Ik voel me zo schuldig."

Ik haal een pakje Kleenex uit mijn zak. Verontschuldigend glimlachend door haar tranen neemt ze het aan. Professionele Eckhardt, altijd de juiste instrumenten binnen handbereik.

"Wist je dat hij in Amsterdam zou zijn?"

"Nee. Zijn laatste telefoontje, afgelopen week, kwam uit Cancún. Maar er is elke zaterdagavond een rechtstreekse vlucht met Martinair. Als er plaats is, ben je binnen twaalf uur hier. Zeker als je Star Class kunt betalen, zoals Pablo, dan lukt het altijd."

"Heb jij enig idee waar hun conflicten over gingen?"

"Nee, precies weet ik het niet. Carlos wilde mij erbuiten houden. Hij wist dat ik goed met Pablo kan opschieten, zeker zakelijk. We kennen elkaar al jaren."

Ze veegt onder haar ogen met de Kleenex, voorzichtig om de verfijnde make-up niet in het ongerede te brengen.

"Je hebt toch wel een idee?"

"Ik denk dat het over geld ging. Ze hadden samen een klusje gedaan. Maar voor de rest weet ik van niks. Ik wilde er niets mee te maken hebben. Hoe minder je weet, des te beter."

"Hoe gedroeg Carlos zich de laatste tijd?"

"Hij was heel optimistisch. Hij had net een voorlopige verblijfsvergunning gekregen. Bij Vreemdelingenzaken hadden ze gezegd dat ze hem niet naar Cuba zouden terugsturen. Ook vertelde hij dat hij binnenkort in één klap schatrijk zou worden. Hij fantaseerde over een huis op Ibiza. Als het zover was zou hij zijn moeder laten overkomen. Ik heb dat steeds met een korrel zout genomen. Wat had die man een fantasie."

Ze barst weer in snikken uit.

"Daarom hield ik ook zo veel van hem, altijd optimistisch en met zo veel verbeelding. De gekste verhalen kon hij vertellen."

Al met al word ik er niet veel wijzer van. Het enige wat ik van haar verhaal begrijp is dat zij elke keer wanneer ze uit Mexico naar Nederland komt een paar pre-Columbiaanse voorwerpen meebrengt. Zogenaamd eigen souvenirs. Zomaar los in haar toilettas, tussen de lipstick en de tandpasta. Voorwerpen die hier soms tienduizenden guldens waard zijn, maar die niet geëxporteerd mogen worden omdat de Mexicanen ze tot nationaal kunstbezit rekenen. Die handel gaat al jaren goed. Aan de Mexicaanse kant zorgt Pablo voor de aanvoer en hier sluist Carlos de spullen door naar Parijs en Londen. Hij schijnt goede contacten met handelaren te hebben. En die spullen legaal maken schijnt geen enkel probleem te zijn.

"Ik zou niet weten wat ik voor je kan doen. Mijn advies zou zijn: zoek een goede advocaat op voor als er weer iets gaat gebeuren. Misschien kun je dan een deal met de politie sluiten om de smokkel erbuiten te laten. Hoewel ik niet denk dat Pablo nog contact met je zoekt. Laat het gewoon verder aan de politie over."

"Als ik weet waar hij is dan zal ik hem beslist aangeven, al is het anoniem. Ik heb de politie alle informatie gegeven over waar hij kan zitten. Voor mij is hij een monster. En als hij me dan aangeeft voor smokkel, zal ik alles ontkennen."

Even zie ik een emotie in haar gezicht: is dit woede?

Voor ik vertrek herhaal ik mijn advies om een advocaat te zoeken. Ik heb haar weinig meer te bieden.

Als ik op weg naar huis nog even in de vitrine van bioscoop Movies kijk, krijg ik het gevoel dat ik gevolgd word. De man met dat jack en die baseballpet stopt gelijk met mij en kijkt in de vitrine aan de andere kant van de ingang. Alleen die kleding al. Vroeger droeg een detective een geruit Burberry-petje en slurpte hij aan een pijp, als je de literatuur moet geloven. Daarna hebben ze Humphrey Bogart nageaapt met een lange regenjas en een gleufhoed. Tegenwoordig lopen ze zogenaamd onopvallend op sportschoenen, gekleed in wijd zittende windjacks waar je van alles onder kunt verbergen, en om nog minder op te vallen zetten ze er een baseballpet bij op. Deze man lijkt mij niet van de politie. Waarom ik dat denk weet ik ook niet. Misschien omdat hij zo'n goedkope kop heeft met tochtlatten. Rechercheurs ogen meestal beschaafder.

Wat is hier in godsnaam aan de hand? Eerst die types die mij afgelopen zondagavond via Orlaidis bedreigden. Nu word ik weer gevolgd door zo'n bedenkelijk persoon. Hij heeft mij waarschijnlijk opgepikt voor het huis van Anita. Dat wordt dus ook in de gaten gehouden. Er zijn zeker mensen die denken dat ik iets met die moord of met die handel te maken heb.

Het staat nu wel vast dat ik gevolgd word. Op de Houtmankade – ik ben een stukje omgelopen om te kijken wat hij zou doen – zie ik in een winkelruit dat hij nog steeds achter me loopt. Dat moet maar eens afgelopen zijn. Ik draai me om en loop naar hem toe. Op drie meter afstand van hem begin ik al te praten.

"Hé, Sherlock Holmes. Voor onopvallend volgen geef ik je beslist een onvoldoende. Wanneer doe je examen?"

De man kijkt mij gemaakt verbaasd aan.

"Jij leest te veel detectives, man."

Hij heeft een plat Amsterdams accent.

Ik overhandig hem mijn visitekaartje en vertel hem dat ik dag en nacht bereid ben om alle informatie te geven die hij wil hebben, behalve dan over mijn seksleven.

"Dan hoef je je niet zo uit te sloven. Zeg maar tegen je baas dat het veel efficiënter en goedkoper is om mij gewoon te bellen."

Met een gezicht vol ingehouden woede loopt hij door. Er lopen op dit tijdstip nog te veel mensen op straat, anders zou hij zeker zijn karateslagen op mij hebben uitgeprobeerd.

Voor Boemibol is het de hoogste tijd voor het diner. Ze staat achter de deur zacht te miauwen als ik de sleutel in het slot steek. Binnen een minuut zit ze smakelijk voor een bordje vol tonijn uit het Gourmet-blikje. Weg is haar aandacht voor het baasje. Voor meer aandacht loop ik door naar de telefoonbeantwoorder die staat te knipperen. "Liefe sjat, bel je mij efen", klinkt het Cubaanse Nederlands van Orlaidis door de kamer.

Het tweede telefoontje is van mijn opdrachtgever bij de Nederlandse Vereeniging voor Juweliers, of ik hem even terugbel. Dat kan wel wachten tot morgen. Te snel terugbellen is niet goed voor de zaak, ze denken dan dat je alle tijd hebt. Dat verzwakt je onderhandelingspositie. Voor je het weet stellen ze je uurtarief ter discussie.

In het eetcafé op de Haarlemmerdijk vertelt Orlaidis een uur later dat Jan nu officieel zijn borgstelling heeft ingetrokken. Volgens de ambtenaar van de vreemdelingenpolitie moet ze nu binnen drie maanden het land uit.

"De schoft. Hij is natuurlijk weer bang voor zijn centen."

Ik laat haar uitrazen.

"Toen ik bij hem was zat hij altijd te zeuren over geld, terwijl hij stinkend rijk is. We hadden steeds ruzie als ik geld naar mijn moeder stuurde of als ik kleren gekocht had."

Woede en verdriet wisselen elkaar af. Natuurlijk begrijpt ze dat zijn steun niet eindeloos kan doorgaan. Ze wilde zelf weg uit Heerenveen. Maar om nu zijn borgstelling in te trekken zonder haar de tijd te gunnen hier een nieuw leven op te bouwen, dat vindt ze onmenselijk. Ze had nooit gedacht dat hij dit in zich zou hebben. Ik vecht tegen mijn neiging om alle verplichtingen op me te nemen en borg voor haar te staan. Als dat al zou kunnen. Ik heb gehoord dat dat niet eens mogelijk is zonder eerst terug te gaan naar Havana om daar een nieuwe visumaanvraag in te dienen. Eerlijk gezegd kan ik me de ergernis van haar ex wel voorstellen. Ik denk dat ze een gat in de hand heeft. Als ik soms zie wat ze gekocht heeft wanneer ze weer eens met een vriendin is gaan winkelen in de P.C. Hooftstraat, ben ik blij dat ik die rekeningen niet hoef te betalen.

Hoe komt ze aan al dat geld, vraag ik me wel eens af. In stilte ben ik trots op mijzelf dat het mij nu lukt om niet alle verantwoordelijkheid op me te nemen. Mooie vrouwen zijn mijn zwakte, ik weet het. Het blijkt dat ik geleerd heb door ervaring. Mijn karakter wordt alsmaar sterker.

Het lijkt mij een heel goed idee als ze vannacht bij mij blijft slapen. Aan haar rugzakje te zien rekent zij er ook op. Dat ik naar haar verlang heeft met karakterzwakte trouwens niets te maken. Welke man zou niet met haar willen vrijen? Ik ben gek op die combinatie van haar broeierige grijze ogen en die volle lippen. De mond heeft ze overgehouden van haar Afrikaanse voorouders en de ogen dankt ze aan Spaanse kolonisten. Er moet een Goddelijke Voorzienigheid bestaan die dit alles bij elkaar gebracht heeft. Zal ik dit binnenkort moeten missen? Moet ik haar wel terug laten gaan naar Cuba?

Bij mij thuis dansen we zachtjes schuifelend een bolero. Orlaidis komt tot aan mijn kin. Ik ruik de zoete geuren in haar haar.

Duermen en mi jardin
las blancas azucenas, los nardos y las rosas.
Mi alma muy triste y pesarosa
a las flores quiere ocultar su amarga dolor.

(Witte lelies, nardussen en rozen
slapen in mijn tuin.
Mijn hart dat zich zwaar en verdrietig voelt
moet zijn bittere pijn verbergen voor de bloemen.)

Op de zachte stemmen van Ibrahim Ferrer en Omara Portuondo belanden we kreunend in bed. Als Boemibol, die ons tot nu toe argwanend gevolgd heeft, boven op ons springt, moet ik ingrijpen. Ik breng haar terug in de kamer en sluit de deur. Zij zou toch niets begrijpen van al die heerlijke dingen die wij gaan doen.

Om zeven uur gaat de telefoon. Slaapdronken, struikelend krijg ik het apparaat te pakken. Ik hoor de gejaagde stem van Anita.

"Ik heb vannacht twee kerels in mijn huis gehad, die alles doorzocht hebben."

"Hebben ze je bedreigd?"

"Daar komt het eigenlijk wel op neer. Geen wapens, maar intimidatie."

"Heb je de politie gebeld?"

"Nee, ik wilde eerst jou spreken."

"Over een uurtje ben ik bij je. Je kent mijn advies. Neem een advocaat en ga naar de politie."

Ik vind het prettig dat Orlaidis meegaat. Vrouwen voelen sommige dingen beter aan. Ik ben benieuwd wat zij van Anita vindt. Ze moet trouwens toch in de Jordaan zijn, daar is ook de school waar ze om halftien wordt verwacht voor haar Nederlandse les. Om tijd te besparen gaan we met mijn Fiat 500, die voor de deur staat. Deze miniauto is eigenlijk te klein voor mijn 1,85 meter. Mijn knieën zitten bijna tegen het stuur. Het voordeel is dat je zo'n autootje altijd wel ergens kunt parkeren, zelfs in het centrum. Zo te zien is het wel berekend op de kleine maten van Orlaidis. Slaperig rekt ze zich uit in het autootje. Op het allerlaatste moment heeft ze nog een boterham met parmaham klaargemaakt. Elke keer als we even wachten voor een verkeerslicht stopt ze een hapje in mijn mond.

Als ik de auto op de Lindengracht parkeer zie ik Anita al voor het raam staan. Op de overloop op de eerste etage stel ik Orlaidis voor. Ze kennen elkaar alleen van gezicht uit El Centro. Ik verzeker haar dat Orlaidis voor honderd procent te vertrouwen is en zal zwijgen als het graf. Voor Anita is het geen probleem. Als we in de kamer zitten, brandt ze los. Vannacht om een uur of twee was er aan de deur gebeld en via de intercom had een mannenstem in het Engels en het Spaans gezegd dat hij een goede bekende was van Carlos, die haar dringend wilde spreken. Op het moment dat zij zich wilde voorstellen op de overloop had hij een hand voor haar mond gehouden en haar naar binnen geduwd. Onmiddellijk na hem kwam een tweede man binnen die de deur dichtdeed. Het was allemaal een kwestie van seconden.

"Ze vertelden dat mij absoluut niets zou overkomen als ik mijn mond zou houden. Ik moest daar in die stoel blijven zitten. Het ging allemaal heel efficiënt. Ze zijn misschien drie kwartier binnen geweest. Ze wilden ook de bagage van Carlos hebben, maar die heb ik maandag aan de politie moeten geven. Er zat trouwens niets interessants in, de politie heeft alles heel precies doorgenomen.

Dat heb ik die mannen ook verteld."

"Hebben ze verder nog iets gevonden?"

"Nee. Ze hebben met z'n tweeën elke plek in huis doorzocht. De enige schade die ik heb, zijn de matras in de slaapkamer en de onderkant van de leren bank waar jij op zit. Die hebben ze opengesneden. Ze verontschuldigden zich daarvoor en gaven me vier briefjes van honderd dollar toen ze vertrokken. Ze zeiden ook nog iets als: we raden je af hier aangifte van te doen. Maar als ik dat toch per se wilde, moest ik het niet nalaten. Het zou mij toch niet veel helpen want ze hadden een uitstekende relatie met de Nederlandse politie."

Alleen aan de snelheid van praten en haar hoge ademhaling kan ik merken dat ze geëmotioneerd is.

Uit de verdere beschrijving blijkt dat het twee blanke Latijns-Amerikaanse mannen waren van waarschijnlijk midden dertig. Ze waren goedgekleed. De kleinste van de twee had een grijs colbert aan van een perfecte snit, waarschijnlijk van zijde. De grootste, volgens Anita ongeveer even groot als ik, droeg een jackje en een broek gemaakt van die dunne synthetische parachutestof, die veel gebruikt wordt in de tropen. Ze spraken Spaans en goed Engels met een duidelijk Amerikaans accent. Anita denkt dat ze afkomstig zijn uit Californië of Florida.

"Wat denk je ervan, Lex?"

Ze blijft me strak en afwachtend aankijken.

"Het zou mij niet verbazen als deze heren voor de Amerikaanse politie werken. Misschien zijn ze van de DEA, de internationale Amerikaanse drugsbrigade. Sinds de War on Drugs is dit een enorme organisatie die ook in Nederland zit. Zou het kunnen dat Carlos relaties met de drugshandel heeft gehad?"

"Dat lijkt me sterk. Hij was juist tegen drugs. Hij vond het schandalig, het gemak waarmee hier in Amsterdam dat spul wordt verkocht."

"Wat denk je dan?"

"Het moet iets met die klus van Carlos en Pablo te maken hebben. Er moet iets groots achter zitten. Mijn gescharrel met antiek lijkt me te kleinschalig om er Amerikaanse rechercheurs op te zetten."

Ineens staat ze resoluut op en zegt: "Ik ga je advies opvolgen en met een advocaat praten. Alleen dán wil jij mij blijven helpen, toch?"

Ik knik.

Ze krijgt van mij een paar namen en adressen van geschikte advocaten. Orlaidis en ik moeten vertrekken, ik heb beloofd nog even met haar mee te lopen naar haar school die om de hoek is.

Buiten is het commentaar van Orlaidis kort: "Ze liegt."

Ze weet het heel zeker. Toch komt ze in haar toelichting niet veel verder dan: "Ik voel dat gewoon zo."

Ik weet niet of ik erg moet vertrouwen op de intuïtie van Orlaidis. Elke keer als ik met een mooie vrouw praat, wordt ze onrustig. Is het misschien haar bezitterige jaloezie?

Ik reageer niet op haar commentaar.

6

Santiago de Cuba, 7 januari 1959

"We verwachten dat de revolutionaire regering over een paar dagen de doorgang naar de marinebasis gaat afsluiten." Met dit onverwachte bericht bracht Daniel die nacht om een uur of twee een kort bezoek aan Juan. Hij kwam persoonlijk langs. Contact per telefoon is volgens hem niet meer veilig sinds de centrale bezet is.

"We gaan over tot actie. Kom om negen uur bij mij thuis."

Het korte gesprek vond plaats in de hal. Daniel kwam waarschijnlijk rechtstreeks uit de club; er hing een lichte cognacgeur om hem heen.

"Wat is er aan de hand?" vraagt Aletta slaapdronken als Juan weer de slaapkamer binnenkomt.

"Het was Daniel. Ik moet morgenvroeg voor zaken naar Guantánamo om de bevoorrading daar op gang te brengen." Zijn vrouw slaapt al weer. Het is ook niets bijzonders. Ze is niet anders gewend. Juan is dag en nacht met de zaak bezig.

"Deze parure is gemaakt door Louis Cartier, begin jaren dertig. Je ziet hier tientallen diamanten en saffieren die op een art-decomanier zijn ingezet in wit goud."

Dromerig laat Daniel de blauw-wit glinsterende sieraden door zijn handen gaan. Ook laat hij zien dat hij alle onderdelen tegelijk in twee handen kan houden. Ze zijn tevoorschijn gekomen uit een onopvallende sigarenkist, waarin ook nog een zakje ligt vol met rode en groene edelstenen.

Inmiddels had Juan al begrepen dat een parure een complete set sieraden is, bijvoorbeeld een halsketting, meerdere armbanden, een ring en oorbellen die in eenzelfde stijl zijn gemaakt. Deze set had de moeder van Daniel, Caridad Rosell Fernandez, tegelijk met de losse edelstenen gekocht tijdens een van haar reizen naar Parijs aan het begin van de jaren dertig. Het was één jaar na het overlijden van zijn vader, Facundo Bacardi Lay, en vlak na het opheffen van de drooglegging in de Verenigde Staten. In die periode had de familie schatten geld verdiend met de export van rum die het land werd binnengebracht via Canada of rechtstreeks naar Florida via de bekende rumrunnersroute naar Key West. In de VS mocht geen alcohol meer worden gefabriceerd en in de illegale *speakeasies* van de grote steden was Bacardi een zeer geliefd product. Door de grote vraag waren toen de prijzen in de landen rondom de VS enorm gestegen. Iedereen kon vragen wat hij wilde. De rum werd in Cuba legaal aan de handelaren verkocht, en wat die er verder mee deden is natuurlijk niet de zorg van de fabrikant, hoeveel verwijten ook door de Amerikaanse autoriteiten werden gemaakt. Kortom, er kwamen bakken met geld binnen bij de Bacardi's. De moeder van Daniel was een verstandige vrouw. Ze liep niet met haar rijkdom te koop. Binnen de familie Bacardi was zo'n gedrag trouwens ook niet *comme il faut*. De aankoop van de juwelen was voor haar een investering. Zijn moeder had ze aan de jonge Daniel gegeven met de boodschap: als het ooit nodig is, kun je hiermee ergens anders een nieuw leven opbouwen. Villa's, land, fabrieken kun je niet meenemen, geld kan waardeloos papier worden, maar met dit handjevol sieraden kun je overal terecht. Dat je op het vliegveld gefouilleerd zou kunnen worden, daar had ze destijds geen rekening mee gehouden.

"Juan, ga zo snel mogelijk naar de Amerikaanse marinebasis bij Guantánamo om contact te zoeken met kolonel Ray Hawkins. Hij is door ons kantoor in New York geïnstrueerd om dit doosje in ontvangst te nemen en over te vliegen. Hij gaat volgende week weer naar Washington. Hij is een zeer betrouwbare man en een oude vriend van de familie. Hier is zijn telefoonnummer, bel hem als je in Guantánamo bent gearriveerd. Het codewoord is: de groeten van Daniel. Hij verwacht je na het telefoontje binnen een paar uur bij de basis. De wacht wordt geïnstrueerd. De Amerikanen zijn op dit moment heel streng. Buiten het Cubaanse personeel met speciale pasjes laten ze bijna niemand binnen. Om veiligheidsredenen, maar ook omdat ze in de huidige delicate politieke situatie geen gedonder willen krijgen met Castro en consorten."

Ánibal staat naast de Pontiac convertible 1956 onder de palmen op de oprit bij de villa van Daniel in Vista Alegre. Hij voert een lastminute inspectie uit. Het is een uur of negen in de morgen. In de schaduw is het nog koel, maar de tropenzon die door de palmbladeren schijnt, begint al heet aan te voelen. Daniel en Juan lopen naar de auto. Daniel heeft zijn rechterarm om de schouders van Juan geslagen en wenst hem na een klap op zijn rug een goede reis toe. Juan heeft het sigarenkistje in zijn ene hand en in de andere hand een doek vol met olie van het type dat je gebruikt om de peilstok voor de motorolie aan af te vegen. De sieraden zitten in de vuile doek en het kistje is leeg. Juan stopt de vuile doek met inhoud onder in de gereedschapskist in de bagageruimte van de auto. Ánibal kijkt toe en knikt instemmend: waarschijnlijk is dit de veiligste plek in de auto. Wie zal er tussen die vieze doeken gaan zoeken? Het lege sigarenkistje zet hij rechts voorin in het handschoenenkastje. Klaar voor vertrek. Voorlopig kan het dak nog even omlaag blijven, later in de ochtend kunnen ze de schaduw goed gebruiken. Yamilet staat op dit moment op hen te wachten bij de laatste bushalte aan de rand van Santiago op de weg naar La Maya. De bussen zijn weer in gebruik na de perikelen van de laatste maanden toen ze regelmatig werden aangehouden door de rebellen. Geen enkel busbedrijf durfde op deze route te rijden.

Binnen enkele minuten zijn ze aan de rand van de stad. In de verte liggen de donkere heuvels van de Sierra Maestra. Er hangen daar zware, donkere wolken. Het orkaanseizoen is al een tijd voorbij, maar ook in deze tijd van het jaar kan het behoorlijk spoken door de zware regenval. In de verte ziet hij Yamilet staan, een eenzame figuur bij de bushalte. Er gaat juist een vrachtwagen voorbij die luid toetert; aan de gebaren van de bijrijder ziet Juan dat zij een lift krijgt aangeboden. Zo'n beauty als zij heeft ook geen moment rust. Zoals ze daar ook staat met die rode, strakke jurk en die zwarte sjaal.

Stralend stapt ze in de Pontiac. Na een warme omhelzing, en nadat haar weekendtas achter in de bagageruimte is gezet, gaat Juan achterin naast haar zitten. Ánibal begroet haar amicaal. Hij kent haar niet alleen van de vele tochtjes met zijn baas, maar zij komen oorspronkelijk uit dezelfde barrio in Guantánamo en hun families zijn altijd goed bevriend geweest. Als de auto de weg op draait en Juan haar nog eens stevig knuffelt en haar sjaal opzij schuift, ziet hij de welvingen van haar mooie borsten in haar diep uitgesneden decolleté. Hij kan het niet nalaten even met zijn hoofd op haar boezem heen en weer te bewegen waarop ze kirrend reageert en bij wijze van straf in zijn oorlel bijt. Hij ziet dat Ánibal via de binnenspiegel de verrichtingen volgt. Juan gaat rechtop zitten en trekt zijn shirt recht.

De eerste roadblocks komen in zicht. Het hart van Juan gaat even sneller kloppen. Yamilet voelt zijn onrust. Ze kijkt hem vragend aan. Niets wijst erop dat ze bang is. De rebellen, die achter de zandzakken vandaan komen, zijn behangen met wapens. Je kunt beter zeggen de jongens en meisjes, want geen van hen lijkt ouder dan achttien. De lopen van de karabijnen die op hen gericht zijn, glimmen in de zon. Die komen zo uit de winkel. Zo te zien een Amerikaanse winkel, want het zijn Remingtons. Batista heeft de laatste jaren gratis bij de Amerikanen mogen winkelen. En deze jongens en meisjes hebben nu op hun beurt, onder toezicht van de overgelopen officieren, de voorraadschuren van het leger mogen plunderen. Dit alles ter verdediging van de revolutie. Voor vrouwen zijn de Remingtons kennelijk te zwaar. Het jonge zwarte meisje met die boerenstrohoed op, houdt haar Beretta damespistooltje gereed om wie dan ook, bij de minste of geringste verdachte beweging, een kogel door het hoofd te schieten. Zo serieus kijkt ze althans. Gelukkig maken de jongelui geen dronken indruk. Als alle passagiers in de auto zich gelegitimeerd hebben en het doel van de reis duidelijk is, werpen ze nog een korte blik in de bagageruimte. Bij het noemen van de Hatuey bierbrouwerij wensen ze Juan succes met het op gang brengen van de bevoorrading. Ze beklagen zich erover dat in Songa en La Maya al in tijden geen behoorlijk bier meer te krijgen is. Dit is de vrolijke kant van de revolutie. Beleefd gaan ze opzij zodat de Pontiac om de zandzakken heen kan rijden.

De weg voert door een heuvelachtig landschap. Ze passeren kleine boerderijen omgeven door kokospalmen en bananen- en mangobomen. Soms moeten ze gas inhouden en wachten tot ze een paard en wagen kunnen passeren dat beladen met groenten en fruit op weg is naar La Maya. Zou er markt zijn vandaag? Yamilet doezelt in een hoek van de achterbank. Ze rijden stapvoets het kleine stadje binnen waar het inderdaad marktdag is. Er lopen veel leden van de revolutionaire politie op straat, te herkennen aan de roodzwarte banden om hun linkerarm. Ze schenken nauwelijks aandacht aan de Pontiac en zijn passagiers. Als ze al kijken dan gaat hun aandacht uit naar Yamilet en sissen ze hitsig tussen hun tanden zoals alleen Cubanen dat kunnen. Aan beide kanten van de hoofdstraat staan goed onderhouden koloniale huizen met het karakteristieke gietijzeren hekwerk voor de ramen. De meeste zijn geel of steenrood geverfd. Op sommige plaatsen hangen overblijfselen van de geïmproviseerde versieringen van de bevrijdingsfeesten. De lucht is vochtig en broeierig warm. De wolken zijn donker geworden, op sommige plaatsen hebben ze een dreigend zwarte kleur. Ondanks de wind, die door de convertible waait voelt Juan het zweet over zijn hele lijf. Ook Yamilet zit met een zakdoek in de hand waarmee ze af en toe over haar voorhoofd veegt.

Dichter bij Guantánamo nemen de militaire posten toe. Als de auto voor de zoveelste keer wordt geïnspecteerd, krijgt Juan het nog benauwder. Steeds wordt de kofferbak opengemaakt. Alleen de weekendtas van Yamilet hebben ze een keer grondig doorgenomen, maar de inhoud zag er vreedzaam uit. Ook heeft Juan verschillende keren uitgelegd dat hij een afspraak heeft met de vertegenwoordiger van Hatuey in Guantánamo. Iedereen blijkt die man te kennen. Ook het verhaal van het bezoek aan zijn ouders, die hier wonen, is overtuigend.

Langs de weg liggen uitgebrande militaire voertuigen en een groot aantal huizen is verwoest. In deze omgeving is de laatste maanden flink gevochten tussen revolutionairen en het regeringsleger. Vorig jaar nog hebben de rebellen Batista in moeilijkheden gebracht door dertig Amerikaanse mariniers te kidnappen die zich buiten de marinebasis bij Guantánamo hadden gewaagd. Het leger sloeg daarop met alle middelen terug. Zie hier de resultaten.

Bij Felipina, tien kilometer voor Guantánamo, breekt de tropische stortbui los. In minder dan een halve minuut hebben ze het dak van de Pontiac gesloten. De weg door het dorp verandert in enkele minuten in een ondiepe rivier. De bewoners zoeken met een bananenblad boven het hoofd een goed heenkomen. De Pontiac vervolgt stapvoets zijn weg, niet alleen door het slechte zicht, maar ook om de voetgangers niet onder te spetteren. In het centrum van het dorp, bij een bar met de naam Perez Prado, stoppen ze om te wachten tot de regen over is. Dit soort buien duurt nooit zo lang.

Yamilet bestelt een glas mangosap. Ánibal en Juan nemen koffie. Door de regen en de vochtigheid is de make-up van Yamilet doorgelopen en haar golvende haar is veranderd in een wilde bos met kleine zwarte krulletjes. Onopgemerkt geeft ze Juan een tik tegen zijn billen voor ze zich met een handdoek en haar handtasje terugtrekt in het damestoilet. De radio staat krakend aan in het keukentje achteraf, waar de barman op een petroleumstel de koffie maakt. Ze horen nog juist dat de nieuwslezer vertelt over het verzoek van de Cubaanse regering aan Washington om de marinebasis in Guantánamo terug te geven aan het Cubaanse volk.

Washington heeft nog niet gereageerd, maar er is nu een voorlopige afspraak gemaakt dat Fidel Castro binnenkort informeel op bezoek gaat voor overleg met vice-president Nixon.

"Dat zou niet zo goed zijn voor deze streek", is het sceptische commentaar van de barman. "Er werken duizenden mensen op de basis en vóór de revolutie, toen de *yánkis* nog gemakkelijk in en uit konden, deden wij hier goede zaken. Die jongens houden van een slok en ze hebben heel wat verloofdes hier in de buurt onderhouden."

Er blijkt een telefoon te zijn. In een hokje naast de toiletten draait Juan het nummer dat hij van Daniel heeft gekregen. De telefoon wordt onmiddellijk beantwoord.

"*Hi, Hawkins here*", klinkt een montere stem.

Juan doet hem op de afgesproken manier de groeten van Daniel. Hawkins blijkt ook Spaans te spreken met dat grappige Amerikaanse accent.

Het is nu halfeen. Hawkins verwacht Juan pas tegen de avond bij de ingang van de basis.

"Kom alléén, in de auto. Ik kan maar voor één persoon een pasje regelen zonder dat het opvalt. Maar jij kunt vanavond in elk geval tot een uur of tien op de basis blijven. Dan gaan de poorten dicht in verband met de avondklok."

"Okay, ik zie je rond halfzes."

Het gesprek heeft minder dan een minuut geduurd. De telefoonteller geeft anderhalve peso aan.

De lucht is helemaal opgeklaard als het gezelschap om halftwee in de middag Guantánamo binnenrijdt. Op dit tijdstip van de dag is het warm in de stad. Dat is vooral voelbaar als ze langzaam moeten rijden achter de paardenkarretjes.

Gelukkig is Juans favoriete suite aan de noordkant van Hotel Brasil redelijk koel. Deze ruime kamer met ligbad heeft hij vanochtend vroeg door zijn secretaresse in Santiago laten reserveren. Binnen enkele minuten nadat de bellboy hun bagage in de kamer heeft gezet, de ventilatoren heeft aangezet en de kamer heeft verlaten, is Yamilet al uit de kleren en laat het bad vollopen. De zoete geur van het vloeibare zeepschuim verspreidt zich via de open deur van de badkamer door de gehele suite. Juan verheugt zich op de komende uren die hij ongestoord met zijn geliefde kan doorbrengen. Good old Ánibal bewaakt de auto die naast het hotel in de schaduw staat. Hij heeft al aangekondigd een dutje te doen na de vermoeiende rit van vanochtend. Vanavond, als Juan op de marinebasis is, gaat hij naar zijn familie in Pastorita, een buitenwijk van Guantánamo.

De donkere huid van Yamilet geeft een mooi contrast met het witte schuim in het bad. Uitdagend kijkt ze door haar krullende zwarte haar naar Juan, terwijl ze haar strakke bruine borsten langzaam inzeept. Het bad is ruim genoeg voor hen tweeën. Spelen en strelen in bad, dat is het begin van hun liefdesspel, als ze tenminste veel tijd samen hebben zoals nu. De opwinding en het koele badwater geven weer nieuwe energie. Yamilet is een van die mooie vrouwen die kunnen genieten met al hun zinnen.

Als Juan uren later, nagloeiend van de vrijpartij, wakker wordt, is het al kwart over vier. Yamilet heeft zich helemaal ingerold in het roze laken en slaapt met een rustige, langzame ademhaling; ze heeft een vredige glimlach om haar mond. Juan zou hier uren naar kunnen kijken.

Als hij even later, zich afdrogend, uit de badkamer komt, heeft ze haar ogen open. Ze tuit haar lippen in zijn richting en vraagt om een zoen. Als hij aangekleed is en zijn schone guayabera dichtknoopt, buigt hij zich over haar heen en geeft haar een langdurige tongzoen. Kreunend met dichte ogen geniet ze ervan. Juan voelt de opwinding in zijn pas gestreken pantalon.

"Het is al bijna halfvijf, ik moet zo weg", zegt hij verontschuldigend.

"Hoe laat ben je terug, mi amor?" vraagt ze slaapdronken.

"In elk geval voor elf uur. De basis wordt om tien uur afgesloten in verband met de avondklok."

"Misschien ga ik straks een hapje eten in het restaurant en daarna wacht ik op je, *cariño*. Maak je het niet te laat? Ik verlang zo naar je."

Na een stevige knuffel loopt Juan de deur uit.

De Amerikaanse marinebasis ligt ruim veertig kilometer zuidelijker aan de Baai van Guantánamo. Cubanen uit het oosten van Cuba spreken over de basis van Caimanera, naar de naam van het nabijgelegen dorpje. Het is alweer een tijd geleden dat Juan zelf de auto heeft bestuurd; het voelt even onwennig maar al snel geniet hij er weer van. Voor Ánibal is het ook wennen, hij is altijd degene die achter het stuur zit. Juan heeft beloofd dat hij zijn chauffeur en jeugdvriend eerst afzet in de buurt waar zijn familie woont. Qua tijd kan dat nog wel, het is nog geen vijf uur. Morgen, als alles geregeld is, gaat Juan zijn eigen ouders opzoeken.

De weg naar Caimanera is recht en er is meestal weinig verkeer. Hij denkt minder dan een halfuur nodig te hebben voor de tocht. Ánibal is wat stilletjes, valt Juan op. Waarschijnlijk voelt hij zich niet zo gemakkelijk over zijn ontmoeting met de familie waar hij al zo lang niet geweest is. Dat geldt ook voor Juan, zijn ouders weten niet eens dat hij hier is.

Ze spreken af dat Ánibal de volgende ochtend om negen uur bij het hotel is. Ze nemen afscheid en Juan zet koers naar de buitenweg, richting Caimanera. Het is minder stil dan hij verwachtte. Er is veel militair verkeer onderweg. Sommige vrachtauto's zitten vol met jonge revolutionairen in feeststemming. Ze zingen en zwaaien met Cubaanse en M26-vlaggen. De stemming is vreedzaam. Juan prijst zich gelukkig dat Daniel en hij tijdig met deze operatie zijn begonnen. Het is de vraag hoe de situatie rond de marinebasis gaat worden. De relatie tussen de Amerikanen en de nieuwe Cubaanse regering verslechtert met de dag. De afzettingen die hij onderweg tegenkomt, leveren geen probleem op. Hij houdt even gas in, de militairen kijken in de open auto en hij krijgt een vriendelijk teken om door te rijden.

Het is iets later dan afgesproken als hij de ingang nadert. Je mag hier niet harder dan tien kilometer rijden. Op grote borden staat onder de afbeelding van de Amerikaanse vlag: *You are entering the US-section. Keep ready your identitypapers.* De controle is streng. Er staan enkele auto's voor hem met Cubaanse nummerborden die grondig onderzocht worden door de witgehelmde MP's. Er komen zelfs spiegels aan te pas om onder de auto te kijken. Ze zijn zeker bang voor aanslagen door radikalinski's. Als Juan aan de beurt is, stapt hij uit om zijn identiteitspapieren te overhandigen. Op dat moment komt een grote man in een grijs luchtmachtuniform met drie sterren naar voren en stelt zich voor.

"*Yo soy* Ray Hawkins."

Juan herkent de stem van de telefoon.

"Juan Echavarría."

"*How are you?*"

Ray gebaart naar de bewaking dat de Pontiac kan doorrijden. De MP salueert en knikt naar Juan.

Juan volgt de Willy's jeep van Ray die bestuurd wordt door een chauffeur in luchtmachtuniform. Ze passeren verschillende complexen met golfplaten barakken, zo te zien de verblijven van de manschappen. Militairen lopen in en uit en salueren als de jeep eraan komt. Het begint al te schemeren. Op een centraal plein wordt met enig ceremonieel de Amerikaanse vlag binnengehaald. De jeep stopt even en de kolonel en zijn chauffeur tikken bij wijze van saluut tegen hun pet, waarna ze hun weg vervolgen in de richting van de bungalows die tussen de palmbomen tegen de heuvel zijn gebouwd. Als Ray is uitgestapt en de jeep doorrijdt, gebaart hij Juan dat hij de Pontiac op de oprit kan parkeren. Een lichtgebruinde, puur-natuur-blonde vrouw komt de veranda op. Ze is gekleed in witte tenniskleding. Kennelijk zijn echtgenote. Ze wordt voorgesteld aan Juan.

"Mary Elisabeth."

"Juan."

"*Hi, how are you?*"

Ze verontschuldigt zich en neemt Ray even apart. Bezorgd fluistert ze hem iets in zijn oor. Ray zegt dat hij dringend even moet telefoneren. Hij wijst op de rieten fauteuils en vraagt Mary Elisabeth iets voor Juan in te schenken. Een whiskysoda met ijs spreekt hem wel aan op deze enerverende dag. Het is nog steeds warm. Rondom hoort hij de geluiden van de beginnende tropenavond. De krekels en vogels gaan behoorlijk tekeer. Als hij de eerste slok neemt van zijn scotch komt Ray naar buiten. Zijn gezicht is verstrakt.

"Jij kunt voorlopig deze basis niet meer verlaten."

Juan begrijpt het niet onmiddellijk. Hij houdt een hand achter zijn oor, alsof hij het niet goed heeft gehoord.

"Je bedoelt dat ik niet meer terug kan naar Guantánamo?"

"Er is zojuist een bericht doorgekomen uit Washington dat alleen Cubanen met een werkpasje de basis nog in en uit mogen via een kleine doorgang. Het Cubaanse leger heeft alle verbindingswegen afgesloten. Op sommige plaatsen schijnen al landmijnen te liggen. Het officiële verhaal uit Havana is dat ze de Amerikanen willen beschermen tegen de woede van het volk in verband met hun steun aan de dictatuur van Batista. Ze willen beslist goede relaties met de Amerikanen. Oncontroleerbare incidenten door geëmotioneerde Cubanen zouden die goede verhoudingen kunnen verstoren. Ook willen ze de Amerikaanse militairen niet in moeilijkheden brengen als Batista-criminelen in hun wanhoop de basis op vluchten. Dit is het allerlaatste nieuws. Een kwartier geleden is het laatste contact geweest tussen Havana en Buitenlandse Zaken in Washington."

Het zweet breekt Juan uit. Van schrik heeft hij de Grant's whisky in een slok opgedronken. Zijn hart gaat als een razende tekeer en het kost hem moeite nog een vraag te stellen.

"Wat nu?"

"Niemand weet hoe serieus we dit moeten nemen. Die nieuwe lui in Havana zijn voor ons een moeilijk voorspelbaar volkje. Ik zou zeggen voorlopig even afwachten. Ik ga nu naar het crisisoverleg, de jeep is onderweg, en voor het overige *be my guest*. Ik zal Mary Elisabeth vragen de logeerkamer in gereedheid te brengen."

Zijn gastvrouw brengt hem nog een scotch. Het blijkt dat ze uit Philadelphia komt. Juan vertelt dat hij daar gestudeerd heeft.

"Ik dacht al, u spreekt perfect Engels, dat hoor je weinig bij Cubanen. Wilt u trouwens uw familie bellen?"

"Ja inderdaad, als de telefoonlijn ook maar niet afgesloten wordt. Eerst even iets uit de auto halen."

Hij loopt naar de Pontiac, maakt met zijn sleutel de bagageruimte open en ontdekt dat de vuile doek met inhoud verdwenen is. Verward kijkt hij nog onder de gereedschapstas, tilt een matje omhoog dat ter bescherming in de achterbak ligt, holt naar voren en kijkt in het handschoenkastje. Het lege kistje is er nog. Hij buigt zich voorover om onder de banken en de vloermat te kijken en gaat uiteindelijk zuchtend en steunend voorin op de passagiersstoel zitten. Als hij weer enigszins bij zinnen is, loopt hij naar binnen en vraagt – zonder zijn gastvrouw aan te kijken – of hij kan telefoneren. Zonder problemen bereikt hij de receptie van Hotel Brasil in Guantánamo en vraagt naar Yamilet in kamer 14.

"O, meneer Echavarría, ik dacht dat u daarvan op de hoogte was. Mevrouw is een halfuur na u vertrokken in een taxi. Ze had al haar bagage bij zich. Ze zei dat u om een uur of tien terug zou komen en morgen weer vertrekt naar Santiago."

Juan houdt zich vast aan de tafel waarop de telefoon staat. Verdwaasd kijkt hij naar de hoorn die hij in zijn rechterhand heeft.

Gibraltar, 8 januari 1999, 19.00 uur

Het was druk vandaag op het werk bij Barclay's Bank. De afgelopen maand in Nederland heeft mij uitgeput. De abortus, toen die problemen met Jos, en nu ben ik weer alleen. Het voordeel hier is het heerlijke klimaat. Je wordt er in elk geval minder somber van. Ik heb zojuist nog op een terras een portje gedronken met mijn collega Sheila. Zij is ook investmentbanker bij hetzelfde bedrijf. Eigenlijk is mijn werk de beste remedie tegen alle ellende. Ik handel in andermans hebzucht, bedenk ik wel eens. De meeste van onze klanten komen niet uit deze buurt. Het zijn mensen die altijd op doorreis zijn, op zoek naar een plek waar ze rendement uit hun geld kunnen halen zonder belasting te betalen. Ze wonen officieel in plaatsen als Marbella, maar logeren in feite de helft van het jaar bij hun kinderen in Antwerpen, Amsterdam of München die dat huis zogenaamd in eigendom hebben. Belastingvluchtelingen noem ik hen wel eens. Je zou medelijden met hen krijgen.

Sheila heeft mij uitgenodigd voor het komende weekend op het jacht van Don, een Amerikaanse filmproducent. Hij is een van haar klanten met een groot account. Hij stuurt zaterdag zijn auto met chauffeur en we blijven tot zondagavond. Hij heeft beloofd dat we een eigen kamer aan boord krijgen. Als het maar niet zo'n cokepartij wordt als laatst bij die vreselijke Libanees. Als die lui een vrouw in hun buurt hebben, denken ze altijd dat het een hoer is. Voor een deel klopt dat ook wel daar in Marbella, met al die rijke patsers. Bij mij moeten ze daar niet mee aankomen. Ik maak zelf wel uit met wie ik naar bed ga. De kost kan ik zelf verdienen.

Vanavond laat ik mij eens verwennen door de catering. Er zijn nu Indiase curry's en salades onderweg van het beste Indiase restaurant van Gibraltar. Heerlijk zo'n avond thuis met een video. Onderweg hiernaartoe heb ik de nieuwste film van Carlos Saura opgehaald bij de videotheek. Er wordt gebeld. Dat zullen de curry's zijn.

7

Amsterdam, 26 juni 2001

De kale rechercheur met het paardenstaartje blijkt Hoogeboom te heten. Ook nu weer maakt zijn jongere, zwijgzame collega de notities. Hij heet Carl Weber, herinnert Anita zich van de vorige week, toen ze haar de hele nacht hebben doorgezaagd. De beide heren voelden er niet zoveel voor, maar uiteindelijk hebben ze erin toegestemd dat haar advocaat, mr. Henk Verhoeven, bij dit gesprek aanwezig is. De afgelopen dagen heeft Verhoeven meerdere malen contact gehad met de politie en het Openbaar Ministerie. De afspraak is dat de hele smokkelaffaire openlijk besproken kan worden, zonder dat Anita daarvoor vervolgd zal worden. Er is niets zwart op wit gezet omdat het volgens de wet officieel niet kan. Het is een gentleman's agreement waar ze op kan vertrouwen, volgens haar advocaat. Politie en justitie zitten niet te wachten op de publiciteit die het verbreken van zo'n afspraak met zich mee zou brengen. Ze weten dat dat Verhoevens sterke troef is, want hij behoort tot de advocaten die tegenwoordig regelmatig te zien zijn op tv.

Hij is het joyeuze type met een zachte 'g', altijd goed voor een bon-mot en een spannend verhaal over de misdaad. Dat is precies waar die kwakende emotie-tv-types bij hun jacht op de kijkcijfers voortdurend behoefte aan hebben. Met zijn grijze snorretje en zijn dramatische gebaren lijkt Verhoeven op een advocaat uit Amerikaanse tv-series. Zijn tarieven zijn navenant. Tijdens het voorgesprek was Anita wel even geschrokken van die zevenhonderd gulden per uur. Maar hij is top of the bill volgens Eckhardt.

Het gesprek vindt plaats in een kille, ongezellige spreekkamer, die kennelijk behoorlijk geïsoleerd is tegen geluidsoverlast, want buiten zie je geruisloze trams voorbijrijden. Aan de muur hangt een foto van koningin Beatrix, die ook al niet veel warmte uitstraalt.

Er valt een ongemakkelijke stilte in het mannengezelschap als Anita snikkend vertelt over hun handel in Latijns-Amerikaans antiek en de voortdurende spanning en conflicten tussen Carlos en Pablo van de afgelopen weken. Met de hand op haar hart verzekert ze de aanwezigen dat ze niets weet over de precieze inhoud van de conflicten. Ze had zich er met opzet van gedistantieerd omdat ze met beiden bevriend wilde blijven: Carlos was haar minnaar en Pablo zag ze als een goede zakenrelatie die haar in Mexico spullen aanleverde om mee naar Europa te nemen.

"Waar heeft u Carlos leren kennen?"

Hoogeboom stelt de vraag op een neutrale toon. Aan zijn pokerface is weinig te zien.

"Ik heb vorige week al verteld dat ik hem hier in Amsterdam op dansles heb ontmoet. Hij assisteerde bij de salsa-academie op de Cruquiuskade."

"Wanneer was dat?"

"Ik denk dat dat afgelopen januari is geweest."

Het is even stil.

"Uit onze gegevens blijkt dat u vorig jaar december in Cuba bent geweest en daar bij de Nederlandse ambassade samen met Carlos een visumaanvraag voor hem hebt ingediend. U hebt zich toen borg voor hem gesteld. Een paar weken later hebt u in Amsterdam hierover nog contact gehad met de vreemdelingenpolitie. Hoe zit dat dan?"

Even verschiet Anita van kleur, toch lijkt ze niet helemaal uit haar evenwicht door de plotselinge wending van het gesprek. De heren hebben zich goed voorbereid. Nu komt haar alerte advocaat tussenbeide.

"Laten we even stoppen, ik wil eerst overleg met mijn cliënt, we zijn over een uur terug op het bureau. Is dat goed?"

Het is niet van harte, maar de politiemensen kunnen niet anders dan akkoord gaan. Voor Anita en haar tv-advocaat is het de hoogste tijd voor een wandeling en een kopje cappuccino in een nabijgelegen grand café.

Bij terugkomst, een uur later, verklaart ze dat ze vanaf nu niets meer achter zal houden; zij heeft Carlos inderdaad geholpen om met een smoes het land te verlaten. Ze zouden zogenaamd gaan trouwen in Nederland. Eerst zou hij op vakantie komen om kennis te maken met Nederland en dan weer teruggaan naar Cuba. In Nederland gekomen wilden ze dan proberen hem de vluchtelingenstatus te bezorgen, wat dus uiteindelijk gelukt is. De precieze details had ze liever niet aan de politie willen vertellen, omdat ze bij die procedure een paar leugentjes om bestwil had gebruikt, vandaar haar eerdere versie.

Ach ja, dat kunnen de rechercheurs zich wel voorstellen. Ze reageren met veel begrip. Hoogeboom en Weber hebben goed opgelet tijdens de gesprekscursussen op de politieschool. Ze hebben geleerd vriendelijk en beleefd te blijven, ook als ze het voor geen meter vertrouwen.

Maar nu ter zake. Hoe zat dat ook al weer met die Amerikaanse heren die haar met een nachtelijk bezoek vereerd hadden en vierhonderd dollar achterlieten bij wijze van schadevergoeding voor de rotzooi? Wat zouden die eigenlijk bij haar gezocht hebben?

Met een betraand gezicht vertelt Anita dat deze gebeurtenis voor haar de doorslag heeft gegeven. Daarom is ze naar de politie gekomen om helemaal schoon schip te maken. Ze voelt zich bedreigd.

"Zelfs in mijn eigen huis ben ik niet meer veilig! Het enige wat ik wil is bescherming. Ik ben mijn leven niet meer zeker!"

Hulpeloos, bijna smekend, kijkt ze nu in het rond naar de drie heren.

Mijn dochter heeft dit jaar vroeg vakantie en ze komt een paar dagen bij mij in Amsterdam logeren. Vanochtend hebben we een tijdje samen achter de computer gezeten om haar nieuwste fotoserie te bekijken. Het zijn plaatjes van een houseparty in Gouda met daarop veel blote buiken met ringetjes door de navel. Ik heb me wijselijk onthouden van bewonderend commentaar op die lekkere vriendinnetjes van haar. Ze zou wel eens een negatief beeld van haar vader kunnen krijgen. Ik heb haar vooral geadviseerd bij het maken van de goede uitsneden. Ze heeft een goed oog voor fotografie, dat moet gezegd worden. Mijn aanmoedigende complimenten waren oprecht. Het deed haar zichtbaar goed.

Ze ligt nu al weer een halfuur op de bank, met de koptelefoon van de diskman op haar hoofd. Ze klapt steeds mee met de muziek. Dit jaar is *drum 'n bass* favoriet, een soort discoversie van Indiase muziek. Het bestaat uit veel getrommel met continu van dat huilerige gezang. Normaal gesproken zou ik hier na een uur stapelgek van zijn geworden, maar van Vera kan ik veel hebben. En die diskman die ze bij haar vorige bezoek van mij cadeau heeft gekregen, maakt de geluidsoverlast een stuk draaglijker. Boemibol heeft er geen last van. Ook zij is helemaal gewend aan het geklap van Vera. Na haar eerste hapjes bliktonijn van deze dag, ligt ze tevreden te doezelen in het zonnetje op de vensterbank. Lui doet ze af en toe haar ogen open als er iemand voorbijkomt of wanneer een bootje door de gracht aan de overkant tuft.

Het nadeel van de diskman is dat ik moeilijk contact met Vera maak. Ik sta al vijf minuten overdreven gebaren te maken waarbij ik op mijn horloge wijs. We gaan vanochtend naar het Stedelijk Museum, waar een grote expositie wordt gehouden van Dennis Hopper, de acteur-regisseur-fotograaf en hippe alleskunner uit de jaren zestig. Ik ben erg benieuwd naar zijn foto's. Ik heb mijn bezoek uitgesteld tot de komst van Vera. Ik weet dat ze erg kan genieten van dit soort uitstapjes.

Lopend naar het station, waar we de tram nemen, praat Vera me bij over de toestand op school. In september gaat ze naar de vierde klas van het gymnasium. Over het afgelopen jaar heeft ze een prima beoordeling. Voor haar is het allemaal vanzelfsprekend, studeren doet ze met het grootste gemak. Ik zie haar nog altijd als een kind, maar door de begerige blikken van passerende jongemannen op het Stationsplein realiseer ik me dat ze een jonge vrouw is. Ze ziet er goed uit met haar strakke bloesje en dat sluike bruine haar. Ze begint steeds meer te lijken op haar moeder in de tijd dat ze jong was en nog aardig tegen mij deed, voordat ze de slechte kanten van mijn karakter had ontdekt.

Ons gesprek in de tram wordt onderbroken omdat het mobieltje in mijn zak begint te rinkelen. We zitten in lijn 5 ter hoogte van de Leidsestraat.

"Heb je de krant gelezen?"

Het is Paul Sterk, mijn contactpersoon bij de Nederlandse Vereeniging voor de Juwelenhandel.

"Nee, hoezo?"

"Bij Goosens Diamanthandel in de Paulus Potterstraat is een medewerker er met twintig miljoen aan diamanten vandoor. Ze zijn in één klap de hele voorraad kwijt. De man liep zomaar met een doos vol diamanten de deur uit. Waarschijnlijk stond de taxi naar Schiphol om de hoek te wachten. Ik denk dat hij nu al in Moskou of Rio de Janeiro zit."

"Wow, maar wat moet ik daarmee?"

"We hebben jou aanbevolen als adviseur bij het onderzoek omdat jij bezig bent met die certificaten van echtheid. Deze hele voorraad was trouwens nog niet gecertificeerd; we kunnen dus heel wat valse papieren verwachten. Goosens en de politie willen daar jouw hulp bij. Ze hebben één miljoen beschikbaar gesteld voor degene die de spullen terugbrengt. Ze zijn hiervoor niet verzekerd. Diefstal door eigen personeel is meestal uitgesloten in dit soort polissen. Zo'n bak geld maakt het misschien ook nog interessant voor jou."

"Ik zit toevallig in de tram, niet ver van de Paulus Potterstraat. Geef maar door dat ik straks even langskom. Ik moet eerst nog een paar andere dingen doen."

Vera, die het gesprek heeft gevolgd, heeft er zo te zien al aardig de pest in. Daar gaat ons lang geplande uitstapje.

"Nee hoor, we gaan eerst naar het Stedelijk, dit kan wel even wachten. Maar het is wel een spannend verhaal. Ik zal het je straks vertellen."

Vera geniet met volle teugen van de expositie: kitscherige poppen zoals die in de USA langs de weg staan om de aandacht van potentiële klanten te trekken. Foto's van muren met half afgescheurde posters in LA. Een ratjetoe aan objecten, gezien door de ogen van de Easy Rider. Ik ben het met de meeste recensenten eens: dit is kunst met een heel kleine 'k'. "Niets nieuws onder de zon", is mijn commentaar. Ik stop al snel met mijn gemopper. Voor haar is het wel nieuw natuurlijk. Eckhardt, oude zeur, leef eens wat meer mee met je dochter. Ze vindt het heerlijk als ik een arm om haar heen sla als we weer eens stilstaan bij een van Hoppers reuzenpoppen. Enkele oudere kunstminnende dames kijken kritisch in mijn richting. Je moet tegenwoordig goed uitkijken als vader met je tienerdochter. Voor je het weet, word je of van incest verdacht, of ze denken dat jij zo'n patser bent met een mooi jong statusvrouwtje dat geïmponeerd is door je sportwagen van tweeenhalve ton. Na al deze foto's en objecten moet ik aan Vera beloven dat ze een keer met mij mee mag naar de 'Steets'.

"Onwijs gaaf", is haar commentaar als ik toegeef. Ik erger me aan dat rare tienertaaltje.

Ik loop met haar mee naar de halte voor ik naar de diamantair ga. Zij gaat nog even de stad in. De tram komt eraan, we nemen afscheid en ik spoed me in de richting van het diamantairbedrijf dat op loopafstand is gevestigd. In de Paulus Potterstraat zie ik onmiddellijk waar Goosens gevestigd is. Er staan twee politieauto's voor het gebouw en een paar stevige bewakers in uniform bij de ingang. Allemaal erg indrukwekkend, hoewel er eigenlijk niet veel meer te bewaken valt, heb ik van Paul Sterk begrepen. Alsof de dief terugkomt om te kijken of hij niets heeft vergeten.

Als ik zeg dat de heer Goosens mij verwacht, is dat onvoldoende. Pas na legitimatie en ruggespraak mag ik doorlopen. De stemming binnen lijkt op de ochtend na het overlijden van een familielid. Iedereen is uitgeput en onder de indruk, maar de begrafenisonderneming heeft alle aanwezigen aan het werk gezet. Verzekeringspapieren moeten worden opgezocht, de tekst van de rouwkaarten moet worden opgesteld en de adressen van degenen met wie contact wordt opgenomen, worden op lange lijsten gezet. Het gonst van de activiteiten waarbij elk spoor van vrolijkheid ontbreekt. Vooral de baas zelf, Anton Goosens, een vijftigplusser in een krijtstreepkostuum, maakt een verslagen indruk. Begrijpelijk, want zoals hij me later uitlegt is het bedrijf geruïneerd. In deze branche is diefstal door het personeel bijna onverzekerbaar en niet te betalen. De gestolen diamanten vertegenwoordigden bijna het hele bedrijfskapitaal.

De dader, een jongeman die Roderik J. heet, was sinds april in dienst bij Goosens Diamonds en werkte op een afdeling van waaruit de diamanten worden verspreid naar de tientallen showrooms en winkels van de diamantair.

"Hij had de beschikking over alle codes en kon overal bij", vertelt Goosens zichtbaar ontdaan.

Roderik was gistermiddag binnengekomen met een doos waar een magnetron in zou zitten. Om de hoek bij Goosens zit een elektronicazaak en daar zou hij de magnetron hebben gekocht. 's Avonds kwam Roderik J. terug. Hij vertelde dat hij de magnetron had vergeten. Van de beveiliging kreeg hij toestemming de 'magnetron' te halen. Toen Dennis naar buiten liep had hij de doos gevuld met alle diamanten die Goosens rijk was. Dat bleek althans uren later bij de aflossing van de beveiliging.

"Er zaten diamanten van enkele tientjes bij, maar ook van enkele tonnen. Ook andere zeer exclusieve juwelen heeft hij bemachtigd. Alles wat we hadden, is weg. We moeten weer van voren af aan beginnen," zegt Goosens.

"Natuurlijk is de medewerker uitvoerig gescreend voordat wij hem aannamen. Normaliter werkt er alleen familie op die bewuste afdeling. Maar we groeien en zagen ons gedwongen ook een buitenstaander aan te nemen. Er zijn menselijke fouten gemaakt, maar iedereen vertrouwde hem. De mensen hier zijn er dan ook kapot van. De veiligheidsmaatregelen zijn nu vertienvoudigd."

Goosens denkt dat het moeilijk wordt om Roderik J. op te sporen.

"Ik ben er ook niet zo zeker van dat hij het allemaal in zijn eentje heeft bedacht. Dat kan haast niet", aldus de diamantair, die inschat dat de diamanten in Europa nauwelijks verhandeld kunnen worden. "Alleen in Rusland of Zuid-Amerika kunnen ze nog zonder veel problemen worden verkocht."

Goosens heeft persoonlijk nog het verleden van Roderik J. nagetrokken.

"Hij was failliet gegaan met een diamantenwinkeltje en om die reden heb ik echt goed gecheckt of daar geen vreemde dingen bij waren gebeurd. Daarnaast heeft hij voor de VN in Bosnië gezeten; dat klonk wel degelijk. Het was een gedreven medewerker die zelfs elk weekend extra wilde werken", zegt hij wrang, "om snel van zijn schulden af te komen."

Goosens kijkt om zich heen, buigt zich voorover naar mij en fluistert sissend van woede: "Wat mij betreft gaat deze man eraan als we hem te pakken krijgen. Ik zal alles in het werk stellen om hem te grazen te nemen!"

Ik beschouw het als een niet al te serieuze woede-uitbarsting van een zwaar geteisterde ondernemer.

Het blijkt dat de politie al op alle fronten bezig is met de opsporing van de man. Alle internationale organisaties als Interpol en Europol zijn gewaarschuwd. Onderzoek van de passagierslijsten op Schiphol en andere omliggende vliegvelden heeft niets opgeleverd. P. woonde bij zijn ouders in een keurige woonwijk in Zwolle. Daar is hij niet meer gesignaleerd. "We denken ook dat we voorlopig niets meer van hem horen", laat zijn zeer ontdane moeder in de krant weten.

Goosens en ik zijn het erover eens dat ik op dit moment weinig kan doen. Eerst moet maar eens bekend zijn waar de jongeman zich bevindt. We zullen snel genoeg signalen krijgen dat ergens ter wereld ongecertificeerde diamanten te koop worden aangeboden, die lijken op wat hier is verdwenen. Via de Hoge Raad voor Diamant in Antwerpen, waar hij vanochtend al contact mee heeft gehad, zullen we op de hoogte gehouden worden. Het is mijn rol om te zijner tijd de papieren van de diamanten te bekijken, iets waar de politie weinig zicht op heeft. Met de rechercheur die druk bezig is met de inventarislijsten, wissel ik visitekaartjes uit voor als er voor mij iets te onderzoeken valt. Het is belangrijk dat ik de komende tijd goed te bereiken ben. De rechercheur gelooft ook niet in een eenmansactie van de dader.

"Dit ziet er zeer professioneel uit in al zijn eenvoud. Misschien waren de diamanten al via een professionele organisatie verkocht, inclusief klaarliggende certificaten, en liggen ze morgen al bij de nette winkeliers in Sydney en Tokyo of de minder nette in Samarkand of Sint Petersburg. We zullen zien."

8

Havana, 14 april 1959

Pepin Bosch, de president-directeur van het Bacardi-concern, wacht al bijna anderhalf uur in de gigantische Cadillac van de Amerikaanse ambassadeur. Regelmatig kijkt hij op zijn horloge. Het begint hem te irriteren. Fidel Castro, de huidige eerste minister, is nog boven in zijn kantoor in Havana Hilton, dat inmiddels Havana Libre is gedoopt. Op de valreep moet hij nog een aantal regeringszaken regelen met president Urrutía. Ook Che Guevara is erbij. De Argentijnse dokter is inmiddels gepromoveerd tot minister van Industrie. Pepin bedenkt dat de heren het wel druk zullen hebben met het treffen van voorzorgsmaatregelen tegen mogelijke acties van contrarevolutionairen. Fidel verlaat nu, voor het eerst na de revolutie, voor langere tijd het land. Zwaarbewapende guerrilla's, de vaste lijfwachten van Fidel, lopen nerveus op en neer tussen de ingang van het hotel en de limousine. De Amerikaanse ambassadeur is al een aantal keren in en uit gelopen. Hij is een echte diplomaat, uiterst correct en te beleefd om zijn ongeduld te laten merken. Deze ambassadeur is pas sinds kort in Cuba. Een week of vier, vijf geleden heeft hij zijn geloofsbrieven aan president Urrutía aangeboden. Zijn voorganger, Earl Smith, heeft binnen enkele weken na de overwinning van de revolutionairen, afgelopen januari, het land moeten verlaten. Voor het nieuwe regime was hij te besmet door zijn mooie relatie met dictator Batista. De huidige ambassadeur, Philip Bonsal, heeft nu spannende en drukke dagen. Fidel is al een tijd geleden uitgenodigd door de American Society of Newspaper Editors voor een lezing in Washington. Het is weliswaar geen officieel staatsbezoek, maar de superieuren van Bonsal in de Amerikaanse regering zijn heel nieuwsgierig naar deze wonderlijke snuiter die heel Cuba op stelten heeft gezet. Internationaal heeft Castro veel steun gekregen. Er wordt gefluisterd dat hij een communist is. Vice-president Richard Nixon zal dat snel genoeg in de gaten hebben; die ruikt communisten al op kilometers afstand. De ambassadeur heeft daarom ook een aantal informele kennismakingsgesprekken gearrangeerd met Nixon en Herter, de huidige Amerikaanse minister van Buitenlandse Zaken. Omdat er de nodige stevig bewapende Batista-aanhangers rondlopen in de VS die een appeltje met de Cubaanse gast te schillen hebben, zijn er ongekende veiligheidsmaatregelen getroffen. Meer maatregelen dan ooit bij hoge buitenlandse gasten, zeker bij gelegenheid van een zogenaamd informeel en persoonlijk bezoek. Er zijn inmiddels al heel wat schietgrage types aangekomen in Washington, de meeste afkomstig uit Miami. De politie heeft er volgens de laatste berichten al een paar opgepikt. Maar er lopen er nog steeds genoeg rond, die deze 'baardaap' graag een kopje kleiner willen maken.

Pepin Bosch is min of meer tegen zijn zin opgenomen in de delegatie van Fidel, die bestaat uit enkele ministers en de president van de Cubaanse nationale bank. Daarnaast gaan nog wat persmensen en lijfwachten mee. Pepin is waarschijnlijk uitgenodigd om in dit gezelschap een degelijke indruk te maken op de Amerikanen. Hij is niet alleen de president-directeur van een groot typisch Cubaans bedrijf, maar hij heeft ook een goede naam als voormalige minister van Financiën uit het pre-Batista tijdperk. Bosch ziet duidelijk hoe hij misbruikt wordt en voelt zich niet erg op zijn gemak in dit revolutionaire gezelschap. Zijn ongemakkelijkheid tussen de revolutionairen is de laatste tijd met de dag toegenomen, want de showprocessen en de executies van tegenstanders van het regime bevallen hem helemaal niet. Het belangrijkste argument voor hem om toch mee te gaan met deze delegatie naar de VS, is de redding van zijn bedrijf. De eerste nationalisaties zijn al begonnen, maar Bacardi laten ze tot nu toe met rust. Zolang ze maar geen geld en bezittingen meenemen naar het buitenland, worden ze niet lastiggevallen. Deze reis geeft hem ook mogelijkheden om de Bacardi-vestigingen in de States te bezoeken zonder achterdocht te wekken. Hij onderneemt deze reis immers in dienst van het vaderland. Met Fidel, die hem de laatste tijd steeds belde om aan te dringen op zijn deelname, heeft hij afgesproken dat hij niet de volle termijn bij de delegatie blijft. Na enkele dagen vertrekt hij uit Washington om zijn bedrijven te bezoeken.

Als nette Cubaanse fabrikant geneert Pepin zich als hij, twee uur later dan afgesproken, de eerste minister van Cuba ziet aankomen in een rommelig en verkreukeld camouflagepak met een soort gevechtspet op zijn hoofd. Fidel Castro wordt gevolgd door de Amerikaanse ambassadeur in een sjiek linnen tropenpak en andere net uitziende heren, waarschijnlijk afkomstig uit bankkringen. Fidel geeft Pepin een stevige handdruk. "Goed dat het u toch gelukt is met ons mee te komen", mompelt hij terwijl hij achterin naast Pepin plaatsneemt. Als de auto zich met grote snelheid en met geloei van sirenes in beweging zet in de richting van de Malecon, de grote promenade langs de zee, steekt Fidel een grote havanna op. Van tijd tot tijd houdt hij deze vergenoegd onder zijn neus om extra van de geur te genieten. Langs de weg staan groepen mensen die *el Lider* toejuichen, waarop hij soms met een lichte knik reageert. Het valt nu op hoe groot Fidel is. Hij is bijna twee meter lang. Pepin, die vrij klein is, voelt zich hierdoor enigszins geïntimideerd. Daar komt nog eens bij dat de man continu aan het woord is. Als ze het vliegveld José Martí naderen, vlak buiten Havana, heeft hij al in geuren en kleuren de toestand van de Cubaanse economie geschetst zoals die zich de komende jaren gaat ontwikkelen. Pepin Bosch, van huis uit econoom, luistert geduldig knikkend en beseft dat de rebellenleider eigenlijk nauwelijks weet waar hij het over heeft. Maar Castro is niet de figuur die luistert en vragen stelt. Als er uiteenzettingen gegeven moeten worden dan doet hij het wel. Dat wordt nog wat met deze man en zo'n Argentijnse dokter die de Cubaanse economie het industriële tijdperk gaan binnenleiden, denkt Bosch.

Het tweemotorige vliegtuig van de Cubaanse luchtvaartmaatschappij Cubana de Aviación, waarmee ze even later opstijgen, zit behoorlijk vol met de 75 delegatieleden en journalisten. Er hangt een nerveuze sfeer aan boord omdat iedereen beseft dat het een historische reis is, waar veel van afhangt. Hoe zullen de Amerikanen reageren op de kennismaking met de nieuwe Cubaanse leider?

De enige die een echt ontspannen indruk maakt, is Fidel. Hij zit een stoel voor die van Pepin. De industrieel kijkt toe hoe de secretaresse van Fidel, Teresa Casuso, hem opkalefatert voor de ontvangst in Washington. Op dit moment is ze bezig zijn vingernagels schoon te maken en bij te vijlen. Met zijn andere hand bladert Fidel geamuseerd in een stripboek. Uit het raampje zien ze de

Amerikaanse kustlijn die ze nu naar het noorden volgen, richting Washington. Het weer is kalm, de hemel is vrijwel zonder wolken en op de grond heerst zo te zien een aangenaam voorjaarsweertje.

Vlak voor de landing komt ambassadeur Philip Bonsal nog even langs om te vertellen dat hij via de boordradio heeft gehoord dat een grote menigte met Cubaanse vlaggen bij het vliegveld in Washington staat te wachten. Ook is er een uitnodiging binnengekomen voor een feestelijke lunch morgenmiddag met de minister van Buitenlandse Zaken. Voor deze mededelingen wil Fidel zijn stripboek wel even opzijleggen om te overleggen met zijn adviseurs.

Inderdaad staat een uitzinnige menigte bij het vliegveld. Er wordt met honderden Cubaanse vlaggen gezwaaid, er zijn spandoeken met *Welcome Fidel* en een juichende menigte roept *Viva Fidel*. Er is geen geluidsinstallatie, zodat de korte speech van Fidel alleen verstaan kan worden door de mensen op de eerste rij.

"Dit is de operatie Waarheid. Ik zal het Amerikaanse volk uitleggen wat revolutionaire rechtvaardigheid is en ook zal ik de propaganda tegen de revolutionaire regering weerleggen."

De persmensen hangen aan zijn lippen en noteren zijn woorden nauwgezet. Fidel baadt in het licht van de foto- en filmcamera's.

New York/Miami, 21 april 1959

Bosch is blij dat hij het Castro-gezelschap een paar dagen geleden achter zich heeft kunnen laten. Het bezoek is een ware mediahype geworden. Elke avond ziet hij de uitbundige ontvangsten op tv en er verschijnen tal van uitgebreide interviews met Fidel in de kranten. De Amerikaanse overheid is minder enthousiast over de nieuwe buurman. Uit gesprekken met een aantal hoge ambtenaren in Washington heeft Bosch begrepen dat Cuba economisch gezien voorlopig weinig kan verwachten van de VS. De eerste nationalisaties van Amerikaans eigendom zijn al van start gegaan. Vorige maand is de Cuban Telephone Company tot staatseigendom verklaard, terwijl zeventig procent van de aandelen in handen zijn van de New Yorkse telefoonmaatschappij. Ook de voortdurende pesterijen rond de marinebasis in Guantánamo zijn slecht gevallen in Washington. Pepin is in het geheim benaderd met het verzoek om, als hij daar kans toe ziet, toe te treden tot de Castro-regering. Hij kan dan vanbinnenuit de zaak in het gareel houden en eventueel een handje helpen bij de ondergang van het regime. Met hem als minister van Financiën of Economische Zaken zouden de Amerikanen meer vertrouwen in de regering hebben. Hij heeft dit voorstel weggewoven met het argument van zijn hoge leeftijd; 61 is niet piep meer, dan moet je het werk aan de jongeren overlaten.

Ik kijk wel uit. Voorlopig moet ik ervoor zorgen voldoende buiten dit wespennest te blijven en toch een werkbare relatie te houden met deze linkse types, is de gedachtegang van Bosch. Het belangrijkste is dat we met Bacardi onze markt en de productiecapaciteit buiten Cuba nog verder uitbreiden. Er is genoeg om op voort te bouwen. Het internationale centrum is inmiddels mede door toedoen van hem in Puerto Rico gevestigd. Ook bestaat er een grote vestiging in Mexico en binnenkort zal de eerste fabriek in Brazilië worden geopend.

De afgelopen dagen heeft Bosch gemerkt dat zijn telefoon wordt afgetapt. Elk gesprek begint en sluit af met een vreemd klikje. Waarschijnlijk is de CIA op dit moment extra geïnteresseerd in het doen en laten van alle belangrijke Cubanen in de VS. En zeker als die Cubaan onderdeel uitmaakt van de Castro-delegatie. Allemaal heel begrijpelijk volgens Bosch. Na gisteren heeft hij besloten geen vertrouwelijke telefoongesprekken, zakelijk of politiek, meer te voeren vanuit zijn suite in het Park Plaza Hotel. Alle gesprekken worden nu face to face gehouden op het Bacardi-hoofdkantoor op Madison Avenue.

Alleen de dagelijkse telefoongesprekken met zijn vrouw in Santiago de Cuba voert hij nog vanuit het hotel. Zijn vrouw, Enrequita Schueg Bacardi, voelt dit soort dingen goed aan. Ondeugend doet ze mee aan minutieuze, gedetailleerde gesprekken over het gedrag van hun kat en het dagelijkse wel en wee van de kinderen en kleinkinderen. Ook wordt de toestand van de mangoboom achter in hun tuin dagelijks doorgenomen. Geen woord over het bedrijf en de politiek. Pepin verkneukelt zich bij het idee dat deze gesprekken door de CIA gedetailleerd worden uitgetypt en vervolgens worden vertaald en bestudeerd op mogelijke geheime codes. Vervolgens worden ze nog eens nauwgezet door de CIA-directeur doorgelezen.

Voordat Pepin naar Miami vliegt gaat hij nog even langs kantoor op Madison Avenue. Er heerst verwarring. Gloria, de New Yorkse secretaresse van Pepin, heeft gistermiddag enkele pogingen gedaan om contact op te nemen met Juan Echavarría in Miami. Ze krijgt hem niet te pakken en ook op kantoor hebben ze hem al twee dagen niet meer gezien. Pepin vertrekt om een uur of elf van LaGuardia Airport naar Miami, waar hij een afspraak heeft met Juan. Na alles wat er gebeurd is, zullen ze zijn positie en zijn toekomst binnen het bedrijf eens goed doorpraten. Na zijn ongelukkige stranding, afgelopen januari in Guantánamo, is het hem gelukt om een paar dagen later met een Amerikaans militair vliegtuig naar Washington te vliegen. Via een koerier is Daniel Bacardi op de hoogte gesteld van het verdwijnen van de juwelen. Het grote probleem is dat ze in Cuba geen aangifte konden doen van de diefstal, omdat er sprake was van een illegale transactie. Na de machtsovername is het verboden persoonlijke bezittingen die de normale reisbagage te boven gaan het land uit te brengen. Niet alleen de familie Bacardi en het concern zouden in de problemen komen, het zou ook tot een vervelend diplomatiek incident met de Amerikanen kunnen leiden. Het bericht dat via de basis in Guantánamo waardevolle voorwerpen het land uit waren gesmokkeld, zou koren op de molen zijn van degenen die de Amerikanen van ondermijnende contrarevolutionaire activiteiten beschuldigen. Het zou worden gezien als diefstal van eigendommen van het revolutionaire Cubaanse volk.

Nadat de details bekend waren geworden van de gang van zaken in Guantánamo en de rol van Juan Echavarría daarin, was hij uit zijn functie bij de Hatuey-brouwerij ontheven. Hij had opdracht gekregen zich te melden bij de Bacardi-vestiging in Miami en daar te wachten op verdere instructies.

Bosch laat zich vanaf het vliegtuig rechtstreeks naar zijn appartement in Miami Beach rijden. Echavarría heeft voorlopig zijn intrek genomen in het luxe appartementencomplex Flamingos, een van de art-decosuikerpaleizen die Miami Beach rijk is. De chauffeur van de limousine maakt het portier open voor Bosch terwijl de geüniformeerde portier van het appartementencomplex komt aangesneld.

"Ik ben Bosch van het Bacardi-concern, ik heb een afspraak met *señor* Echavarría in appartement C."

"U bent al de zoveelste die naar hem vraagt, sir, maar hij is al twee dagen niet te bereiken. Gisteravond waren er ook al telefoontjes voor hem uit New York", is het antwoord van de portier.

"Is er de afgelopen dagen iemand in zijn flat geweest?"

"Nee hoor. De schoonmaakdienst of de roomservice komt alleen in de flat op verzoek van de bewoner op tijden dat het schikt."

De bange vermoedens van Bosch nemen toe. Dit is ongewoon gedrag voor iemand als Echavarría. Met zijn pochet veegt hij het zweet van zijn voorhoofd.

"Hebt u een sleutel van de flat?"

Alleen de hoofdconciërge mag ongevraagd het appartement binnengaan. Hij is inmiddels opgetrommeld. Na enig overleg en de verzekering van Bosch dat hij als president-directeur van Bacardi de volledige verantwoordelijkheid op zich neemt voor deze actie, gaat de man akkoord. Met z'n drieën, Bosch, de hoofdconciërge en de geüniformeerde portier, lopen ze via een roze gekleurde galerij, omgeven door tropische planten, naar het appartement.

De sleutel gaat zonder problemen in het slot. De deur blijkt niet vergrendeld aan de binnenkant. Als de drie heren de gang binnenstormen is alles meteen duidelijk. De weeë lijkenlucht spreekt voor zich. In de woonkamer is niets te zien. Pepin, die als eerste vanuit de slaapkamer de badkamerdeur opent, deinst achteruit. Juan ligt bewegingloos in bad met zijn kleren aan. Een oog dat niets meer ziet, hangt halfopen. Het water heeft de bruine kleur van oud bloed gekregen. Het scheermes waarmee hij waarschijnlijk zijn linkerpols heeft doorgesneden, ligt rechts op de rand van het bad.

"Niets aanraken, bel onmiddellijk de politie!" roept Pepin naar de verbouwereerde hoofdconciërge in de woonkamer, die al met de telefoon in de hand staat.

Terug in de woonkamer ziet Pepin een getypte brief op de geopende secretaire. Het is een afscheidsbrief van Juan, gericht aan Pepin Bosch en zijn eigen familie. Terwijl Bosch de brief leest, lopen de portier en de conciërge zwijgend en zichtbaar aangeslagen naar de voordeur.

In de verte horen ze de politiesirenes.

Gibraltar, 2 februari 1999, 22.00 uur

Vandaag heb ik ontslag genomen bij de bank. Ik weet het nu zeker. Don is mijn man en ik ga definitief met hem naar Miami. Wat een geweldige vent. Hij is de liefde van mijn leven, ik voel het. Moeder is het er niet mee eens. Ik heb haar net een halfuur aan de telefoon gehad. "Kind neem toch eerst rustig de tijd om hem te leren kennen." Van dat soort verstandige opmerkingen dus. Dat moet zij zeggen. Volgens mij kende ze die klootzak van een vader van mij nog geen dag toen ze met hem neukte. Nadat ze zwanger van mij bleek heeft hij niets meer van zich laten horen, de klootzak, en die keer dat ik contact met hem zocht, zeek hij me af. Alsof meneer van niets wist. Maar het kwam hem verkeerd uit. Hij is nu een hele Piet in de partijtop van de ESP, de Echte Socialistische Partij. Op de tv komt hij o, zo aardig en beminnelijk over, die lul. Maar ja, zo ging dat indertijd: hippies, flower power en 'all you need is love'. En o, wat zijn we toch links! Geen verantwoordelijkheidsbesef zul je bedoelen. Als moeder en ik hierover beginnen loopt het altijd op ruzie uit met veel gehuil en gejammer. "Na alles wat ik mijn hele leven voor jou gedaan heb." Snik, snik. Dat soort reacties.

Als de opnames voor de film van Don klaar zijn, over een dag of tien, gaan we naar Miami. Hij woont in een groot appartement in Miami Beach met uitzicht op de boulevard en de zee. De komende maanden, als de film wordt gemonteerd, heeft Don alle tijd voor ons tweeën. Hij laat me Florida zien, we gaan naar Key West, wat al niet. Wat hem betreft hoef ik niet te werken, geld speelt voor hem geen rol. Het liefste zou hij onmiddellijk met mij trouwen. Maar ik hou dat af. Als ik dan toch per se zelfstandig en onafhankelijk wil blijven, dan heb ik volgens hem in Miami alle mogelijkheden met mijn internationale financiële achtergrond. "Zo'n mooie vrouw als jij krijgt trouwens overal ter wereld werk, ze staan voor je in de rij", voegde hij er nog aan toe.

Ik voel me nu al dagen goed, iedereen ziet het aan me. Sheila gunt mij deze geweldige relatie, terwijl ik hem via haar heb leren kennen. Hij was trouwens niet meer dan een vriend van haar, een bevriende zakenrelatie. Als goede vriendinnen zullen we elkaar missen. Ze geeft mij groot gelijk: Don en ik zijn voor elkaar gemaakt. Volgens haar waren we gisteravond, op het feestje van zijn filmcrew, het stralende middelpunt.

9

Amsterdam, 30 juni 2001

"Hai Lex."

Ik hoor de stem van Freddy door de telefoon.

"Vertel eens."

Het kost me even moeite om te schakelen. Mijn hele bureau ligt vol met kopieën van diamantcertificaten uit de hele wereld. Het is verdomd moeilijk om vals van echt te onderscheiden. Het afgelopen uur heb ik niets anders gedaan dan door een vergrootglas turen naar watermerken. Met de tegenwoordige computertechnieken kunnen ze die watermerken aardig imiteren.

"Je had gelijk met de moord op die Cubaan. Dat verhaal van die dame over die verliefde en gefrustreerde Mexicaan die haar minnaar heeft vermoord, begint steeds meer te rammelen. Ze zijn daar niet gek bij de politie."

"Hoezo, klopt het niet?"

"Ik heb je beloofd om de zaak te volgen bij de politie. Ik heb net de nieuwste rapporten gelezen. Ze krijgen de ene leugen na de andere te horen. Nu blijkt weer dat die, hoe heet ze die dame, Carlos al veel langer kent."

"Je bedoelt Anita?"

"Ja, ze heeft hem vorig jaar zelf uit Cuba meegenomen. Maar ik stuur je de rapporten op. Kijk zo maar in je mailbox. Doei."

Terwijl ik de computer opstart denk ik aan een verhaal dat iemand laatst vertelde. Het komt veel voor dat blonde Hollandse dames na hun vakantie op Cuba zo'n mooie jonge Cubaan importeren. Iemand noemde dat het 'tante Annie-syndroom'. Het gaat zo: ze komen zo'n leuke bruine en swingende knaap tegen, het is een en al romantiek en ze neuken zich suf. En wat blijkt: die arme jongen wordt onderdrukt, zoals trouwens al die Cubanen. Mevrouw haalt al haar spaarcentjes op en trouwt met zo'n knaap zodat hij mee naar Nederland kan. Of ze gaat ervoor zorgen dat haar zielige vriendje politiek asiel krijgt omdat hij één keer met zijn grote mond in de bak is gegooid of geen zin had om in militaire dienst te gaan. Dienstweigeren is daar niet toegestaan. Misschien is het met die Carlos ook zo gegaan.

Mijn vermoeden blijkt voor een groot deel te kloppen, lees ik even later in het verslag van het verhoor. Hij had een baan niet gekregen omdat hij politiek niet betrouwbaar zou zijn en daar heeft hij toen ruzie over geschopt. Dat soort dingen moet je in Cuba natuurlijk niet doen, want dan kom je echt in de problemen. Haar eerdere verhaal dat ze hem hier op dansles heeft leren kennen, heeft ze inmiddels ingetrokken. Het smokkelverhaal over antiek dat ze mij vertelde komt nu ook naar voren.

Uit de rest van de rapporten van de politie blijkt dat het verhaal steeds meer begint te stinken. Die Mexicaan wordt al een tijd in de gaten gehouden. Volgens de Amerikaanse narcoticabrigade heeft hij goede contacten met een groep uit Colombia die elk jaar tonnen coke naar Nederland brengt. Waar hij op dit moment zit, weet niemand. Die dame heeft haar dure advocaat hard nodig. Ze krijgen haar alleen maar te spreken met die handige Verhoeven erbij. Ze hebben geen juridische gronden om haar vast te houden en zeker met de hete adem van die Verhoeven in hun nek moeten ze uitkijken. Een vormfout is snel gemaakt.

"Wat wil je dat ik doe?"

Aan de telefoon is Gerard Bakker, al jaren mijn contactpersoon bij de politie. Hij is de man die mij de meeste onderzoeksklussen aanlevert.

Hij vertelt mij het verhaal dat ik al aan de weet ben gekomen via Freddy.

"Ik hoorde dat jij en je vriendin toevallig getuige waren van die moord in El Centro. Jij kent dat salsacircuit goed. Misschien dat jij als freelancer wat meer informatie kunt krijgen over die Anita en haar vriendjes. Je bent wat minder aan regels gebonden. Je kunt gewoon zoals gebruikelijk je uurhonorarium plus kosten declareren. Daar hebben we potjes voor."

"Ik zal er eens over denken. Een paar dagen geleden wilde die mevrouw mij nog als adviseur en nu ga ik haar erbij lappen. Ik ga mijn handboek *Ethiek voor de Forensische Onderzoeker* er maar eens op naslaan."

"Bestaat die dan? Die ethiek bedoel ik."

Zonder het antwoord af te wachten heeft Bakker de telefoon neergelegd.

Zou Orlaidis dan toch gelijk hebben dat Anita niet te vertrouwen is? Er kloppen dingen niet. Dat staat vast. Waarschijnlijk is ze iemand met de verkeerde connecties die ongewild in de problemen is gekomen. Maar ik moet ook denken aan mijn oude vader, een fervent zeiler. Die zei altijd: krimpende winden en huilende vrouwen zijn niet te vertrouwen. Misschien moet ik haar toch eens steviger aan de tand gaan voelen. Boemibol is het eens met mijn hardere opstelling. Vanaf het raam waar ze de voorbijgangers nauwgezet volgt, kijkt ze nu doordringend in mijn richting. De boodschap in haar ogen is duidelijk: laat je niet kisten, Eckhardt!

Tijd om Sasja te bellen. Zuster Sasja die altijd klaarstaat voor de medemens in nood, heeft gegarandeerd nog contact met Anita gehad.

Sasja is thuis. Ze pakt onmiddellijk de telefoon op.

"Heb jij Anita nog gesproken?"

"Ja, hoor. Ik had haar gisteravond nog even aan de lijn. Ze heeft het behoorlijk te pakken. Niet alleen is haar vriendje vermoord, ze heeft nu ook nog gedonder met de politie die haar niet gelooft. Treurig is dat. Het lijkt hier wel een politiestaat."

In haar stem klinkt woede door. Ze gaat wel erg ver in haar medeleven met de slachtoffers van deze aarde.

"Hoe is haar toestand nu, wat is jouw indruk?"

"Ze kan het helemaal niet meer aan. Ze belde om te zeggen dat ze een last-minute naar Spanje heeft gekocht, Transavia had een speciale aanbieding. Ze vertrekt vanmiddag. Ze wilde even tot rust komen."

"Oké, voorlopig is ze dus niet meer in Amsterdam."

"Hoe is het met jou en Orlaidis? Wanneer zie ik jullie weer in El Centro?"

Ik vertel dat Orlaidis binnenkort het land uit moet en hoe erg ik dat vind.

"Eindelijk een vrouw met wie ik het helemaal zie zitten."

Sasja reageert lacherig.

"Wanneer heb ik dat eerder gehoord?"

Ik ga er niet verder op in.

Het is markt op de Lindengracht. Het weer is lekker. Bewolkt, dat wel, maar de temperatuur is rond de twintig graden, zoals het hoort in deze tijd van het jaar. Tegenover het huis van Anita staan twee boekenstalletjes en een cd- en videokraam. Hier kan ik uren doorbrengen en onopvallend in de gaten houden wat er gebeurt. Aan het licht in de keuken te zien is er iemand thuis. Via internet weet ik dat er vanmiddag om vier uur een vliegtuig van Transavia naar Sevilla vertrekt. Met al die veiligheidsmaatregelen tegenwoordig moet je twee uur tevoren op Schiphol zijn. Het is nu één uur. Als het klopt wat ze aan Sasja heeft verteld, zal ze dus binnen een halfuur vertrekken. Even later komt een taxi aanrijden, de chauffeur stapt uit, belt aan en wacht met knipperende alarmlichten. De deur gaat open en Anita komt naar buiten met twee enorme koffers. Te groot, zou je zeggen, voor een weekje strand in Zuid-Spanje. Als ze wegrijden loop ik in de richting van het Haarlemmerplein waar ik een taxi neem naar Schiphol. Met mijn Fiat 500 achter haar aan rijden zou iets te veel opvallen. En dat is ook het mooie van werken voor de politie, die zeuren nooit over onkosten. Ik heb de taxi ongeveer een kwartier later genomen. De kans is dus klein dat we elkaar tegenkomen bij het uitstappen op Schiphol. Wat ik wil weten is of ze inderdaad het vliegtuig naar Sevilla neemt.

Vanaf gepaste afstand kijk ik naar de incheckbalie van Transavia en inderdaad is zij nu aan de beurt bij de balie voor Sevilla. Er vindt een korte discussie plaats over de bagage en zo te zien moet ze bijbetalen, waar ze verder geen problemen over maakt. Ik weet nu genoeg. Ik loop naar buiten en bel op mijn GSM het nummer van Miguel, dat ik thuis heb genoteerd. Miguel woont niet ver van Sevilla, in het plaatsje Dos Hermanas. Hij werkt als verslaggever bij de *Diario de Sevilla*, de belangrijkste plaatselijke krant aldaar. Ik ken hem uit de tijd dat hij als correspondent werkte in Amsterdam. Zoals bijna alle buitenlandse journalisten was hij erg geïnteresseerd in de Nederlandse drugshandel. Ik heb hem vaak geïntroduceerd bij insiders. Hij is altijd bereid om iets terug te doen, heeft hij mij meerdere keren verzekerd.

"*Buenas tardes.*"

"*Si*, Lex Eckhardt. *¿Como estás?*"

Het is Pilar, de vrouw van Miguel. Ze herkent me onmiddellijk en informeert naar Vera. Vorig jaar, toen ik met mijn dochter in Andalucía op vakantie was, zijn we nog bij ze langs geweest. Pilar, die lerares Engels is, was erg gecharmeerd van Vera. Ze hebben samen urenlange wandelingen gemaakt in de buurt van Dos Hermanas.

Het blijkt dat Miguel nog op de redactie in Sevilla is.

Het is absoluut geen punt voor Miguel om eens even te gaan kijken waar die blonde *Holandesa* haar intrek gaat nemen en wat ze gaat doen. We spreken af dat wanneer het echt interessant is, ik zo snel mogelijk naar Sevilla kom. Dat lijkt hem trouwens wel een gezellig idee. We maken de afspraak dat Miguel de krant gaat zitten lezen in de aankomsthal. Hij gaat kijken wat deze mooie dame met haar blauwe ogen en twee gigantische koffers gaat doen. Ik geef hem nog wat details over haar kleding en accessoires zodat er geen misverstand mogelijk is. In de taxi, als hij haar volgt, zal hij mij bellen met zijn mobieltje. Mocht ze haar intrek nemen in een hotel, dan volgt hij haar tot in de hal en probeert haar kamernummer aan de weet te komen.

"Oké, tot straks."

Klokslag halfacht gaat de telefoon.

"Hallo, *aquí* Miguel."

Wij spreken een soort mix van Spaans, Nederlands en soms Engels met elkaar.

"Ik loop nu in het oude centrum van Sevilla in de Calle Gamazo. Je weet wel, vlak achter de Plaza de Toros. Die mevrouw heeft hier haar intrek genomen in Hotel Maestranza, een klein traditioneel hotelletje in een oud herenhuis. In de hal werd ze welkom geheten door iemand die kennelijk een vriendje van haar is. Hij zoende haar uitbundig en ze gingen samen naar zijn kamer. Er was op haar gerekend, want haar bagage werd zonder verdere plichtplegingen naar de kamer gebracht."

"Hoe zag die vriend eruit?"

"Ik denk dat het een Mexicaan is. Een stevige, gedrongen man met een beetje indiaanse ogen."

"Lijkt hij op Charles Bronson?"

"Ja, nu je het zegt, zou heel goed kunnen."

"Dit is hot news. Waarschijnlijk is deze man een voortvluchtige killer. Bijna twee weken geleden is hier een Cubaan vermoord in een salsatent. Toevallig was ik daar ook met Orlaidis, mijn Cubaanse vriendin. Deze man voldoet aan de beschrijving van de moordenaar. Het pikante is dat deze Anita de vriendin van de vermoorde is. Als het waar is wat ik nu denk, krijg jij een mooie primeur voor de *Diario de Sevilla*. Ik zweer het je. Als jij me tenminste belooft je mond te houden tot we het helemaal zeker weten. Ben jij voorlopig nog via je GSM te bereiken?"

"Ik rij nu naar huis in Dos Hermanas. Over een uurtje kun je me ook gewoon thuis bellen. Tot een uur of één vannacht ben ik bereikbaar."

"Ciao."

Via het hoofdbureau in de Marnixstraat wordt Gerard Bakker opgepiept. Binnen tien minuten belt hij terug. Als ik hem het verhaal vertel is zijn onmiddellijke reactie: "Ga maar alvast voorbereidingen treffen voor een reisje naar Zuid-Spanje. Neem morgen het eerste vliegtuig naar Sevilla. Jij werkt voor ons, maar je bent ook getuige geweest van de moord. Als jij ter plekke kunt verklaren dat dit onze man is, dan zal de Spaanse politie hem zonder meer arresteren. Er is trouwens ook een zoekopdracht uitgegaan via Europol. De foto en de persoonsbeschrijving hebben ze dus al. Ik ga nu bellen met de mensen die hier de zaak in onderzoek hebben en met onze Spaanse collega's."

"Akkoord, ik wacht op verdere berichten."

"Ik begrijp trouwens dat dit geval bij nader inzien toch door de beroepsethische beugel kan. Je werkt voorlopig voor ons en niet voor deze dame, klopt dat?"

"Klopt. Ze heeft te veel gelogen om nog onder mijn beroepsethiek te vallen. Misschien moet ik wel een pruik en een bril opzetten zodat ze me niet onmiddellijk herkent."

"Ha, ha. Ik bel je nog."

Om precies halftwaalf landt het Iberia-vliegtuig in Sevilla. Omdat ik geen bagage heb ingecheckt, loop ik een kwartier later de hoofdingang van het vliegveld uit waar inspecteur Gomez wacht. Ik herken hem onmiddellijk aan zijn witte sjaal en de blauwe pochet in zijn crèmekleurige blazer. Van mijn kant had ik hem ook al telefonisch voorbereid op mijn uiterlijke verschijning, zodat de nette man niet al te zeer zou schrikken. Ik draag een pruik van bruin lang haar en mijn ogen zijn bedekt door een blauw rond zonnebrilletje. Verder heb ik een nonchalant linnen pak aan van Italiaanse makelij, met daaronder lichte schoenen van gevlochten leder. Al met al een ontspannen zuidelijke look. Volgens Orlaidis, die me gisteravond heeft geholpen met de vermomming, zie ik eruit als een beroemde Engelse popzanger, waarvan ze de naam vergeten is. Het zou inderdaad kunnen: popzanger wordt opgehaald van het vliegtuig door een plaatselijke producent, zoals we hier naast elkaar zitten in de Mercedes Benz van inspecteur Fernando Gomez. We rijden in de richting van het centrum. Onderweg geeft Gomez instructies. Het komt erop neer dat ik vanmiddag eerst maar eens wat rondkijk bij het hotel. Pas als ik Pablo voor de volle honderd procent kan identificeren, gaan ze tot arrestatie over. Ze willen niet het risico lopen van misverstanden. De laatste tijd is er vanuit de pers en de politiek veel kritiek geweest op de Spaanse politie als de verkeerde werd gepakt. Meestal ging het om buitenlanders en daarom wordt de politie van racisme beschuldigd. Ik hou wijselijk mijn mond. De kritiek is terecht. Het is bekend dat de politie hier niet veel op heeft met gekleurde buitenlanders. Voor je het weet, kom je in een nare discussie terecht. Dat kan ik nu helemaal niet gebruiken.

"Maar hoe dan ook", vervolgt hij zijn instructies, "het arrestatieteam zit in de buurt klaar en wacht op mijn orders." De afgelopen twaalf uur is het hotel in de gaten gehouden en alles wijst erop dat Anita en haar Mexicaanse vriend nog binnen zijn.

Vanuit Bar La Esquina heb ik een prima uitzicht op de ingang van het hotel zonder zelf al te veel op te vallen. Anita liep zojuist nog voorbij met een plastic tasje met boodschappen in de hand op weg naar het hotel. Ze heeft mij beslist niet herkend in mijn vermomming. De drukte in de bar valt mee, het is nog te vroeg voor het lunchpubliek dat hier tapas komt eten. In Spanje komt dat pas na halftwee echt op gang. Ik heb alvast een inktvishapje besteld met een glas rode wijn. Prima arbeidsomstandigheden dus. De *camarero* vond het, geloof ik, vreemd dat ik bij mijn bestelling onmiddellijk afrekende, maar heeft het schouderophalend geaccepteerd. Ik moet hier elk moment weg kunnen lopen als dat nodig is. Met Gomez heb ik afgesproken dat ik, bij twijfel aan de identiteit van de Mexicaan, hem op afstand zal volgen. Via het mini-mobieltje dat hij mij heeft gegeven laat ik het Gomez weten als ik iets ga ondernemen.

"Doe geen rare dingen, want dan ben je er geweest." De woorden worden bijna sissend uitgesproken in het Engels met een Spaans accent. Het is Pablo die naast me staat. Hij is kleiner dan ik, zijn hoofd komt niet verder dan mijn schouder. Hij wijst op zijn toeristische schoudertas waarin hij zijn rechterhand heeft gestoken. Hij kijkt me niet aan als hij zegt: "Het pistool in de tas staat op scherp. Er gaan zo zes kogels je onderbuik in." Alle reden dus om gehoorzaam te zijn. Niemand in de bar is iets opgevallen. Gewoon twee heren met een wat afstandelijke verhouding die een paar zakelijke kwesties moeten doornemen. Buiten zie ik nog net de lange gestalte van Anita die vijftig meter verderop in een Volkswagen Golf stapt. Het zweet staat op mijn rug. Mijn vluchtinstincten draaien op volle toeren. Rustig Eckhardt, precies doen wat hij zegt, spreek ik mezelf toe. Op dit moment de connect-knop van het mobieltje indrukken zou te link zijn. Ik hoop dat ze mij ook op andere manieren in de gaten houden.

"Ga nu naar buiten links de straat in. Ik loop achter je aan. Als mij iets overkomt ben je er geweest. Ik ga je als schild gebruiken. Duidelijk?"

Om zijn punt te onderstrepen drukt hij zijn tas tegen mijn zij.

"Duidelijk."

Op de vraag van de ober of hij iets wil drinken, reageert hij vriendelijk. Alsof er niets aan de hand is.

"Nee hoor, we gaan zo weer weg."

Ik knik nog even ten afscheid naar de barman als we naar buiten lopen. Mijn Mexicaanse vriend loopt nu twee meter achter mij. Ik krijg opdracht in de richting van de witte Golf te lopen die op de hoek van een zijstraat met draaiende motor staat te wachten. Ik moet voorin instappen. Het rechterportier staat gastvrij op een kier. Toch aardig van Anita die achter het stuur zit. Dat is trouwens ook mijn kans. Doordat de deur openstaat heb ik in de zijspiegel goed zicht op wat er achter mij gebeurt. Pablo haalt even zijn hand uit het tasje, omdat hij het portier verder voor mij wil openen. Een stevige achterwaartse schop onder zijn kin brengt hem uit zijn evenwicht. Mijn Pentjak Silat-lessen zijn niet voor niets geweest. Ik stort mij op hem en schop de tas van ons af. Het lukt me om hem in een houdgreep te krijgen. Wat is die man sterk, ik voel overal zijn stevige spierbundels. Gelukkig heeft mijn trap hem goed geraakt, waardoor hij niet helemaal bij zijn positieven is. Het bloed stroomt uit zijn mond. Kreunend houdt hij zijn hoofd vast. De tandarts en de kaakchirurg zullen hier een aardige klus aan hebben. Ik laat hem los en grijp de tas met het wapen. Uit de auto klinkt de luide stem van Anita: "Eckhardt, stap in, snel."

Ik duik in de auto en nog voordat ik het portier heb gesloten rijdt de auto de straat uit. In de achteruitkijkspiegel zie ik dat Pablo nog even een poging doet om ons in te halen.

"Goddank, het is gelukt", zijn de eerste woorden van Anita als we honderd meter verderop stilstaan. In de verte achter ons zijn binnen enkele seconden mannen met getrokken pistool komen aanhollen. Voorbijgangers schreeuwen en maken zich uit de voeten. We zien dat Pablo door drie mensen wordt overmeesterd.

Anita valt snikkend tegen mij aan. Haar warme lichaam trilt. Ik ben bedolven onder haar lange haar. Ik voel haar vochtige adem in mijn hals. Met een zucht, bijna kreunend, fluistert ze: "Lex, wat was ik bang dat jou iets zou overkomen."

Mijn mobieltje rinkelt. Het is de stem van Gomez.

"Señor Eckhardt. Alles is veilig. U kunt terugkomen."

Als we even later terug zijn bij het hotel, zien we dat Pablo met de handen geboeid op zijn rug in de politieauto met blauwe zwaailichten stapt.

Uren later – mijn gedetailleerde verklaring is al opgeslagen in de computer – praten Gomez en ik nog even na in de hal. Hij is erg onder de indruk van die achterwaartse trap van mij. Vanuit een van de ramen in de straat hebben ze met kijkers alles mooi kunnen volgen. Ik leg hem uit dat dit geen typisch Nederlandse vaardigheid is, want hij probeert al een verband te leggen met de kwaliteiten van Johan Cruijff en Marco van Basten. Het heeft meer te maken met ons koloniale verleden. Met de vechtsport Pentjak Silat ben ik in aanraking gekomen door Molukse vrienden die mij al jong mee naar les namen.

"Misschien een goed idee voor het professionaliseringsprogramma van de Sevillaanse politie", mijmert Gomez nog even na.

"Toen jullie aan kwamen lopen zag ik vanuit de auto dat Pablo je bedreigde. Dat hadden we niet afgesproken. Hij had beloofd dat hij contact met je zou zoeken om de voorwaarden te bespreken van zijn overgave aan de politie. Hij was al bijna twee weken op de vlucht en zag het helemaal niet meer zitten. Hij kon geen kant meer uit."

Anita vertelt mij 's avonds laat haar verhaal op het terras van een restaurant vlak bij haar hotel. Het is nog warm en rondom ons doen Spanjaarden en toeristen zich tegoed aan paella's en garnalen.

"Hoe wisten jullie dat ik in die bar zat?"

"Lex, dacht jij nou werkelijk dat ik je niet zou herkennen met die pruik en dat malle blauwe brilletje?" antwoordt ze met een broeierige glimlach.

Terwijl ze dit zegt legt ze iets te lang haar hand op de mijne. Het voelt goed. Ik laat het zo.

Na drie glazen Rioja op deze mooie zomeravond is er bijna een romantische sfeer ontstaan tussen ons. In het halfdonker ziet Anita er mooier uit dan ooit in haar roze jurk met blote schouders. Ze is niet alleen een schoonheid, ze straalt ook de kwetsbaarheid uit van een jong meisje dat bescherming zoekt.

Ze vertelt dat ze opgelucht is dat Pablo eindelijk is opgepakt. Hij had via e-mail laten weten waar hij zat en had een beroep op haar gedaan om naar Sevilla te komen. Zij zag hierin een kans hem over te halen om zich te melden bij de politie. Ik vind het maar een vreemd verhaal, want ze had ook gewoon de informatie door kunnen spelen aan de Amsterdamse politie. Maar zij had daar geen enkele fiducie in. Ik laat het hier maar bij. Het zou mij niets verbazen als ze nog een laatste poging heeft gedaan heeft om geld van hem los te krijgen uit hun deals. Ze ontkent dit. Ik geef het op. Laat de politie dat verder maar uitzoeken. De Spaanse politie had geen enkele reden om haar vast te houden, gezien haar voorbeeldige gedrag bij de arrestatie. Maar ze moet wel beschikbaar blijven als getuige.

Het voelt goed als ik met haar naar het hotel loop. Mijn rechterarm heb ik beschermend om haar heen geslagen. Ik druk haar tegen mij aan. Haar zachte haar strijkt tegen mijn rechterwang en haar geurig zoete parfum windt mij op. Het is niet alleen lichamelijk dat ik me goed bij haar voel. Ze heeft vandaag ook indruk op me gemaakt. Ze is een dapper mens dat mijn leven heeft gered. Maar de nacht met haar doorbrengen gaat mij te ver. Ondanks haar toespelingen in die richting. Het is niet mijn beroepsethiek die plotseling de overhand neemt. En deze keer is het ook niet mijn sterke karakter dat weer eens speciale training nodig heeft. Er hangt gewoon te veel onheil om haar heen.

Bij het hotel geef ik haar een broederlijke zoen op haar rechterwang en bedank haar nogmaals voor haar reddingsactie. Zonder me om te keren loop ik de straat uit in de richting van Hotel Plaza, waar de Sevillaanse politie een kamer voor mij geboekt heeft. Ik merk dat ik mijn rug net iets te recht hou.

10

Miami, 21 april 1959

Voor inspecteur Brown van het Miami Police Department is het overduidelijk. Het is een routinezaak, hoewel hij zo tactvol is dit niet te laten merken aan de geëmotioneerde Pepin. Deze meneer Bosch is trouwens niet de eerste de beste. Hij heeft relaties in de hoogste kringen, dat is de inspecteur inmiddels wel duidelijk geworden. Juan Echavarría heeft zelfmoord gepleegd. Op de klassieke manier: met een scheermes heeft hij zijn pols doorgesneden in een warm bad. De politiearts schat dat het moment van overlijden twee dagen geleden moet zijn geweest. Pepin Bosch geeft aan de inspecteur een korte samenvatting in het Engels van de getypte brief die in de schrijfmachine zat. De politie zal een officiële Engelse vertaling moeten maken voor het dossier waarin de zelfmoord wordt vastgelegd. Pas dan kan de familie over de brief beschikken. Nee hoor, Brown heeft er geen enkel probleem mee als er alvast een xerox gemaakt wordt, de brief is immers gericht aan familie, vrienden en collega's. Min of meer openbaar dus.

Pepin kan het nog steeds niet geloven. Het is duidelijk dat Juan in moeilijkheden is geraakt door de gebeurtenissen van de laatste tijd, maar dat dit nu het gevolg zou zijn. Het is ook niets voor Juan, de vrolijke, levenslustige man met wie hij zoveel uren heeft doorgebracht in de sociëteit en die hij zo goed heeft leren kennen tijdens hun vele buitenlandse reizen. Hij had nog een heel leven voor zich. Natuurlijk ligt zijn positie binnen het Bacardi-concern moeilijk en aan zijn vrouw Aletta had hij ook nog een en ander uit te leggen. Volgens de berichten uit Santiago was ze woedend en ontroostbaar over het verhaal van Yamilet en de verdwenen juwelen in Guantánamo. Maar zoiets gaat over, een kwestie van tijd.

Pepin pakt de brief, loopt naar het balkon en leest hem voor de zoveelste keer door.

Deze schande kan ik niet meer verdragen. Mijn leven lang zal mij dit worden voorgehouden. Juan Echavarría is niet te vertrouwen, je kunt hem geen verantwoordelijke opdrachten geven. Hij is een nobody, vreselijk naïef in het vertrouwen dat hij stelt in anderen. Met al zijn geilheid was deze mislukkeling verslingerd aan een kwaadaardige vrouw die hem om haar vinger kon winden en met alle gemak het familiekapitaal afhandig kon maken van zijn beste vriend, die alle vertrouwen in hem had gesteld.

En ook:

Yamilet was alles wat ik had. De enige bij wie ik mij helemaal thuis voelde, die mij warmte gaf en bij wie ik alles kwijt kon. Zij stimuleerde mij in mijn leven en bracht mij op een hoger plan. Het bleek een grote leugen. Ook Ánibal, mijn jeugdvriend met wie ik opgroeide, met wie ik tientallen jaren alle geheimen deelde, een persoon in wie ik alle vertrouwen had, heeft mij verraden. Mijn huwelijk was een farce, maar misschien blijkt achteraf Aletta de enige die ik echt kon vertrouwen, een vrouw met belangeloze liefde en toewijding. Het zal nooit meer goed kunnen komen. Haar kan ik niet meer onder ogen komen...

Bosch haalt diep adem en slikt een paar keer om zijn emoties onder controle te krijgen voor hij weer naar binnen gaat in de flat met die afschuwelijke geur. Zonder hem aan te kijken overhandigt hij de brief aan inspecteur Brown, die hem in een dossiermap stopt.

Met de politie heeft Pepin afgesproken dat hij later naar het bureau zal komen voor de ondertekening van zijn verklaring en het afhandelen van de noodzakelijke formaliteiten. De ambulance met het lijk is inmiddels vertrokken naar het mortuarium van Miami Beach. Pepin heeft opdracht gegeven het zo te bewaren en te prepareren dat vervoer naar Cuba mogelijk is. In de receptie van Los Flamingos probeert hij nu al een kwartier verbinding te krijgen met Santiago. Sinds de nationalisatie van de Cubaanse telefoonmaatschappij kost het moeite om te bellen met Cuba. Hij probeert eerst Daniel te pakken te krijgen om hem te vragen het nieuws over de dood van Juan persoonlijk aan diens vrouw Aletta over te brengen. Na een aantal pogingen lukt het Daniel aan de lijn te krijgen in het hoofdkantoor aan de Aguilera. Er valt een lange stilte als Pepin zijn verhaal heeft gedaan.

"Je weet het zeker, dat van die zelfmoord?" klinkt na enige tijd weer de stem van Daniel.

"Er is geen twijfel mogelijk."

Pepin weet dat dit ook voor Daniel een moeilijk moment is. De afgelopen weken heeft hij zich verschillende keren rancuneus en haatdragend over Juan uitgelaten. Woedend was hij toen de berichten over de gebeurtenissen in Guantánamo hem bereikten. Wat hem betreft kon hij doodvallen.

"Dit heeft hij niet verdiend, wat ik ook van hem vind", klinkt het met trillende stem over de lijn met veel storende bijgeluiden.

"Misschien is het een goed idee als je Graziella meeneemt, zij kan goed opschieten met Aletta. Vrouwen kunnen elkaar beter opvangen." Graziella is de vrouw van Daniel.

"Zal ik als dat mogelijk is naar Miami komen?"

"Denk daar nog even over, laten we contact houden via het kantoor hier. Ik ben daar morgenochtend te bereiken."

De stem van de Cubaanse telefoniste laat weten dat ze het gesprek gaat afbreken. Onmiddellijk daarna wordt de verbinding verbroken.

Miami, 22 april 1959

De plichtplegingen op het politiebureau nemen enkele uren in beslag. Geen nieuwe gezichtspunten, hetzelfde duidelijke verhaal van gisteren. Het dossier is met de handtekening van Pepin Bosch afgesloten en de stoffelijke resten zijn vrijgegeven voor vervoer naar Cuba.

Om een uur of twaalf zit Pepin weer achter zijn bureau op het Bacardi-kantoor in Miami. Het nieuws over de dood van Juan heeft voor veel onrust gezorgd. Overal staan groepjes mensen te praten. Niemand begrijpt er iets van. Pepin laat het er maar bij. Het gonst van de geruchten. Een ongelukkige liefde? Dreigend ontslag bij Bacardi door geconstateerde onregelmatigheden? Een ziekelijke depressie?

De directeur van de vestiging, de Amerikaanse Cubaan Pedro Gallego, komt zijn kantoor binnen met de boodschap dat vice-president Nixon heeft gevraagd of Pepin Bosch hem zo spoedig mogelijk wil bellen op het Witte Huis. Het is dringend. Nixon, die vice-president is onder Eisenhower, houdt zich de laatste tijd intensief bezig met Cuba. Bosch is benieuwd wat die te vertellen heeft. Het is oppassen geblazen met die man. Je houdt je hart vast als Nixon weer op communistenjacht gaat. Niet voor niets wordt hij Tricky Dick genoemd.

Binnen enkele minuten is het contact gelegd.

"Richard Nixon."

"U spreekt met Pepin Bosch van Bacardi International."

"Beste mijnheer Bosch. Kan ik u even vertrouwelijk spreken?"

"Een moment, ik laat even een van mijn medewerkers uit."

Pedro Gallego heeft het al begrepen en loopt naar de deur. Met een knipoog laat Pepin hem uit en sluit de deur achter hem.

"Ik ben nu alleen."

"Mijnheer Bosch, ik maak mij ernstig zorgen over de toestand in uw land. De afgelopen dagen heb ik gesproken met de heer Castro. Eerlijk gezegd hebben wij hier in Washington onze twijfels over zijn, hoe moet ik het zeggen, democratische gehalte. U hebt een lange, door ons land zeer gewaardeerde staat van dienst in Cuba en u bent ook naar de VS gekomen als lid van zijn delegatie. We nemen aan dat u zeer goed op de hoogte bent van 's mans denkbeelden en politieke plannen, vandaar dat ik graag uw visie hoor."

"Mister vice-president. Ik ben slechts een eenvoudig zakenman, als zodanig ben ik ook lid van de delegatie. Als zakenmensen proberen wij, als het even kan, afstand te houden van de politiek. Ik zie mijzelf op dit moment niet als politicus."

"In onze optiek zou u een belangrijke rol kunnen spelen. Al of niet in een Castro-regering."

"Hoe bedoelt u, mister vice-president?"

Het komt erop neer dat Nixon met Castro aan het bewind geen enkel vertrouwen heeft in de politieke koers van Cuba. In het gesprek met Fidel is hem gebleken dat het land zeer waarschijnlijk een communistische koers gaat varen. De VS zullen dit absoluut niet tolereren. Dit bewind zal dus vanuit Washington geen steun kunnen verwachten. Bosch van zijn kant geeft in bedekte termen te kennen dat het belang van het Bacardi-concern voor hem kost wat kost voorop zal staan. Een nationalisatie, wat hij niet uitsluit gezien de geluiden in Cuba, zou hij met alle denkbare middelen willen voorkomen. Ook als dat betekent dat hij tijdelijk een politieke rol moet gaan spelen.

"Wij zijn inderdaad op alles voorbereid, mister vice-president. Niet voor niets hebben we ons internationale hoofdkwartier inmiddels op de Bahama's gevestigd. Tot nu toe was onze drijfveer voor deze internationalisering dat we niet overtuigd waren van de stabiliteit van Cuba onder het Batista-bewind. Wat de nieuwe regering gaat doen, moeten wij voorlopig afwachten. Zoals de zaak er nu bijstaat, kunnen wij in het ergste geval ook buiten Cuba overleven. Alleen voor de melasse, de belangrijkste grondstof voor de rumfabricage, zijn we nu nog afhankelijk van de suikerplantages in Cuba. Maar wij kijken hoe we dat probleem kunnen oplossen."

"Mijnheer Bosch, wij gaan druk uitoefenen op de Cubaanse autoriteiten om een voor ons acceptabele regering in Havana te krijgen met daarin mensen van naam en faam, zoals u. Wij hopen dat u, als u benaderd wordt, positief zult reageren. Van onze kant kunt u rekenen op onze volledige steun. Vanaf nu geniet u alle bescherming van onze geheime dienst. Wij willen niet dat uw leven gevaar loopt. Dit zijn gevaarlijke tijden voor alle Cubanen met een politiek verleden zoals u. Ik hoef u niet te vertellen dat er inmiddels al honderden zogenaamde contrarevolutionairen zijn omgekomen. De processen voor de volkstribunalen zijn nog in volle gang. Voor een dergelijk lot bent u ons te dierbaar."

"Dank u, mister vice-president."

"U kunt mij altijd bereiken als zich nieuwe ontwikkelingen voordoen."

"Dank u voor het vertrouwen dat u in mij stelt. Als er problemen komen, zoals onteigening van ons bedrijf, zullen wij in elk geval de Amerikaanse autoriteiten tijdig informeren. Wat betreft mijn politieke ambities blijf ik voorlopig even terughoudend."

"Alleszins begrijpelijk. Natuurlijk liggen uw eerste belangen bij uw bedrijf. Die opstelling siert u. U bent een zakenman met verantwoordelijkheidsbesef."

"Bedankt voor dit gesprek. Ik ben blij voor uw begrip."

"Dit genoegen is geheel wederzijds."

Miami, 24 april 1959

Daniel is alleen naar Miami gekomen en heeft net als Pepin zijn intrek genomen in Hotel Belvedère. Aletta is er zo slecht aan toe dat ze de reis niet kan maken. Ze logeert op dit moment in Vista Alegre bij Graziella. De schok na het nieuws uit Miami is in Santiago groot geweest. Gisteren stond een lovend In Memoriam in de *Noticias de Santiago de Cuba* over het overlijden van deze vooraanstaande stadgenoot. De aartsbisschop van Santiago, monseigneur Pérez Serantes, die eergisteren op condoleancebezoek was, had een lang gesprek onder vier ogen gehad met de weduwe. Ze

waren tot de conclusie gekomen dat er ondanks alle onvolkomenheden – elk huisje heeft zijn kruisje – sprake was geweest van een goed katholiek huwelijk. Het gesprek had Aletta goedgedaan.
Er was nog een probleem geweest met de begrafenis. Volgens de katholieke regels, uitgevaardigd door het Vaticaan, mogen zelfmoordenaars niet in gewijde grond begraven worden. Elk kerkhof, ook dat van Santiago, heeft een apart hoekje met niet-gewijde grond voor zelfmoordenaars, ongedoopte kinderen, niet-katholieken en andere ongelovigen. De monseigneur was van mening dat hij in het geval van Juan dispensatie van deze regel kon verlenen. Er was bij hem immers sprake geweest van een ongeneeslijke ziekte. Toen hij de hand aan zichzelf sloeg was hij dermate van wanhoop vervuld dat hij in een vlaag van verstandsverbijstering tot de daad was gekomen. Hij had het dus niet bewust gedaan en daarom kon het geen doodzonde zijn. Om het de bisschop niet al te moeilijk te maken met zijn kerkelijk-juridische redenering had Aletta hem niet verteld over de afscheidsbrief waarvan Daniel haar een samenvatting had gegeven. Het verhaal over de ongeneeslijke ziekte was het officiële verhaal van de familie. Juan was voor medisch onderzoek in Miami en daar was, voor hem heel onverwacht, een ongeneeslijke darmkanker geconstateerd, die zich al door zijn hele lichaam verspreid had. Hij zou nog maar enkele weken te leven hebben. Na het vernemen van de uitslag van het medisch onderzoek was hij naar zijn appartement gegaan en had in wanhoop zijn polsen doorgesneden met een scheermes. In een familieberaad in beperkte kring was besloten tot deze versie van de gebeurtenissen omdat de werkelijkheid voor veel partijen, zoals de directe nabestaanden en de firma Bacardi, te pijnlijk was. Het zou ook tot vervelende onderzoeken naar het verdwijnen van kostbaarheden kunnen leiden door de revolutionaire autoriteiten. De familie werd toch al in de gaten gehouden. Daniel had zich de vernedering moeten laten welgevallen van een grondig onderzoek tot op het lijf naar geld en kostbaarheden bij het instappen op het vliegveld van Havana. Hij mocht niet meer dan een paar honderd dollar voor eigen gebruik het land uitvoeren. Grotere bedragen zouden geconfisqueerd worden voor het Cubaanse volk.

Pepin complimenteert Daniel met zijn aanpak in Santiago, nadat hij is bijgepraat tijdens de lunch in de overdadig gedecoreerde bar van Hotel Belvedère. Daniel is nu ook op de hoogte van de politieke gebeurtenissen. Pepin heeft hem verteld over de zegetocht van Castro door de VS. De revolutionair had op de pers een gunstige indruk gemaakt en hij was toegejuicht door grote menigten, vooral Latino's die in hem de nieuwe bevrijder van Latijns-Amerika zien. Van de recent gevluchte Cubanen was weinig vernomen. Ze zijn nog onvoldoende georganiseerd, ze zitten hun wonden te likken of ze zijn op afstand gehouden door de Amerikaanse politie die geen gedonder wil. Ook stelt hij Daniel als enige van zijn vertrouwelingen op de hoogte van het telefoontje van Richard Mulhouse Nixon, de vice-president en mogelijk de volgende president van de VS.

Daniel is het eens met de opstelling van Pepin om voorlopig terughoudend te zijn en ondertussen in alle stilte voorbereidingen te treffen om legaal en economisch nog minder afhankelijk te worden van Cuba.

"Helaas, het is niet anders. Als het ons niet lukt om de gebeurtenissen te beïnvloeden, zullen we het land moeten verlaten. Ik vind het verschrikkelijk. Het is het land van mijn voorouders. Mijn overgrootvader is meer dan een eeuw geleden begonnen met het bedrijf."

Voor de zoveelste keer in dit gesprek worden de ogen van Daniel vochtig. Eerder waren er emotionele momenten geweest toen ze het tragische einde van Juan, zijn vroegere vriend, bespraken. Om zich te vermannen neemt Daniel nog een stevige slok van zijn Cointreau.

"Nog een zakelijk punt voor we naar het mortuarium gaan", brengt Pepin in. "We moeten een oplossing vinden voor de schade die jij hebt ondervonden door het verdwijnen van die juwelen. Ik heb begrepen dat die volgens de schatting, die jij heb laten maken, zes miljoen dollar waard zijn."

"Ja dat klopt. Er is contact over geweest met Christie's in Londen. Zij houden ook in de gaten of ze ergens worden aangeboden. Deze stukken zijn zo uitzonderlijk. Die blijven niet onopgemerkt in die handel."

"Is er nog iets bekend over dat vrouwtje en die chauffeur in Guantánamo?"

"We hebben er een paar mensen, betrouwbare beveiligingsmensen van Bacardi, achteraan gestuurd. Vermoedelijk zijn ze vanuit Maisí, het uiterste puntje van Cuba, vertrokken naar Haïti of de Dominicaanse Republiek. Die zien we dus niet meer terug. Volgens vissers daar in de buurt zijn de laatste tijd heel wat nachtelijke bootjes vertrokken. Het is van daaruit maar een paar uur varen."

"Over dat geld moet je niet inzitten. Door verschuivingen in de aandelen van de internationale holding zullen we zorgen dat er in elk geval zes miljoen dollar extra bij jou terechtkomt. Als je het land uit moet zul je dus niet onbemiddeld zijn. Maak je geen zorgen."

De mannen staan op met een stevige handdruk en een schouderklop. Daniel heeft in elk geval een probleem minder. Zijn lossere manier van lopen, als hij samen met Pepin de bar verlaat, komt niet alleen door de Cointreau.

Santiago de Cuba, 26 april 1959

De begrafenis van Juan Echavarría is indrukwekkend. Parque Céspedes ziet zwart van de mensen als de rouwstoet arriveert op het plein voor de kathedraal. De lijkkoets, omhuld door zwart fluweel met grote koperen kwasten, wordt getrokken door zes paarden met zwarte pluimen op het hoofd. De koets puilt uit van de bloemen die naast de officiële kransen met grote linten onderweg door omstanders op de kist zijn gelegd. De stoet wordt geopend door de gemijterde aartsbisschop, die in paarse rouwkleuren is gekleed. Hij wordt omgeven door misdienaars die kruisen dragen en zachtjes wierookvaten op en neer bewegen. Voor de koets lopen vier trommelaars in zwart met paars omrande kostuums, die de monotone dreun trommelen waarop de stoet zich langzaam voortbeweegt. Uit de openstaande deuren van de kathedraal klinkt het geluid van het kerkorgel.

Achter de koets loopt de familie die op de hoek van het plein uit de volgwagens is gestapt. De weduwe die in het midden loopt, gekleed in het zwart met een ondoordringbare voile voor haar gezicht, wordt ondersteund door haar zus Carmen en haar man Ernesto. Daarnaast lopen familieleden van Juan uit Guantánamo, en daarachter de voltallige directie van Bacardi. In de lange zwarte stoet zien we ook de groene uniformen van de voorlopige Revolutionaire Junta die Santiago bestuurt. Iedereen is het erover eens dat dit een van de meest imposante begrafenissen in Santiago is van de laatste jaren. Juan was zeer geliefd bij vrienden en familie, maar ook bij het personeel van de Hatuey-fabriek.

Miami, 3 mei 1999

Ik wist dat Don vandaag weg zou zijn. Ik heb al mijn spullen uit het appartement gehaald. Ik had de sleutels nog en wilde niet het risico lopen dat ik hem tegen zou komen. Alleen Ronald, de Filippijnse huisbediende, heeft mij gezien. Die denkt er ook het zijne van. Waarschijnlijk heeft hij hier in huis al te veel gezien. Ik heb een briefje in de keuken achtergelaten dat ik niets meer met hem te maken wil hebben, de klootzak. Ik heb nu mijn intrek genomen in een soort bed-and-breakfast, ver van de boulevard in een van de achterafstraatjes van Miami Beach. Hier zijn de kamers nog een beetje te betalen. Ik heb geen adres achtergelaten, want dan zou hij me toch niet met rust laten. Meneer zijn te grote ego is gekrenkt. Daar zal hij het niet bij laten zitten. Financieel kan ik het nog wel even uitzingen, want de afgelopen maanden hebben mij geen cent gekost. Over één ding had hij niet gelogen, en dat was over zijn financiën. Stinkend rijk is die man. Allemaal verdiend met enkele goedlopende films en een paar tv-series die nog steeds draaien, van Rio tot Tokyo. Zijn twee exen, waarover hij nooit iets verteld had, kwamen zich ook al snel melden na zijn terugkomst uit Spanje. Die hebben hem nog behoorlijk in de tang met fikse alimentatieclaims.

Ik ben vooral afgeknapt op de manier waarop hij mij al die maanden behandeld heeft. Alsof ik een van die goedkope trutten ben die kontendraaiend in zijn films rondlopen. Meneer gaat een paar dagen weg, laat niets van zich horen, en als hij dan thuiskomt moet ik voor hem klaarzitten. En als we ergens naartoe gaan moet ik mooi wezen, maar me verder nergens mee bemoeien. Vrouwen worden niet geacht meningen te hebben in de kringen waarin hij verkeert. Die kringen bestaan uit enge macho's die de hele dag in Porsches achter hun pik aan rijden. Nog heel even en ik zou de zoveelste mevrouw Nichols zijn geworden, de vrouw van de beroemde Don Nichols. Vervolgens zou ik hier ergens met een paar schatten van kinderen gelukkig moeten worden in een mooie villa tussen de palmen. Meneer is onder de pannen, hij heeft een mooi officieel gezinnetje thuis en hij kan weer ongestoord verder dollen met die sexy blondines die een filmrolletje willen. Mij niet gezien.

De enige aardige man die ik hier heb leren kennen is Ismaël, een rustige, oudere Cubaan die uit een schatrijke fabrikantenfamilie komt. Heel beschaafd en absoluut geen patser. Misschien wordt dat ooit nog wat met hem. Hij is een heel goede vriend en wat mij betreft mag dat voorlopig zo blijven. Werk is geen probleem. De organisatie waarvoor hij werkt en waarvan hij mede-eigenaar is, heeft altijd mensen nodig die kaas hebben gegeten van financiën, internationale ervaring hebben en goed Engels en Spaans spreken. Hijzelf woont meestal in Mexico City. Mijn eerste uitnodiging om een keer een weekend naar Mexico City te komen heb ik al binnen. Ik heb niet al te eager *gereageerd. Laat hem eerst maar eens zijn best doen, dat vinden die Latino's het leukst. Als je te snel op uitnodigingen ingaat, zien ze je als een slet. Hij is wel een van de weinigen die ik een adreswijziging heb gestuurd.*

11

Amsterdam, 5 juli 2001

Van de Amsterdamse politie hoorde ik dat de uitlevering weinig problemen had opgeleverd. Binnen twee dagen zat Pablo onder begeleiding in een Iberia-vliegtuig op weg naar Amsterdam. Via Europol waren de meeste gegevens over de Amsterdamse moord in Sevilla al bekend. Er zat voor Pablo natuurlijk weinig anders op dan de moord op Carlos te bekennen. Er waren veel getuigen geweest van die steekpartij bij Ben Bron, alleen een video-opname ontbrak eigenlijk nog. Op vragen naar zijn motieven weigerde hij in te gaan. Een conflict, wraak? Het werd niet duidelijk.

Zijn toestand was niet best. De Amsterdamse politiearts die hem had begeleid naar de kaakchirurg om na de klap van mij een en ander op zijn plaats te laten zetten, adviseerde om hem goed in de gaten te houden. Hij maakte een gedeprimeerde indruk. Nog meer suïcides in een Amsterdamse cel konden ze niet gebruiken, na de twee voorafgaande in dit jaar. De hoofdcommissaris had daar behoorlijk de pest over in, vooral na de vervelende publiciteit die het had opgeleverd.

Anita had het verhaal verteld dat ik ook kende. Zij was naar Sevilla gegaan om Pablo over te halen om zich aan te geven bij de politie. Haar dure advocaat moest weer erg zijn best doen om het verhaal van zijn cliënt aan de sceptische rechercheurs Hoogeboom en Weber enigszins overtuigend over te brengen. Ook had het onderzoek van de bagage van haar en Pablo, ze bleken aparte kamers in het hotel te hebben, geen nieuw materiaal opgeleverd.

Er kwam pas echt beweging in de zaak toen de inspecteurs aan Pablo duidelijk hadden gemaakt dat Anita tegen hem zou gaan getuigen in de rechtszaal. Zij zou alles vertellen wat zij wist over de moord en alles wat eraan vooraf was gegaan. Hij, Pablo dus, zou helemaal alleen voor alles moeten opdraaien. Hij was razend, vooral toen ze hadden uitgelegd dat hem dat waarschijnlijk twintig jaar gevangenis zou gaan kosten. Schuimbekkend was hij tekeergegaan, met veel gevloek in het Spaans. Alleen het woord *puta*, hoer, hadden ze begrepen.

Ook het telefoontje dat hij even later op zijn verzoek met Anita pleegde was één grote scheldpartij in het Spaans geworden.

De versie van Pablo kwam erop neer dat hij in feite het slachtoffer is geworden. Het verhaal stond haaks op dat van Anita. Zij had hem om hulp gevraagd omdat Carlos een smerige streek met haar probeerde uit te halen. Zij had samen met Carlos een voorraad kunstvoorwerpen uit Mexico naar Nederland weten te smokkelen. De afspraak was dat dit op fifty-fiftybasis zou gebeuren. In Nederland probeerde Carlos haar er vervolgens uit te werken. Hij deed een poging om de spullen buiten haar om te verkopen. Toen riep ze de hulp in van hem, Pablo, die ze al jaren kende uit Mexico. Met hem sprak ze toen af dat ze, zo gauw ze van die Carlos af waren, samen met een fiks kapitaaltje naar Mexico of de Bahama's zouden gaan om daar voor altijd gelukkig te zijn. Zij was erachter gekomen dat hij, Pablo dus, de liefde van haar leven was.

Na mijn terugkomst uit Sevilla heeft Gerard Bakker mij elke dag op de hoogte gehouden van de voortgang van het onderzoek. Het is niet alleen nieuwsgierigheid van mijn kant. Ik wil geïnformeerd blijven voor het geval ik weer ingezet word bij deze zaak. Dat is trouwens niet helemaal zeker. Ik krijg nu de berichten van twee kanten. Via Freddy, mijn hackende vriendje die dagelijks een kijkje neemt in het computersysteem van de politie, hoorde ik dat het rapport uit Sevilla aanleiding had gegeven tot een discussie over mij. Dat stond in een verslag van het 'Sevilla-project'. Ze vinden het inzetten van ongewapende freelancers zoals ik te gevaarlijk, ondanks mijn professionele Pentjak Silat-klappen.

"Ze zijn gewoon jaloers op je", is het laconieke commentaar van Freddy.

Ik zal wel zien hoe het loopt. Als ze mij alleen nog maar boekhoudopdrachten geven, dan moet ik maar eens gaan uitkijken naar andere klanten.

Orlaidis moet uiterlijk eind september het land uit. De ambtenaren van de vreemdelingendienst zijn onvermurwbaar. De afgelopen weken ben ik totaal van mening veranderd. Ik wil dat ze bij mij blijft. Samen hebben we de afgelopen dagen uren doorgebracht in de wachtkamers van de overheidsbureaucratie. Hoe ik ook mijn best doe om aan te tonen dat ik garant wil staan, niets blijkt te helpen. De boodschap is: eerst terug naar Cuba en daar een nieuwe aanvraagprocedure beginnen bij de Nederlandse ambassade in Havana. Ze verblijft te kort in Nederland voor een permanente verblijfsvergunning. Ze is een aantal maanden gescheiden, haar ex wil niet meer borg staan en de termijn voor een verblijf na de scheiding is verlopen. Er is geen enkele dwingende reden om voor haar een uitzondering te maken en 'daarmee basta'. Eén ambtenaar kon een geeuw niet onderdrukken tijdens mijn betoog over 'de echte liefde die ons bindt'. Hoe vaak had hij dit verhaal al gehoord? Ik had hem naar de strot kunnen vliegen in mijn woede en machteloosheid. Het blijkt allemaal zinloos. Van een bevriende advocaat hoorde ik dat de enige andere mogelijkheid om hier te blijven is door de illegaliteit in te duiken. Orlaidis wil dat niet, want dan kun je elk moment opgepakt worden. Ik krijg trouwens langzamerhand de indruk dat ze ook graag teruggaat naar Cuba. Ze is gek op mij, maar ze mist haar moeder, haar broers en het dagelijkse leven in Guantánamo. Voor Cubaanse begrippen valt het in hun gezin nog mee met de armoede, omdat haar beide broers als vrachtwagenchauffeur bij een grote suikerrietplantage werken. Niet dat hun salaris riant is, maar omdat ze veel onderweg zijn hebben ze allerlei handeltjes en soms valt er ook wel eens iets van hun vrachtauto. Meestal gebeurt dit heel toevallig in de buurt van een *guarapero*, een man die de suikerriet uitperst en op straat de frisdrank *guarapo* verkoopt. Hiervoor staan mensen in Cuba in de rij. Die guaraperos willen best wat extra's betalen aan de vrachtautochauffeurs. Proestend van het lachen kan Orlaidis vertellen over dit dagelijkse gescharrel in Cuba. Volgens haar werken Cubanen vandaag de dag niet meer voor het salaris, dat is te laag, maar voor de '*posibilidades*', de mogelijkheden om met wat gescharrel bij te verdienen.

Orlaidis onderhoudt haar dagelijkse contacten met Cuba draadloos via Ochún, haar Orisha waarvoor ze bijna permanent kaarsjes brandt. Volgens Ochún verwacht haar moeder in Guantánamo haar elk moment. De heilige voorspelt ook dat ze een grote blonde man zal meebrengen. Die man blijkt veel op mij te lijken.

Heel af en toe, als ik even bij zinnen ben, stel ik mezelf de vraag of ik er verstandig aan doe om de volledige financiële verantwoordelijkheid voor haar op me te nemen. Ik wil haar op dit moment best helpen, want ze heeft nu geen cent meer. De afgelopen week gaf ik haar een paar honderd gulden, waarna ze me de volgende dag apetrots een veel te duur Gucci-tasje uit de P.C. Hooftstraat liet zien. Ik heb veel moeite met die consumptiestijl. Voorlopig moet ik het maar eens aankijken. Het idee van Ochún dat ik naar Cuba ga, al is het maar voor een paar weken, is zo gek nog niet. Ik ben erg nieuwsgierig naar het land van de son en changuï. De echte kenners zeggen dat je daarvoor vooral naar plaatsen moet gaan als Santiago en Guantánamo. Dat zijn de echte muziekcentra.

De rol van Anita in de hele affaire blijft me bezighouden. Ik vraag mij af of haar leuke Latijnse vriendjes te maken hebben met de bedreigingen aan het adres van Orlaidis op de avond van de moord. En wie heeft die detective in opleiding, indertijd op de Houtmankade, op mijn dak gestuurd? Het blijft een raadsel welke krachten hier aan het werk zijn.

Deze overpeinzingen gaan door mij heen als ik in mijn Fiat 500 op weg ben naar Amsterdam-Zuid waar het hoofdkantoor is van de NVJ. Ik heb de laatste hand gelegd aan mijn rapport over de echtheidscertificaten die nu in omloop zijn. Ik heb ook een aantal zwaktes op een rijtje gezet van de nieuwe certificaten waar zij voorstander van zijn. Helemaal waterdicht kan nooit, maar je kunt de vervalsingmogelijkheid wel aanzienlijk verkleinen, bijvoorbeeld door een soort hologram in het papier aan te brengen, zoals je die ziet bij de nieuwste creditcards. Mijn voorstel bevat ook een protocol met de stappen die ze moeten zetten in geval van twijfel. De eerste reacties op mijn concept, dat ik per e-mail heb gestuurd, waren gunstig.

Zelfs met mijn Fiatje kost het moeite een parkeerplaats te vinden in de Emmastraat, die vol staat met de nieuwste Saabs, de Lancia's en de *fourwheeldrives* van al die dure types die in deze buurt kantoor houden. Even later loop ik het statige herenhuis in waar Paul Sterk al op me wacht. Ik heb me voor de gelegenheid netjes gekleed. Ze betalen er genoeg voor. Als extern adviseur kan een Armani-jasje wel, vind ik. Je moet iets speels en onafhankelijks suggereren. De heren van het dagelijks bestuur van de vereniging, allemaal boven de vijftig, zijn gekleed in driedelig grijs. Een enkele progressieve dwarsligger heeft het aangedurfd een blauwe blazer aan te trekken. Hier moet onkreukbaarheid worden uitgestraald. Mijn rapport is een agendapunt op de maandelijkse vergadering. Ik heb het nog niet verleerd, mijn nette opvoeding komt nog steeds van pas: voor je handjes geeft moet je eerst je jasje dichtknopen. Wat ik ook volautomatisch doe als ik het vergaderlokaal binnenkom.

De heren zijn tevreden. Iedereen moet natuurlijk een enkele kritische vraag stellen. Zo hoort het ook. Waarvoor zijn ze anders naar Amsterdam gekomen? In grote lijnen nemen ze mijn adviezen en veiligheidsprocedures over. Ze zullen in de komende periode een bericht 'hieromtrent' uit laten gaan aan alle leden.

Met de woorden "Onze dank mijnheer Eckhardt voor dit uiterst belangrijke werk", rondt de voorzitter dit agendapunt af.

Enkele minuten later zit ik weer neuriënd in mijn Fiatje en verheug ik mij op de fikse nota die ik kan gaan uitschrijven voor dit 'uiterst belangwekkende' project.

Orlaidis zit thuis op mij te wachten. Ze is inmiddels goede vriendjes met Boemibol, die zo te zien door haar verwend is met een bordje verse wijting, iets wat ze van mij zelden krijgt. Orlaidis ziet er goed uit in haar lange, paarse jurk. Achter haar oor draagt ze een witte roos die ze kunstig in een soort Billy Holiday-stijl heeft bevestigd. Onder het genot van een *mojito*, een Cubaanse cocktail met rum, limoen, suiker en gestampte muntblaadjes, vertelt ze dat ze besloten heeft naar Cuba te gaan. Om nog langer te proberen een verblijfsvergunning te krijgen vindt ze tijdverspilling. Ze wil ook niet illegaal blijven. Van Cubaanse vriendinnen weet ze hoe vervelend dat is. Je moet steeds zo op je hoede zijn. Voor je het weet word je opgepakt en achter de tralies gezet. Ze heeft vanochtend een vlucht gereserveerd voor 19 september. Ze zal me verschrikkelijk missen en hoopt dat ik in elk geval een paar weken naar haar toe kom om haar vaderland en haar familie te leren kennen.

"We moeten dan maar verder zien wat we doen."

Ik geef haar een zoen op haar neus omdat ik niet goed weet hoe ik moet reageren. Ik voel me wanhopig, ik zal haar erg missen.

"Onze toekomst samen ziet er goed uit", fluistert ze terwijl ze tegen me aankruipt. Ze geeft me kopjes zoals verder alleen Boemibol dat kan.

Ik vertel haar over de nieuwste ontwikkelingen in de moordzaak. Ze reageert vol walging op de naam Anita. Ook als ik haar de details vertel over de gebeurtenissen in Sevilla, hoe ze mij geholpen heeft, blijft ze vasthouden aan de kwade bedoelingen van Anita.

"Ik denk dat ze heel machtige vrienden heeft. Deze Pablo is maar een ondergeschikte pion in haar spel", is haar mening.

Ik ben het met haar eens dat de enge types die haar een paar weken geleden in haar flat hebben bedreigd, wel eens in verband kunnen staan met die miljoenensmokkel uit Mexico waar Pablo over vertelde.

"Maar waarom werden wij op dat moment al bedreigd? We waren toen alleen getuige van de moord op Carlos, samen met misschien wel honderd anderen. Van Anita wisten we nog niets."

Geen van ons beiden weet het antwoord. Ik kan niet veel beters verzinnen dan haar, onder miauwend protest van Boemibol, naar mij toe te trekken. Door de reuk van haar parfum en de stevige tepels die door haar jurk prikken, zijn alle gedachten aan slechte bedoelingen van onze medemensen ineens mijlenver verwijderd.

"*Kann denn Liebe Sünde sein?*" zong Zarah Leander lang geleden.

Nee, dus.

"Lex, wil je me zo snel mogelijk terugbellen", hoor ik in de verte op het antwoordapparaat, nadat de telefoon een aantal keren heeft gerinkeld. Het is Sonja, mijn ex. Aan haar stem te horen is er paniek. Er zal wel weer iets zijn met Vera, die tegenwoordig bijna permanent in opstand is tegen haar moeder. Ik heb de telefoon laten rinkelen omdat ik met Orlaidis lig na te genieten in mijn *queensize* bed. Ze ligt op haar buik en de regelmaat van haar ademhaling wijst op een diepe ontspanning. Ze kreunt even als ik haar zacht over haar bruine billen aai. Het is een ideale zomerse namiddag, een beetje zwoel maar heel geschikt om de liefde te bedrijven of zomaar met opengeslagen lakens in bed te liggen. De gordijnen bewegen zachtjes op en neer door een lichte tocht. Soms klinkt er een *tuf-tuf*-geluid van een bootje in de gracht dat vervolgens weer wegsterft. Ik woon op een stil stuk van de gracht omdat het een doodlopende weg is. Af en toe hoor je een auto van iemand die hier woont.

Mijn gedachten gaan alle kanten uit. Wanneer zal ik naar Cuba gaan? Wat betekent haar vertrek voor onze relatie? Is dat verhaal van Pablo waar? Is Anita toch de kwade genius? Ik vind het moeilijk om zomaar te wachten tot de politie meer weet. Ik raak steeds meer bij deze zaak betrokken na alle bedreigingen. Zeker nu ik een pistool in mijn rug heb gevoeld, is het heel persoonlijk geworden.

Uit het verhaal van Sonja blijkt dat het weer goed raak is geweest tussen haar en onze dochter. De vriend van Vera, Johan, is meer dan tien jaar ouder dan zij. Sonja heeft haar verboden nog langer met hem om te gaan. Hij is een kunstschilder uit Gouda, die volgens een vriendin pasgescheiden is en altijd achter jonge meiden aanzit.

"Lex, wat moet ik daar in godsnaam mee?"

"Ken je die man?"

"Ze wil niet hebben dat ik hem bel. Ik vind dat hij met zijn poten van zo'n jonge meid af moet blijven. Het is toch een schande!"

Haar stem begint hysterisch over te slaan.

Ik probeer haar te kalmeren door duidelijk te maken dat ik het met haar eens ben. Ik ben er ook op tegen. Maar heeft het zin om het te verbieden?

Vera heeft ook weer gedreigd om naar Amsterdam te vertrekken. Ze wil weg uit dat gat Alphen aan den Rijn. Ze suggereerde dat ik daar achter zou staan. Ik maak Sonja duidelijk dat dit echt een misverstand is. Ook ík vind dat Vera de komende jaren in Alphen aan den Rijn moet blijven wonen. Het is daar een rustiger omgeving voor haar. Ze moet eerst maar eens de middelbare school afmaken. Pas na haar eindexamen praten we verder.

De gemoederen lijken even gekalmeerd. Niet helemaal, want op de achtergrond hoor ik de stem van Vera: "Klootzak."

Mijn argumenten over haar opvoeding in Alphen aan den Rijn zijn natuurlijk hypocriet. De echte reden is dat ik mijn privacy en mijn onregelmatige leven wel heel erg zal missen als ik de verantwoordelijkheid krijg voor de opvoeding van mijn 16-jarige dochter.

We spreken af dat ik zo snel mogelijk langskom om met z'n drieën te praten. Ik maak me zorgen. Het is moeilijk wennen aan het idee dat mijn kleine meid een relatie heeft met een volwassen man.

12

Santiago de Cuba, 3 oktober 1960

"Er is hier een mevrouw die u dringend wil spreken."

Raquel, de secretaresse van Daniel Bacardi, steekt haar hoofd om de deur.

"Waarover gaat het?" Daniel kijkt niet op van de papieren die voor hem op het bureau liggen.

"Mevrouw zegt dat ze een zus is van Yamilet, de vriendin van Juan Echavarría. U weet wel."

In de manier waarop ze dit zegt klinkt minachting door voor dit soort dubieuze dames.

Nu zit Daniel rechtop achter zijn bureau met de zware hoornen bril in zijn handen.

"Stuur haar door."

Even later komt ze binnen. Daniel herkent haar, hij heeft haar eerder gezien in gezelschap van Yamilet en Juan. Ze is even donker en ongeveer van dezelfde leeftijd als Yamilet, waarschijnlijk midden twintig. Iets korter van postuur, maar ze mag er beslist wezen, oordeelt Daniel als ze haar entree maakt. Ze is gekleed in een luchtige katoenen jurk, wit met rode bolletjes. Haar glimmend zwarte krulhaar hangt over haar rechterschouder. Daniel staat op en geeft haar een hand. Ze knikt en gaat even door haar knieën bij wijze van begroeting. Daniel nodigt haar uit om plaats te nemen in een van de schommelstoelen met uitzicht op de patio. Hij gaat tegenover haar zitten. Boven hen ruist de ventilator die nog enige verkoeling brengt in deze warme, vochtige oktobermaand.

Zonder aarzeling steekt ze van wal.

"Zoals u begrijpt gaat het over mijn zus. Sinds haar verdwijning vorig jaar in Guantánamo hebben we niets meer van haar gehoord. Tot ik deze brief kreeg, zonder haar adres, uit de Dominicaanse Republiek."

Uit haar handtasje haalt ze de verfomfaaide brief tevoorschijn met de postzegels van de Republica Dominicana.

"Ik weet dat jullie haar ook zoeken en dat de politie niet is ingeschakeld. Wij laten de politie er ook buiten. Te gevaarlijk voor haar. Met deze regering weet je niet meer wat je moet doen. Voor je het weet word je neergeschoten voor een van die zogenaamde misdrijven tegen het volk."

"Wat zegt ze in die brief?"

"Ze vertelt dat ze afgelopen september een zoon heeft gekregen van Juan. Dat verbaast mij niet. Indertijd, vlak voor ze naar Guantánamo ging, vertelde ze mij al dat ze waarschijnlijk zwanger was. Ze had het alleen nog niet aan hem verteld. Ze verwachtte te veel complicaties. Dat kunt u natuurlijk begrijpen."

"Zegt ze nog iets over Ánibal, de chauffeur waarmee ze verdwenen is?"

"Helemaal niets. Ook wij begrijpen niet wat er gebeurd is. Ik kan mij niet voorstellen dat er iets geweest is tussen die twee. Ze kennen elkaar natuurlijk al jaren. Maar voor de rest weet ik het niet."

"Weet je wat er gestolen is?"

"Na haar verdwijning zijn er steeds mensen bij ons aan de deur geweest. De eerste maanden bijna elke dag. We zijn steeds in de gaten gehouden. Niet door de politie, maar door mensen van Bacardi, ik begreep tenminste dat ze voor jullie werken. Bedrijfsbeveiliging of zoiets. Eén man die aan de deur kwam, vertelde dat er juwelen gestolen waren. Niets voor haar trouwens. Yamilet is altijd goudeerlijk geweest. Maar toen ze niet meer kwam opdagen, ben ik het ook gaan geloven. U moest eens weten hoe wij eronder lijden, mijn moeder en ik."

Ze haalt een geborduurd zakdoekje tevoorschijn om haar tranen te deppen. Daniel ruikt de zoete eau de cologne die zich vanaf het zakdoekje door de kamer verspreidt.

Daniel gelooft wat ze zegt, ook als ze belooft mee te willen werken.

"Wij willen alleen onze zus terug. Ik weet zeker dat ze niet slecht is. Voor haar steek ik mijn handen in het vuur."

Ze maakt een gebaar in de richting van denkbeeldige vlammen.

In de brief die ze aan Daniel overhandigt, staat alleen maar een korte boodschap over de baby en dat de familie zich geen zorgen over haar hoeft te maken.

In gedachten en hoofdschuddend loopt Daniel even later door de Aguilera in de richting van zijn favoriete koffiehuis El cafetin de Virgilio, om de hoek bij Casa Granda in Calle Heredia. Het verhaal van de vrouw brengt weer alle herinneringen naar boven aan het tragische einde van zijn vriend Juan, vorig jaar april. Er blijkt nu ook nog een kind te zijn dat opgroeit zonder vader, en Juan zal het nooit weten. Hij voelt een golf van woede in zijn middenrif. Als hij die vrouw en die chauffeur te pakken krijgt. Zij zijn het immers die dit alles veroorzaakt hebben. Of niet soms?

Als hij het koffiehuis nadert, ziet hij Virgilio Palais, een dikke hartelijke neger van achter in de vijftig, al in de deuropening staan. Hij heeft een indrukwekkende gestalte van bijna twee meter lang. Zijn koffiehuis is het centrum van de muzikanten in Santiago. Dag en nacht is er wel iets te doen. Virgilio zelf is trouwens ook een uitstekend gitarist. "*Buenas dias*, Don Daniel", verwelkomt hij Daniel met een stevige handdruk. Als Daniel naar binnen loopt ziet hij achter in de langwerpige ruimte, een soort pijpenla, Miguel Matamoros zitten. Een grote, trotse man met pretoogjes. Hij ziet er goed uit, ook nog op zijn 65e. Zijn leven lang heeft hij menig vrouwenhart sneller doen kloppen, een echte charmeur. Het verhaal gaat dat hij in en om Santiago soms tien minnaressen tegelijk had en volgens de laatste tellingen heeft hij zo links en rechts minstens veertien kinderen verwekt. De gitarist, zanger en componist komt hier vaak op deze tijd van de dag, rond halftwaalf, als hij tenminste niet binnen of buiten Cuba op tournee is. Miguel Matamoros is een van de beroemdste muzikanten van Santiago. Samen met Rafael Cueto en Siro Rodríguez vormt hij al tientallen jaren het Trio Matamoros. Er bestaat al lang een goede relatie tussen Matamoros en de familie Bacardi. Als jongen was hij chauffeur van de grootvader van Daniel, Don Facundo. Miguel kan niet nalaten te vertellen hoe hij door hem werd ontslagen. "Jongeman, jij moet ophouden je tijd te verspillen als chauffeur. Je zingt te goed, daar moet je maar eens werk van gaan maken." Het bleek een vruchtbaar advies.

De beide mannen omhelzen elkaar hartelijk. Hun laatste ontmoeting is al weer een tijd geleden vanwege de gebeurtenissen in het afgelopen jaar. Virgilio komt al aanlopen met een kopje *cubanito* en een glaasje Cointreau. Hij kent de gewoonten van de vaste klanten. Er zijn op dit moment weinig mensen in het koffiehuis, het is eigenlijk een beetje overdreven dat ze zo zacht met elkaar praten. Miguel heeft financiële problemen omdat hij de royalty's van zijn buitenlandse grammofoonplaten niet meer ontvangt. Alle overmakingen van dollars uit de States worden geconfisqueerd door de Centrale Bank van Cuba.

"Tja, wat wil je, met onze vriend Che Guevara als president van de Cubaanse Bank", fluistert Daniel.

Toen diens benoeming een aantal maanden geleden bekend werd gemaakt, vormden zich onmiddellijk lange rijen voor de banken van mensen die snel hun geld kwamen ophalen. Ze hadden natuurlijk het grootste gelijk van de wereld. De beide mannen moeten erom lachen, maar niet al te luid want Che is inmiddels heilig verklaard. Je moet tegenwoordig uitkijken met kritiek. Als zijn aanhangers gaan roepen dat jij een contrarevolutionair bent, dan loopt het niet altijd goed met je af.

"Weet je ook hoe die benoeming van Che tot stand is gekomen?"

Miguel buigt zich met zijn lange gestalte voorover.

"Nee, hoezo?"

"Ik zweer het je. Ik heb het gehoord van iemand in Havana die het kan weten. Het ging zo: Fidel en zijn strijdmakkers hadden een vergadering. Aan de orde was de slechte financiële situatie in het land. Fidel bracht naar voren dat de regering een goede *economista*, een econoom, nodig had om de Centrale bank te gaan leiden. Che staat op en zegt: 'Dat ben ik', waarop hij ter plekke door Fidel Castro wordt benoemd tot president van de Centrale Bank van Cuba. Na de vergadering zegt Fidel tegen Che: 'Ik weet dat jij een heel goede guerrillastrijder bent en een goede dokter, maar een econoom?' Zegt Che: 'Econoom? Zei je dat? Ik verstond niet *economista* maar *comunista*, jij praat soms zo onduidelijk.' "

Als ze uitgelachen zijn, vertelt Daniel over zijn zorgen. Hij verwacht dat zijn bedrijf elk moment genationaliseerd kan worden.

"Ik weet niet of ik dan nog in Santiago kan blijven. Ik wil geen zetbaas van de regering worden. Dat is wat ze ons al een tijd aanbieden, zij eigenaar en wij de leiding. Ik zal deze stad verschrikkelijk gaan missen."

Als er een moedeloze stilte valt, pakt Miguel zijn gitaar en maakt aanstalten om te gaan zingen. Aan de andere kant van het koffiehuis wordt nu geapplaudisseerd. Het groepje jongelui dat daar zit, heeft op dit moment gewacht.

Si quieres conocer, mujer perjura,
los tormentos que tu infamia me causó,
eleva el pensamiento a las alturas,
y allá en el cielo pregúntaselo a Dios.

Tal parece que estás arrepentida
Y que buscas nuevamente mis amores,
Recuérdate que llevas en la vida
Una senda cubierta de dolor.

Als je wilt weten, leugenachtige vrouw,
welke kwellingen mij zijn aangedaan door jouw laaghartigheid,
ga dan omhoog met je gedachten
en vraag het God in de hemel.

Het schijnt dat je spijt hebt van wat je gedaan hebt
en je opnieuw mijn liefde zoekt.
Bedenk dat je in je leven een pad volgt
dat gevuld is met pijn en verdriet.

(Mujer Perjura, door Miguel Companioni.)

Daniel draagt het lied in stilte op aan zijn goede vriend Juan Echavarría en diens leugenachtige minnares. Inmiddels heeft zich een kring rondom hen gevormd die op het ritme klapt en zacht meezingt. Tientallen mensen staan op straat voor het open raam. Iedereen blijkt de tekst te kennen.

Daniel neemt afscheid van Miguel. De mannen wensen elkaar hartelijk een 'goede reis' toe. De omstanders kunnen niet precies begrijpen waar het over gaat.

Iedereen die hen wat beter kent zou het huwelijk tussen Daniel en zijn vrouw Graziella goed noemen. Samen hebben ze verschrikkelijke dingen meegemaakt, zoals de ontvoering van hun zoontje Facundo, nu inmiddels zes jaar geleden. Het was 19 februari 1954, de datum zullen ze nooit vergeten. Het drama heeft niet veel meer dan een dag geduurd, maar op beiden en ook op hun relatie heeft het een onuitwisbare invloed gehad. De chauffeur van de familie die de kinderen naar school had gebracht, kwam in paniek thuis met het verhaal dat ze waren overvallen door gewapende mannen. Deze hadden de kleine Facundo meegenomen en een brief meegegeven waarin losgeld werd geëist dat bestemd zou zijn voor de revolutionairen die streden tegen dictator Batista. Alle kinderen van de Bacardi-familie werden van school gehaald door de politie. Het verhaal van de chauffeur bleek voor geen meter te kloppen. Toen hij bleef ontkennen dat hij meer wist van de ontvoering werden ondervragingsmethoden gebruikt die de chauffeur niet overleefde. Heel Santiago stond op zijn kop, duizenden hielpen bij het zoeken naar het ontvoerde kind. Vanuit de Amerikaanse marinebasis in Guantánamo werden zelfs helikopters gestuurd voor de zoektocht. De revolutionairen in de bergen lieten weten dat ze er niets mee te maken hadden. Uiteindelijk werd, diezelfde dag nog, het kind gevonden bij een zwager van de chauffeur. Ook de zwager overleefde het politieonderzoek niet. Zoals gebruikelijk in Latijns-Amerika overleed hij bij een vluchtpoging. Deze traumatische dag heeft de familie dichter bij elkaar gebracht dan ooit tevoren. En Graziella is sindsdien nooit meer dezelfde geweest. Ze heeft zich teruggetrokken uit het openbare leven. Ze denkt dat ze alleen in veilige landen als Spanje of de Verenigde Staten nog echt rust kan vinden. Haar drang om te vertrekken is bij haar in de afgelopen maanden, na alles wat er in Cuba is gebeurd, alleen maar sterker geworden. De aarzelingen die Daniel heeft over het verlaten van zijn vaderland en vooral ook hun geboortestad Santiago, kent zij niet.

De meeste Bacardi's zijn inmiddels vertrokken. Pepin Bosch heeft zich afgelopen juli uit de voeten gemaakt nadat vertegenwoordigers van de regering hem verzochten cheques te ondertekenen zodat ze een paar miljoen dollar op een buitenlandse rekening van een van de bedrijven konden innen, 'ten behoeve van het Cubaanse volk'. Na zijn weigering waren ze weliswaar mopperend vertrokken, maar Pepin voelde zich niet meer op zijn gemak in Cuba. De pers beschrijft tegenwoordig Cubaanse zakenmensen als 'bepaalde economische groepen die hun, over de rug van het Cubaanse volk verkregen, rijkdommen gebruiken voor financiering van contrarevolutionaire praktijken in nauwe samenwerking met het internationale imperialisme'.

Het bureau van Pepin Bosch in Havana bleef leeg achter met alleen een recent briefje van Fidel Castro waarin hij om hulp en advies vroeg.

Santiago de Cuba, 13 oktober 1960

Daniel staat zijn das te knopen als de telefoon gaat. De kinderen zijn naar school. Bij het ontbijt heeft hij een lang gesprek gehad met zijn vrouw Graziella. Zoals steeds ging het over de toestand en wat ze zouden gaan doen.

"Ja, hallo?"

Aan de ruis op de lijn hoort Daniel dat het een langeafstandsgesprek is.

"Juan Prado in Havana."

Juan is directeur Verkoop van de vestiging in Havana, en sinds het vertrek van Pepin Bosch en de algemeen directeur, Armando Pessino, is hij de hoogste man in Havana. Hij heeft de leiding over de Edificio Bacardi in Havana Vieja. Zijn stem klinkt somber.

"Vertel eens."

"Er zijn hier zojuist twee marineofficieren geweest die namens de revolutionaire regering de zaak onteigend hebben. Ze wisten van geen wijken. Ik heb ze, zoals wij van de week hebben afgesproken, naar Santiago verwezen omdat daar het hoofdkantoor voor Cuba is. Het maakte weinig indruk op ze. De heren hebben wel het adres en telefoonnummer opgeschreven. Misschien belachelijk, maar ik heb ze een kwitantie gevraagd voor de overdracht van het gebouw. Ze sputterden eerst tegen, maar uiteindelijk hebben ze een paar krabbels op papier gezet. Vervolgens hebben ze het gebouw gesloten en verzegeld. Het personeel heb ik naar huis gestuurd en ik heb gezegd dat ze zich over een paar dagen maar moeten melden voor verdere instructies. Ik heb nog getelefoneerd met Mármol, onze advocaat, die mij dat advies gaf van die schriftelijke verklaring. Verder verzet zou ons, volgens hem, alleen maar in de problemen brengen door de nieuwe onteigeningswetten van de afgelopen dagen. Wat nu?"

"Heb je enig idee wat ze verder gaan doen?"

"Ze praatten alsof het bedrijf gewoon blijft draaien, maar met een andere leiding, die van de revolutionairen. Ze vroegen mij aan te blijven en mijn werk te doen. Voor mij zou verder niets veranderen. Ik heb bedenktijd gevraagd om even tijd te rekken."

"Zou je op korte termijn naar Santiago kunnen komen voor overleg over wat we gaan doen? Vraag even aan Mármol wat juridisch onze mogelijkheden nog zijn."

Santiago de Cuba, 14 oktober 1960

Juan Prado vliegt met een spiksplinternieuwe Fokker van Cubana de Aviacion naar Santiago. Als hij het vliegtuig binnenkomt ziet hij achter in de toeristenklasse de twee marineofficieren van gisteren zitten. De heren hebben waarschijnlijk dezelfde bestemming als hij: het Bacardi-kantoor in Santiago. Zonder een blik van herkenning te geven vlijt Juan zich breeduit in de comfortabele eersteklasstoelen vóór in het vliegtuig. De stewardess komt breed glimlachend naar hem toe met een glaasje champagne en een schaaltje kaviaar. Heel even overweegt hij op te staan om een toast uit te brengen op de heren die voorlopig nog niets te eten en te drinken krijgen. Het zou een laatste verzetsdaad zijn, vóór de definitieve overwinning van het proletariaat. Juan is zo verstandig om het niet te doen. De stemming tijdens het overleg straks in Santiagio zal toch al niet zo best zijn.

Daniel heeft de Cadillac met chauffeur gestuurd om hem af te halen op het vliegveld, vijf kilometer buiten Santiago. De twee officieren met de regeringsboodschap voor de Bacardi-leiding staan naast de Cadillac te wachten op vervoer. De chauffeur houdt het achterportier voor Juan open en tikt aan zijn pet. Juan kijkt strak voor zich uit als ze de officieren passeren. Hij hoopt dat er voorlopig geen vervoer is, zodat de heren nog lang kunnen genieten van de tropische hitte van Oost-Cuba.

Bij de ingang van de Bacardi-distilleerderij aan de Calle Matadero, onder de beroemde kokospalm el Coco, staat een groepje gewapende barbudos dat de ingang bewaakt. De kokospalm is eind negentiende eeuw geplant door Facundo, een zoon van de grondlegger van het Bacardi-concern. Voor de familie is deze goed onderhouden boom het symbool van verbondenheid van het bedrijf en de familie. De guerrillero's nemen wel even een kijkje in de auto om te zien wie achterin zit, maar ze laten de Cadillac zonder problemen het terrein oprijden. Daniel komt Juan tegemoet lopen met de woorden: "Misschien de laatste keer dat we hier zijn."

Na elkaar van de laatste stand van zaken op de hoogte te hebben gebracht is het wachten op de door Juan aangekondigde 'executeurs'. Ze spreken af om op geen enkele manier verzet te bieden, onder protest het bedrijf te verlaten en ook in dit geval een schriftelijke verklaring te vragen zoals de advocaat adviseerde. De man-

nen bezweren elkaar dat ze er alles aan zullen doen om dit regime te bestrijden. Beiden zijn Fidel-supporters van het eerste uur, maar nu zullen ze aan een lange strijd tegen dit regime beginnen. Voorlopig is het zaak zo snel mogelijk het land te verlaten. De familie van Juan Prado wacht al op hem in Miami en bij Daniel thuis worden nu ook de laatste koffers gepakt. De bagage is beperkt. Cubanen die nu het land verlaten, mogen alleen het hoogstnoodzakelijke meenemen. Alle bezittingen vallen na de 'triomf van de revolutie' toe aan het 'uitgebuite Cubaanse volk'. Het belangrijkste waar Daniel zich op dit moment zorgen over maakt is of zij nog ongemoeid het land mogen verlaten. Sommige van zijn familieleden worden nu al gezocht als contrarevolutionairen. Vanuit de huidige regering gezien terecht, want het verzet tegen het weinig zachtzinnige bewind begint al aardig op gang te komen. Er zijn Bacardi's die daarbij een rol spelen.

De twee marineofficieren met hun dwangbevel, die bezweet uit de laadbak van een vrachtauto stappen, worden onmiddellijk omstuwd door de groep revolutionairen. Ze krijgen instructies om vanaf dit moment niet meer toe te staan dat er bezittingen van het terrein verdwijnen. De ceremonie die daarop plaatsvindt in het kantoor is kort en van een vijandige kilheid zonder dat er een onvertogen woord valt. Er worden papieren uitgewisseld en beide directeuren krijgen het verzoek om namens de regering, samen met een revolutionaire toezichthouder, de dagelijkse leiding te blijven voeren. De beide directeuren reageren niet enthousiast, maar ook niet afwijzend.

"We gaan ons bezinnen."

Met strakke gezichten lopen Daniel en Juan naar de Cadillac. Met ingehouden woede kijken ze toe als de kofferbak door de opgeschoten jongelui in uniform wordt geïnspecteerd op 'bezittingen van het volk'. De auto wordt voorlopig nog beschouwd als privé-bezit, verzekeren de beide officieren hun bij het afscheid.

Als de Cadillac het terrein afrijdt, sist Daniel tussen zijn tanden: "Klootzakken." Hij heeft tranen in zijn ogen. Juan heeft de 'kwitantie' nog in zijn handen. Zwijgend rijden ze de heuvel op in de richting van Vista Alegre naar de woning van Daniel.

Ook de chauffeur is onder de indruk van het gebeuren. Als hij op de oprit het portier opent om Daniel uit te laten, klinkt een brok in zijn keel als hij zegt: "Don Daniel, dit heeft u echt niet verdiend."

Miami, 4 september 1999

Pas nu dringt echt tot me door wat de dood van mijn moeder betekent. Het enige vaste punt in mijn leven is verdwenen. Eerst het bericht dat ze kanker had en hooguit nog een paar weken te leven. Toen onze ontmoeting in het ziekenhuis in Hoorn. Ik ruik nog steeds de geuren in het ziekenhuis. Ik voel nog steeds de klamme hand waarmee ze mij vastpakte, alsof ze me nooit meer wilde loslaten. Haar ogen waren troebel en afwezig van de morfine-injecties die ze kreeg toegediend. Ze was een schim van de sterke vrouw die ze altijd is geweest. Te sterk voor mij. Nooit heb ik het gevoel gehad dat ik tegen haar was opgewassen. Nu pas zou ik moeten voelen dat ik mezelf kan zijn. Maar het lukt niet. Alsof ik een klein kind ben dat opnieuw moet beginnen, dat alles opnieuw moet ontdekken. De herinneringen aan vroeger komen nu pas boven. Afgelopen nacht droomde ik dat ik mijn vader tegenkwam. Hij kende me niet. Hij keek verbaasd toen ik zei dat ik zijn dochter was en hij mijn vader. Hij keek nog een keer om voor hij verder liep. Hij ging harder lopen alsof hij zo snel mogelijk bij me vandaan wilde. Weg met dat kind. Huilend en badend in het zweet werd ik wakker. Ik klampte mij vast aan Ismaël die naast me lag en helemaal niet begreep wat er aan de hand was. Misschien is het een beetje gelukt om dingen aan hem duidelijk te maken bij het ontbijt, voor hij weer naar Mexico vertrok. Ik ben meer dan alleen maar zijn mooie Hollandse minnares, zijn 'Rubia Holandesa' zoals hij me soms noemt als hij me stevig vastpakt bij het voorstellen aan zijn vrienden. Bij hem zou ik me pas echt gelukkig kunnen voelen. Hij is een gevoelige man die echt aandacht voor me heeft, met wie ik kan lachen en vrijen en die steeds zegt dat hij een kind van me wil.

Op het laatste moment heb ik mijn vader toch een overlijdensbericht gestuurd. Van zijn kant kon er niet meer vanaf dan een formele condoleancekaart. Zo eentje die je kant-en-klaar koopt in van die moderne kaartenwinkels. Minder had het niet gekund. De zus van mijn moeder, die ik altijd tante Margriet noemde, heeft mij na afloop van de begrafenis iets meer verteld over de relatie tussen mijn ouders. Die is er nauwelijks geweest. Het was niet veel meer dan een wip voor een nacht. Ze kenden elkaar wel langere tijd omdat ze actief waren bij de SJ, de Socialistische Jeugd in Hoorn. Beiden waren in die tijd actief bij Vietnam-demonstraties die toen bijna wekelijks werden gehouden. Toen moeder zwanger was, wilde hij daar niets van weten. Hij bood aan voor een abortus te betalen. Moeder weigerde dit pertinent.

Dan maar een kind alleen. Voor die tijd was dat erg progressief. Baas in eigen buik, maar dan ook als je het kind wilde houden. Het gaf allemaal veel problemen. Haar nette katholieke familie wilde er niets van weten. Ze drongen erop aan dat ze het kind zou afstaan via de Fiom, een organisatie van ongehuwde moeders. Zo ging dat toen bij die fijne families. Ze wilden daarna jaren niets meer met haar te maken hebben. Tante vertelde me snikkend dat ze daar haar leven lang spijt van heeft gehad. Maar ze kon niet anders omdat ze toen pas vijftien was, ze was te afhankelijk van thuis. De rest van het verhaal ken ik van mijn moeder. Ze liep van huis weg en ze beviel van mij in Amsterdam waar ze aan de Rietveldacademie studeerde. De eerste jaren van mijn leven groeide ik op in niet veel meer dan een studentenkamer. Ik werd van de ene vriendin naar de andere gesleept als moeder naar school was of aan het werk in een van haar vele baantjes. Pas na haar studie ging ze terug naar Hoorn. De verhouding met haar familie was inmiddels hersteld en ze kon daar goedkoop een atelier krijgen dat groot genoeg was voor haar beeldhouwwerk.

Heb ik een gelukkige jeugd gehad? Ik weet het niet. Soms denk ik van wel. Maar andere keren denk ik aan de verschrikkelijke periode toen ik zeventien was. Ik wilde toen helemaal verdwijnen en slikte een handvol librium. Pas later in het ziekenhuis drong tot me door wat ik gedaan had. De volgende dag kwam ik weer bij. Slaperig en misselijk besefte ik dat ik nog leefde. Wilde ik dat wel? Ze hadden mijn maag leeggepompt en daarna moest ik gesprekken hebben met de psychiater. Die had het alleen maar over mijn vader, die ik nooit gezien had. Ik begreep dat niet, maar zou de dokter achteraf toch gelijk hebben? Die actie van mij heeft moeder mij waarschijnlijk nooit vergeven. Hoe vaak ze ook vertelde dat dat wel zo was.

Ik moet verder met mijn leven. Ik ben nu dertig. Ik moet nu helemaal voor mezelf zorgen. Helemaal op mijn eigen manier. Kost wat kost. Toen, op mijn zeventiende in het ziekenhuis in Hoorn, heb ik dit al besloten. Het had anders kunnen lopen, maar nu ik toch leef, moet ik er alles van zien te maken.

13

Amsterdam, 12 juli 2001

"*I can't get no satisfaction*", kreunt Mick Jagger op de achtergrond. Het is mijn nieuwste aankoop, een verzamel-cd met klassieke singles van de Rolling Stones. Ik vind het heerlijk om thuis te werken met muziek op de achtergrond. De meeste dingen die ik doe als ik achter mijn computer zit, moeten worden opgefleurd met iets swingends. Ook nu weer. Een beleggingsmaatschappij waarvoor ik vaker klussen doe heeft mij een paar diskettes gestuurd met gegevens waaruit moet blijken dat een van hun administrateurs heeft zitten rommelen met valse overmakingen naar een rekening in Luxemburg. Mijn onderzoek moet discreet blijven. Ze willen de man pas met de fraude gaan confronteren als er voldoende bewijs is. Meestal betekent het dat zo iemand te horen krijgt dat hij maar beter het geld kan terugstorten. Als hij dan ook nog een brief tekent waarin hij zijn ontslag aanvraagt, zal er 'voor deze keer' geen politiewerk van gemaakt worden. Vooral financiële instellingen als banken en verzekeringen handelen deze kwesties zo af. Ze zijn als de dood voor krantenberichten over fraude. De klanten zouden wel eens kunnen denken dat hun geld niet veilig bij hen is. Altijd weer zijn het treurige verhalen. In dit geval is het een boekhouder, een oudere, alleenwonende homoseksueel die op jonge knaapjes valt, die wordt gechanteerd door een paar schattige Marokkaantjes. Ze dreigen aangifte te doen bij de politie voor pedofilie. Het gaat om twee jongetjes van veertien die waarschijnlijk door hun oudere broers voor dit soort geintjes worden ingezet. Sinds de Dutroux-affaire in België en de internationale klopjacht zijn pedofielen vaak het doelwit van dit soort activiteiten. Het is dit jaar al de derde keer dat ik een dergelijk verhaal hoor. De fraude is in dit geval duidelijk te bewijzen. Via een bevriende relatie bij een bank in Luxemburg heb ik weten te achterhalen dat de rekening waarnaar de afgelopen tijd veel geld is overgemaakt, op naam staat van een oudere broer van een van de Marokkaanse vriendjes. Het gaat om fikse bedragen tot een totaal van 40.000 gulden. Het geld heeft de administrateur overgemaakt van de rekening van een van de klanten van de beleggingsmaatschappij, een 83-jarige man die een weinig actief beleid voert met zijn bezittingen. De klant heeft nog niets in de gaten, zoals dat meestal gaat bij oudere mensen. Dat soort rekeningen wordt pas weer actief bekeken tegen de tijd dat de erfgenamen zich aandienen. De bewijzen die ik inmiddels verzameld heb, zullen niet overeind blijven voor de rechter door de clandestiene manier waarop ik eraan ben gekomen. Op een legale manier zou het ook niet lukken, want de banken in Luxemburg hebben nog steeds een streng bankgeheim. Maar mijn informatie is duidelijk genoeg om de boekhouder zo zenuwachtig te maken dat hij een goed heenkomen zoekt. Hij heeft er geen belang bij om het voor de rechter te laten komen. Mijn opdrachtgever is hem dan in elk geval kwijt en misschien lukt het ook nog een deel van het geld terug te krijgen in ruil voor een gunstige referentie. Voilà. Juridisch is het niet zo fraai, maar het werkt wel. Iedereen gelukkig dus. Behalve natuurlijk de boekhouder die voorlopig zonder baan en uitkering zit. Het leven is hard.

Ik zet de muziek zachter als de telefoon gaat. Freddy klinkt bedrukt. Hij blijkt er slecht aan toe te zijn. Zijn nieuwste vriendin Evita heeft het uitgemaakt. Hij kende haar al lang, maar ze woonde pas een paar weken bij hem.

"Ze kon er niet tegen om tussen de computers te wonen. 's Nachts werd ze gek van het gepiep."

Meerdere computers bij hem staan dag en nacht on line.

"Ik moet toch bereikbaar blijven. Zij snapt niet dat het in Californië dag is als we hier slapen. Het is mijn werk toch!"

Het blijkt dat het vaker is voorgevallen dat hij tijdens het vrijen uit bed sprong om een chat-oproep te beantwoorden. Dat was haar te veel geworden. Huilend had ze haar spullen gepakt en was ze naar haar ouders in Arnhem vertrokken.

Ik weet dat het niet helpt, maar ik ga toch maar weer adviezen geven: "Luister nou eens goed, Fred. Regel één is dat je een vrouw minimaal het idee moet geven dat zij die ene speciale persoon is, waar jij al je hele leven op wacht. Je kunt het daarom niet maken om uit bed te springen als iemand in Californië wil chatten."

Hij mompelt nog wat over een bericht waar hij al dagen op zat te wachten. Ik geef het op. Ik weet dat het weinig zin heeft. Soms heb ik even het idee dan mijn lessen in elementaire sociale vaardigheden doordringen, maar nu even niet.

"Trouwens, ik heb net gelezen dat die Mexicaan op het bureau er slecht aan toe is. Hij heeft nog geprobeerd om die blonde erin te luizen, maar hij had geen schijn van kans. Als getuige wordt hij niet erg betrouwbaar gevonden. Hij heeft er te veel belang bij om niet voor alles op te hoeven draaien. Ze laten haar nu met rust."

"Wie?"

"De politie."

"Wat doen ze nu met haar?"

"Ze hebben haar paspoort ingenomen. Ze moet natuurlijk in de buurt blijven als getuige."

Hoe heb ik ooit kunnen denken dat ik hier gelukkig kon worden, bedenk ik als ik de Kastanjelaan in Alphen aan den Rijn op rijd. Sonja en ik zijn hier ruim tien jaar geleden komen wonen in de hoop ons krakkemikkige huwelijk te redden en om Vera, die naar de lagere school zou gaan, een leefbare omgeving te bieden. Het is zo'n buurt waar stralende jonge moedertjes elkaar staande houden om de nieuwste baby te tonen en oudere dames hun neuzen in kinderwagens steken om speels "Waar is het kindje dan?" te roepen.

De benauwenis van de gezinsbuurt slaat mij als een vette walm in het gezicht. Ik rijd te hard en mijn Fiatje komt met een klap terecht op een kindvriendelijke verkeersdrempel.

Ik heb met opzet om een uur of vier afgesproken, zodat ik voor het eten, dat hier meestal rond halfzeven begint, weer met goed fatsoen naar Amsterdam kan rijden. Vanavond heb ik onverwacht een belangrijke buitenlandse klant op bezoek. Dat is althans mijn smoes. Met veel spijt in mijn stem zal ik vertellen hoe jammer ik het vind, maar jullie weten hoe het is om kleine zelfstandige te zijn. Je moet dag en nacht klaarstaan voor de klanten.

Als mijn auto tot stilstand komt voor de mij zo bekende hoekwoning, komt Vera naar buiten. Het is al weer een paar jaar geleden dat ik hier voor het laatst was. Haar gezicht staat op onweer. Na een afstandelijke zoen lopen we door het voortuintje waar haar moeder in de deuropening wacht. Onze begroetingszoen doet denken aan de ontvangst van een oom. Ik voel dat ik mijn schouders een beetje optrek omdat onmiddellijk het oude gevoel terugkomt uit de tijd dat we nog getrouwd waren. Alsof ik me moet beschermen tegen een regen van beschuldigingen die elk moment op me kan neerdalen. Voorlopig valt het mee. De koffie staat klaar en als ik me niet vergis ligt daar op het aanrecht in de keuken een doos met mijn favoriete appelgebak. Je kunt van alles zeggen over Sonja, maar ze heeft haar spullen goed op orde. Indertijd na de scheiding heeft het mij jaren gekost om mijn leven als alleenstaande in goede banen te leiden. Mijn huis was een chaos, ik vergat mijn rekeningen te betalen en mijn eten bestond vooral uit kroketten en huzarensalade. Er waren gemeenschappelijke vrienden die voorspelden dat ik het alleen niet aan zou kunnen, omdat Sonja altijd de stabiele factor was geweest.

Bij een kopje koffie begint een gesprek. De spanning is te snijden.
De afgelopen dagen is het weer goed mis geweest tussen moeder en dochter. Vera had steeds gedreigd weg te lopen en naar mij in Amsterdam te gaan. Het enige verwijt dat ik krijg, is dat ik toen niet bereikbaar was. Dat valt dus weer mee.
Het ging natuurlijk allemaal over Johan, Vera's vriend. Sonja eist dat ze stopt met de relatie. Vera zit mokkend naar buiten te kijken tijdens het relaas van haar moeder.
"Ik begrijp niet wat jij ziet in zo'n oudere man", roept Sonja uit.
"Kijk jij naar jezelf. Die lul van jou die hier steeds over de vloer is", brengt Vera ertegenin.
"Hou op zo tegen je moeder te praten", kom ik tussenbeide.
"Die klootzak die hier bijna elke avond voor de buis zit. Iedereen moet zich aanpassen aan zijn platte smaak. Sinds die man hier over de vloer komt, staan er steeds van die flauwe programma's op als *Jiskefet*. En wij moeten dat dan ook nog leuk vinden."
'Die lul' is Adriaan, de vriend van Sonja. Ik had al een ingelijste foto in de boekenkast gezien waar ze samen met een braaf uitziende oudere man op staat. Het lijkt me inderdaad geen bruisende figuur, maar ik ben de laatste die daar commentaar op kan geven.
Ik kom tussenbeide en steek een preek af over tolerantie en verschillen tussen mensen.
"Dat verwacht jij toch ook, Vera, of niet soms? Stel dat wij op die manier over jouw vriend zouden praten."
"Johan zit hier niet de hele avond de sfeer te verpesten. Dat is het verschil!"
Ze kijkt weer grimmig naar buiten.
Met z'n tweeën proberen Sonja en ik haar ervan te overtuigen dat ze de relatie met Johan maar beter kan verbreken.

"Die jongen is twaalf jaar ouder dan jij. Hij laat je vandaag of morgen gewoon zitten. Die is gek op jonge meiden. Over een tijdje is een ander weer aan de beurt", is het argument van Sonja.

Vera kijkt naar mij.

"Zie je, zo gaat dat nou elke dag."

Ik gooi al mijn diplomatieke vaardigheden in de strijd, want ik heb geen zin om me hier echt mee te bemoeien. Geen gezeik aan mijn kop. Ik toon begrip voor de zorgen van Sonja en voeg eraan toe dat ik het ook niet eens ben met haar relatie.

"Je bent te jong. Zo'n beginnende kunstenaar moet eerst maar eens proberen zelf de kost te verdienen. Zo'n relatie heeft toch geen toekomst. Jij hebt veel meer mogelijkheden."

Het is natuurlijk een foute opmerking. Vera staat op. Ze dreigt weg te lopen.

Ik benadruk nu haar goede kanten. Ze heeft prima schoolresultaten. In september gaat ze zonder problemen naar vier gymnasium. Na wat gesputter accepteert Vera dat ze tot haar eindexamen bij Sonja blijft wonen en daarna zelf beslist wat ze wil. Sonja lijkt het hier bij te laten. Ze gaat naar de keuken om de koffiepot en de appeltaart te halen. Ze blijft iets langer weg om mij verder de klus te laten klaren nu ik bezig ben met een hartstochtelijk pleidooi voor de rechten van de moeder om haar eigen vrienden te hebben. Ik zeg nog eens duidelijk dat wij als ouders haar ook niet kunnen dwingen om te stoppen met haar relatie met Johan. We kunnen haar niet opsluiten. Maar ze moet er nog maar eens goed over nadenken.

Als Sonja weer terugkomt is de sfeer wat rustiger. Vera kijkt nog wat stuurs voor zich uit, want tegen mijn pleidooi voor persoonlijke vrijheid voor ieder mens, inclusief haar moeder, kan ze niet op.

Ik luister nog even in de kamer van Vera naar een paar nummers van haar nieuwe drum 'n bass-cd en kondig aan dat ik weer eens opstap. Het is de hoogste tijd.

Waarschijnlijk reed ik net iets te hard toen het gebeurde. Ik zag in de verte dat er een file stond aan het begin van de Schipholtunnel. De weg gaat daar omlaag onder de startbanen van het vliegveld door. Ik trap op mijn rem en merk dat ze niets meer doen. Ik zie dat enkele honderden meters verderop het verkeer stilstaat. Hoe ik ook pomp met het rempedaal, alle weerstand is verdwenen. Doordat ik een helling afrijd gaat mijn snelheid alleen maar omhoog. Aan de handrem trekken levert weinig op, het is lang geleden dat die is afgesteld. Vlak voor de laatste achterlichten van de stilstaande auto's schakel ik terug, te laat om tot stilstand te komen. Ik kan geen kant meer uit. Ik gooi het stuur om en duik op de smalle vluchtstrook de tunnel in. Gelukkig rijd ik in een kleine auto. De linkerkant van de auto schuurt langs de tunnelwand, het piepende, krassende geluid is oorverdovend en de vonken springen alle kanten op. Halverwege de tunnel kom ik met een doffe klap tot stilstand tegen de achterkant van een Audi die net iets te veel naar links staat. Waarschijnlijk bekijkt de bestuurder de toestand verderop. Als ik mijn ogen open, zie ik dat de oranje waarschuwingslichten aan het plafond en de zijwanden van de tunnel knipperen. Er is onmiddellijk alarm geslagen. Buiten hoor ik mensen schreeuwen. Ik voel aan mijn hoofd en mijn benen, alles lijkt redelijk in orde, geen bloed. Alleen in mijn borst en schouders voel ik de pijn van de veiligheidsgordels die de klap hebben opgevangen. Verdwaasd door de schok zit ik voor me uit te kijken. Mijn hartslag staat in de eerste versnelling. Ik tril over mijn hele lijf. De bestuurder van de Audi, die bloed op zijn voorhoofd heeft, maakt mijn gordels los en helpt me uit de auto. In de verte hoor ik sirenes van de hulpdienst die aan komt rijden via de rechterrijbaan die wordt vrijgemaakt.

"U bent een geluksvogel", zegt de man van de wegenwacht voor de zoveelste keer als we het wrak van mijn Fiatje nog eens bekijken op de parkeerplaats van de ANWB in Badhoevedorp.

"In de tunnel zat één lange grijze streep van zeker tweehonderd meter op de tunnelwand. Toen u op de Audi klapte was de snelheid zo laag dat dit koekblikje nog redelijk in model kon blijven, waardoor u niet bekneld bent geraakt. Met een brede Mercedes had u het op die rijstrook nooit gered."

Ik voel voor de zoveelste keer mijn borst en schouder om tot de conclusie te komen dat ik alleen een paar kneuzingen heb opgelopen. Dat hadden de ambulancemedewerkers ook al vastgesteld toen ze me professioneel betastten en concludeerden dat er voor hen geen werk aan de winkel was. Ook voor de bestuurder van de Audi bleek een pleister voldoende.

Het ziet er niet naar uit dat het gedeukte koekblikje dat hiernaartoe is gesleept, nog ooit zal kunnen rijden. Door het geschuur tegen de zijwand van de tunnel is het toch al smalle autotootje, gebouwd voor de stegen in Turijn en Florence, nog eens twintig centimeter smaller geworden.

"Er is met de remleiding geknoeid", mompelt de man van de wegenwacht als hij onder de auto vandaan komt. "Hebt u soms vijanden?"

Ik vertel hem over de klap op de verkeersdrempel in de Kastanjelaan.

"Nee, dit ziet er heel anders uit. Er is kort geleden iemand met een ijzerzaagje in de weer geweest met de remleidingen. Dit staat nog niet in hun rapport. De technische recherche moet er maar eens naar kijken."

Mijn vingers trillen nog steeds als ik thuis het antwoordapparaat afluister. Het zijn klanten die contact zoeken, een bericht van Orlaidis en een boodschap van Sasja die me dringend wil spreken over Anita. Dat moet er nog eens bijkomen. Sasja kan me wat. Ik heb mijn buik vol van al die lieve dames.

Om een uur of twaalf, na een telefoontje aan Orlaidis waarin ik haar verteld heb van het ongeluk en de mogelijke aanslag, want zo kun je het wel noemen, wordt er verschillende keren achter elkaar gebeld aan de voordeur.

Ik doe alle lichten uit. Het is nu duidelijk dat ik echte vijanden heb, van het type dat je naar de andere wereld wil helpen. Het bellen houdt aan. Vanuit het donker kijk ik via een zijraam naar buiten. Mijn ogen zijn inmiddels gewend aan het donker. Het is Anita. De verlichting is voldoende om haar lange gestalte en het sluike haar te herkennen. De straat is verder verlaten.

Het kan natuurlijk een truc zijn: een huilende, zielige vrouw voor de deur, de deur gaat open en een paar enge vriendjes stormen naar binnen. De klassieke benadering. Dat Anita verkeerde vrienden heeft, staat onderhand wel vast. In het donker zoek ik mijn weg naar de keuken. Op dit soort situaties ben ik voorbereid. In een ruimte achter een van de keukenlaatjes ligt een *stungun*, zo'n apparaatje waarmee je verlammende schokken kunt uitdelen, en een geladen pistool. Ik stop de stungun gebruiksklaar in mijn linkerzak. Het pistool leg ik binnen handbereik in de gang. Allemaal verboden spul natuurlijk, waar ik helemaal niet van hou, maar toen ik twee jaar geleden bij het boekenonderzoek voor de IRT-affaire door een paar Colombianen werd bedreigd, ben ik toch maar eens in België gaan winkelen. Met de hand op de stungun in mijn linkerzak loop ik naar de voordeur. Anita is inmiddels begonnen met een vuist op de deur te slaan.

"Lex, ik ben het. Anita. Laat me alsjeblieft binnen."

Haar stem klinkt gejaagd.

Ik maak nu voor het eerst geluid.

"Ben je alleen?"

"Ja natuurlijk. Je kunt me vertrouwen."

Dit praten door de deur is voor mij een vertrouwde situatie. Het doet me denken aan de tijd toen ik nog bij het arrestatieteam werkte. Ik doe de deur van het nachtslot. Uit veiligheidsoverwegingen sta ik achter de muur naast de voordeur. Les 1 bij het arrestatieteam was altijd: ga nooit achter een houten deur staan, want daar schieten ze dwars doorheen.'

Ze wringt zich door de halfgeopende deur naar binnen.

Ik doe de deur weer op het nachtslot.

We gaan naar mijn woonkamer waar ze buiten adem op de bank ploft. Ze ziet er gespannen en uitgeput uit, voorzover er iets te zien valt in haar strakke gezicht.

"Wat is er met jou aan de hand? Je doet alsof ik een gevaarlijke misdadiger ben."

Voor de zekerheid heb ik, voordat ik het licht aandeed en de luxaflex sloot, nog even naar buiten gekeken of er misschien nog meer bezoek op komst was. Het zou me niet verbazen als mijn huis in de gaten gehouden werd door een van haar vriendjes.

"Lex, ik word bedreigd en ze denken dat jij mij helpt."

Haar stem klinkt gejaagd.

"Wie zijn ze?"

"Ik denk dat ze werken voor de Cubaanse regering."

"Wat is er precies gebeurd?"

"Ik ben vandaag een aantal keren gebeld door een Spaanssprekende man die dreigde dat jij en ik eraan zouden gaan als ik er niet voor zorg dat de juwelen en kunstvoorwerpen teruggaan naar Cuba."

"Ik heb via de politie al gehoord over de spullen die jij en Carlos uit een Spaans wrak hebben gehaald. Gaat het daarover?"

"De spullen schijnen een waarde te hebben van miljoenen dollars. Volgens de Cubanen zijn ze het bezit van de Cubaanse overheid. Het probleem is alleen dat niemand weet waar ze zijn gebleven. Alleen Carlos wist ervan en die is dood. Iedereen denkt nu dat ik weet waar ze zijn. Ook Pablo dacht dat. Hij bedreigde mij toen ik hem in Sevilla probeerde over te halen om zich aan te geven."

"Waarom heeft hij Carlos vermoord?"

"Volgens hem omdat hij mij uit de handen wilde redden van Carlos, die een vuil spelletje met mij speelde en in zijn eentje de spullen wilde verkopen."

"Wat denk jij?"

"Ik geloof zijn verhaal voor geen cent. Ik had het idee dat hij via mij alles naar zich toe wilde trekken. Wat kun je je toch vergissen in mensen! Natuurlijk is hij geen lieverdje, maar dat het zo'n nietsontziende moordenaar zou zijn had ik niet verwacht."

Haar onderlip begint te trillen, elk moment kan ze in huilen uitbarsten.

De rest van haar verhaal ging over de gang van zaken in Cuba. Tijdens een vakantie in Cuba had ze Carlos leren kennen. Hij was duikleraar in Baracoa, een plaatsje aan de oostelijke punt van Cuba. Ze was verliefd op hem geworden en ze had haar vakantie verlengd om zo lang mogelijk bij hem te kunnen blijven. Hij had haar in vertrouwen genomen over de kostbaarheden die hij in een onopvallend scheepswrak had verborgen. Het was een van die wrakken uit de tijd van de Spaanse galjoenen die rondom Cuba nog steeds worden gevonden. Voor particulieren is het absoluut verboden er spullen uit te halen. Als ze hem hadden gepakt zou hij zonder meer levenslang hebben gekregen. Hij vroeg haar om hem te helpen en ze zouden dan samen proberen het land uit te komen. Uiteindelijk is het gelukt voor hem een paspoort en een visum te krijgen om drie maanden naar Nederland te komen. Dit was mogelijk omdat zij zich als zijn verloofde garant stelde voor alle kosten. Zij was degene die de kostbaarheden bij zich had, verborgen tussen de duikspullen. Ze hadden apart gereisd. De Cubaanse douane laat toeristen die het land verlaten gemakkelijk door en ook aan de Nederlandse grens wordt het charterpubliek altijd met rust gelaten. Wat zouden ze mee kunnen brengen uit Cuba, behalve een paar Cohiba's of een extra flesje rum?

"De enige die van deze affaire af wist was Pablo. Ik had hem het verhaal verteld omdat we nog even hebben overwogen om de spullen via Mexico het land uit te brengen. Er zijn gemakkelijke verbindingen tussen Cuba en Mexico. Er komt wekelijks een cruiseschip uit Cancún in Havana. We hadden eerder bedacht dat Pablo en ik een cruise zouden maken vanuit Mexico. Maar Carlos vertrouwde het niet en toen hij dat visum kreeg, hebben we het anders aangepakt. De rest van het verhaal ken je."

"Waar zijn al die spullen gebleven?"

"Carlos was de enige die het wist. De week voordat hij vermoord werd, heeft hij alles naar Londen gebracht. Hij zocht daar contact met mensen die hem konden helpen met de verkoop. Londen is volgens hem het centrum van de internationale antiekhandel, tenminste op dit prijsniveau. Mensen die hij had gesproken hadden het over meer dan drie miljoen pond, zeker als het zou lukken om de spullen bij Christie's te laten verkopen, maar dan zouden eerst goede certificaten van herkomst geproduceerd moeten worden. Hij zei dat hij de spullen in een kluis bij een van de internationale banken had achtergelaten. Ik heb nergens een adres of een bewijs van ontvangst kunnen vinden. Eerlijk gezegd had ik er na de moord ook weinig belangstelling voor. Er zijn belangrijker dingen in het leven dan geld."

"Waar passen al die andere types in het plaatje, zoals deze Cubanen van vandaag en die Amerikanen die in juni je flat hebben doorzocht?"

"Ik heb absoluut geen idee. Niemand kon hier iets van weten."

Haar trillende stem gaat over in gesnik. Het vertrouwde beeld. Dikke tranen rollen uit haar blauwe ogen.

"Was ik hier maar nooit aan begonnen", komt er snotterend uit.

14

Amsterdam, 15 juli 2001

Aan de bar van El Centro is het druk vanavond. Het is warm, zo'n echte tropische zomeravond zoals we er dit jaar wel meer hebben gehad. Helemaal in stijl heb ik een witte broek aangetrokken met los daarover een kleurrijk, ruimzittend shirt met waterskiënde dames in badpak. Orlaidis ziet er sexy uit in haar helblauwe zomerjurk met oorbellen en een band om haar haar in dezelfde kleur. Dit soort kleuren kan alleen iemand met een donkere huid dragen. Autochtone Nederlandse vrouwen zouden al snel op de maagd Maria lijken. Ik zie veel bekende gezichten. De veelbesproken moord is nu al weer een maand geleden. De angst van Ben Bron dat zijn dancing daardoor zou verloederen, is niet terecht gebleken. Hij was bang dat zijn zaak nu ook de naam zou krijgen van messentrekkersdancing, wat sommige van zijn collega's is overkomen sinds de opkomst van de Colombiaanse maffia in Amsterdam. Die zijn gewend om ook op hun vrije avond zakelijke geschillen met stiletto en pistool op te lossen, waarbij ze soms slordig omspringen met de risico's van *collateral damage*. Nette mensen gaan daar dus niet meer naartoe. Door een paar kleerkasten van portiers met kaalgeschoren koppen en een ringetje in hun oor voor de deur te zetten en de bezoekers door een metaaldetector te laten lopen denken ze een veilige indruk te maken. Volgens mij bereiken ze het tegendeel. Het aanzien van de zaak wordt alleen maar crimineler, nog los van het feit dat deze portiers niet uitblinken in verfijnde sociale vaardigheden.

Het nieuws van de moord wordt nu overheerst door andere berichten. Sasja blijkt een nieuwe verloofde aan de haak te hebben geslagen die ze stralend aan me voorstelt. Hij heet George en is een gedistingeerde man van begin dertig met halflang blond haar. Hij is dokter in het ziekenhuis waar ze werkt. De droom van iedere verpleegster. Haar verhaal over hoe ze hem heeft leren kennen is rechtstreeks ontleend aan een doktersroman. Na een avond toen ze zij aan zij een mensenleven hadden gered – een oude man na een hartaanval gereanimeerd – waren ze nog even iets gaan drinken om bij te komen van alle emoties. Het kwam erop neer dat hun beider hart sneller was gaan kloppen en de verliefdheid als een steekvlam in de pan was geslagen. Dezelfde nacht nog is hij bij haar ingetrokken. Ze vertelt het op een manier alsof ze verwacht dat hij nu ook nooit meer zal vertrekken.

"Hij is nog geen echte salsaliefhebber maar dat zal wel snel komen", merkt Sasja op terwijl ze liefdevol naar hem opkijkt. George glimlacht wat ongemakkelijk. Hij lijkt het allemaal nog niet zo zeker te weten. Het zal wel weer de volgende teleurstelling voor Sasja worden. Verschillende voorgangers van George zijn plotsklaps verdwenen zonder enig bericht achter te laten. Weer een droom aan scherven. Ze krijgt nooit te horen waarom de minnaar ermee wil kappen. Dat komt omdat ze zo aardig is dat niemand haar durft te kwetsen. Niets is moeilijker dan aan een aanhankelijke lieve vrouw de boodschap overbrengen dat ze verschrikkelijk benauwend en saai is. Slechte karakters zijn wat dat betreft een stuk gemakkelijker.

Eddy, de trompettist, is er ook weer. Hij vertelt trots dat hij van de drank af is nu hij van de dokter Prozac heeft gekregen. Hij is helemaal in zijn nopjes.

"Man, het leven ziet er heel anders uit met dat spul. Als ik 's ochtends op de rand van mijn bed zit, heb ik weer zin om er tegenaan te gaan", onthult hij mij met zijn Surinaamse accent.

Waar hij dan tegenaan gaat is niet helemaal duidelijk, want zover ik weet heeft hij al maanden geen werk meer. Jammer, want hij is een uitstekende trompettist die alleen al op het gehoor een solo van Miles Davis vlekkeloos naspeelt.

Godfried, een bekende Amsterdamse kunstenaar, is inmiddels ook bij ons gezelschap aangeschoven. Hij is in een opperbeste stemming nu hij na lange tijd eindelijk een bak met geld heeft gekregen van een Surinaamse instelling. Hij had het gebouw van deze culturele instelling, met het oog op de exotische sfeer, beschilderd met leeuwen, tijgers, krokodillen en palmen. Deze ontwerpen zijn zijn specialiteit. De muurschilderingen hier in El Centro zijn ook van zijn hand. Hij heeft er niet veel voor betaald gekregen, maar Ben heeft hem beloofd dat hij levenslang vrij entree heeft. Als salsaliefhebber had hij daar wel oren naar.

"Dat zijn pas echte voordelen, want je hoeft er geen belasting over te betalen", vertrouwde hij me een tijd geleden toe. Als hij ergens de schurft aan heeft dan is het de fiscus. Ons hele gezelschap wordt getrakteerd op een cocktail, vooral de Margharita's blijken populair bij de aanwezigen. Wij proosten op zijn artistiek en economisch succes. De stemming is weer opperbest. In de danszaal naast de bar horen we Oscar de León met het nummer *El Manisero.* Dat spreekt ons wel aan. De zaal is stampvol, maar het lukt Orlaidis en mij om nog een dansbaar plekje te vinden.

Als we laat op de avond naar mijn huis lopen kijk ik goed om me heen. Na de gebeurtenissen van de afgelopen dagen ben ik niet meer helemaal zeker van de goede bedoelingen van mijn medemens. Ik heb aan Orlaidis het laatste nieuws verteld dat ik gisteren van de politie hoorde. Er is inderdaad geknoeid met mijn remmen. Vlak voor mijn tocht naar Alphen aan den Rijn moet iemand met een zaagje de remleidingen hebben bewerkt. Het is subtiel gedaan, zodat er nog enige tijd overheen ging alvorens alle olie uit de leiding was gelopen. Het zou sneu voor de daders zijn geweest als ik, na al hun inspanningen, het euvel al bij vertrek ontdekt zou hebben. Orlaidis schrijft de goede afloop toe aan haar positieve contact met haar santo Ochún. De afgelopen dagen heeft ze elke dag koekjes en een glaasje rum voor het beeldje gezet en om mijn bescherming verzocht. Persoonlijk heb ik op dit moment meer vertrouwen in de stungun in mijn linkerzak, die ik elke dag weer even oplaad. Maar ik ben een genereus mens en daarom geef ik haar en haar santo alle credits voor het feit dat ik nog kerngezond rondloop.

Dat Boemibol ons niet miauwend tegemoetkomt als we de donkere gang van mijn huis binnenkomen, is het enige wat opvalt. De doffe klap die ik op mijn hoofd krijg voor ik op onderzoek kan uitgaan, brengt mij uit mijn evenwicht. Achter me hoor ik het geluid van de verstikte stem van Orlaidis. Waarschijnlijk houden ze een hand voor haar mond. Iemand pakt mijn beide armen vast en draait ze op mijn rug. Het is te laat om bij mijn stungun te komen. In het Engels krijgen we instructie in het donker door te lopen naar de kamer.

"One wrong movement and you're dead."

De stem heeft een licht Spaans accent.

Als het licht aangaat in de kamer, zien we twee grote, zwarte mannen met gouden halskettingen. Ze zien er onvriendelijk uit met hun stierennekken. Degene met de dikste nek en de stevigste spierbundels heeft een pistool op ons gericht en maant ons op besliste toon om naast elkaar op de bank te gaan zitten. Er zit weinig anders op. Hun aanpak maakt een professionele indruk.

Ze gaan tegenover ons zitten. Het lijkt wel gewoon bezoek. Alleen wordt de sfeer bedorven door het pistool dat op ons is gericht.

"*Be quiet, it's just a short visit*", spreekt de langste van de twee ons op geruststellende toon toe.

"*Welcome to my house, feel yourself at ease.*"

Ik moet uitkijken met die grapjasserij van mij. De norse man met het pistool brengt zijn vinger dichter bij de trekker.

"Waar is mijn kat?" vraag ik, bezorgd rondkijkend.

"We zijn hier niet om over je huisdier te converseren. De kat is in de badkamer opgesloten. Mijn vriend hier is allergisch voor katten. Hij wilde het beest al onmiddellijk de keel afsnijden, maar dat vond ik een beetje overdreven. Het is een nare binnenkomer bij iemand die misschien gewoon met ons wil meewerken."

"Wat willen jullie?"

"We hebben een simpel verzoek. Help ons om de gestolen spullen van onze opdrachtgever terug te krijgen."

Mijn verbazing is niet gespeeld.

"Ik heb geen idee waar je het over hebt."

"Vertel ons geen sprookjes, man."

Hij maakt een geïrriteerde indruk, aan zijn trillende neusvleugels te zien.

"Het is heel eenvoudig uit te leggen. We weten dat jij die dame Anita helpt. Misschien wel meer dan dat. We kunnen ons trouwens heel goed voorstellen dat je wel iets in haar ziet met haar fotomodellenbenen."

Hij fluit bewonderend tussen zijn tanden.

"De vorige week was ze nog een avondje gezellig bij je op bezoek. Toch?"

Hij kijkt veelbetekenend naar Orlaidis die geen krimp geeft.

"Deze prachtdame heeft samen met een Cubaans vriendje een grote partij juwelen vanuit Cuba naar Nederland gebracht. Je weet dat het met hem niet goed is afgelopen. Het zijn juwelen die jaren geleden gestolen zijn van onze opdrachtgever. Wij vertegenwoordigen een organisatie die deze spullen terugbrengt bij de rechtmatige eigenaar. Je zou dus kunnen zeggen dat wij aan de kant van het recht staan. Of niet soms?"

Hij kijkt in de richting van zijn compagnon met het pistool. Die knikt instemmend met een grijns op zijn gezicht en herhaalt nog eens: "Absoluut, een keurige organisatie die aan de kant van het recht staat."

Hij vindt het een leuke vondst van zijn collega.

"Wat is dat voor een organisatie waarvoor jullie werken?"

De lange neemt weer het woord.

"Laat ik het zo zeggen. Wij werken aan de bevrijding van Cuba. We worden gesteund door mensen die hun eigendommen zijn kwijtgeraakt bij die zogenaamde revolutie van 1959. De Castro-bandieten hebben die spullen gejat door de nationalisaties, maar er zijn ook veel kostbaarheden achterovergedrukt door ander geboefte op het eiland. Wij zitten daar achteraan voor de financiering van onze strijd. De Amerikaanse regering staat achter ons. Je hebt in de krant kunnen lezen over de Helms Burton-wet. Alles moet terug naar de oorspronkelijke eigenaren. Je zou ons kunnen zien als de uitvoerders van die wet. Anita en dat vermoorde vriendje Carlos hebben dure dingen uit Cuba gehaald die eigendom zijn van Cubanen die nu in Miami wonen. Meer wil ik er nu niet over zeggen."

"Moet ik er ook van uitgaan dat jullie remleidingen doorzagen om die democratische idealen te verwezenlijken?"

Ze reageren verbaasd.

"Hoezo?"

Ik vertel de heren van de aanslag op mij en mijn geliefde Fiatje.

Ze luisteren met veel belangstelling. De man met het pistool haalt even zijn vinger van de trekker, alsof hij zijn goede bedoelingen wil illustreren.

De lange neemt weer het woord. Zijn gouden halskettingen reflecteren het schemerlampje achter mij.

"Laat ik je één ding duidelijk maken. Wij denken pas aan dat soort maatregelen als we geen medewerking krijgen. Je moet het zo zien: wij zijn in oorlog met een dictator die duizenden mensen heeft vermoord en het Cubaanse volk uitzuigt. Misschien kun je je dat niet voorstellen hier in dit schattige landje met tulpenbollen en pittoreske grachten. Maar zo zit het. Iedereen die ons tegenwerkt, komt in een oorlog terecht en kan dus sneuvelen. Wat jij hier mee te maken hebt, is op dit moment nog niet helemaal duidelijk. Vandaar ons verzoek om medewerking. Remleidingen van je Fiatje doorzagen is niet in ons belang. Misschien verliezen we dan een belangrijke medewerker."

Terwijl de man zijn dreigende woorden uitspreekt, is hij opgestaan en naar mij toe gelopen. Hij zit nu gehurkt naast me en legt een hand op mijn schouder. Ik ruik een mentholgeurtje in zijn adem.

"Dat is wat we willen. Volledige medewerking."

Hij herhaalt het met meer nadruk: "*Total cooperation.*"

"Wat moet ik doen dan?"

"Wij willen dat jij ons binnen een week de juwelen bezorgt. Duidelijker kunnen wij niet zijn."

"Je moet hiervoor bij Anita zijn. Ik heb hier niets mee te maken."

Hij legt uit dat ze alleen met mij contact willen. Anita wordt dag en nacht in de gaten gehouden door de politie.

Hij loopt nu achter ons heen en weer.

"Het laatste wat wij willen, is problemen krijgen met de Nederlandse politie. Tot nu toe hebben ze de Cubaanse oppositie hier met rust gelaten. Ze willen de Amerikanen, die achter ons staan, niet al te zeer voor het hoofd stoten. Dat doen ze toch al genoeg omdat ze de Amerikaanse boycot van Cuba niet volgen. Nederlanders worden niet graag in hun handel beperkt."

Op de achtergrond hoor ik het krabben van Boemibol op de badkamerdeur. Zij vindt dat het gesprek afgelopen moet zijn. Ze heeft behoefte aan gezelschap.

Hij vervolgt: "Ik hoop dat het duidelijk is: geen politie erbij en binnen een week hebben we die spullen. Het onderdrukte Cubaanse volk zal je voor eeuwig dankbaar zijn. En wij kunnen vrienden blijven."

Naast mij aait hij nu Orlaidis zogenaamd bewonderend door haar krullen. Zij reageert afwerend.

"En deze beauty blijft dan even mooi als ze is. Ze zal niet worden beschadigd. Dat zou toch ook doodzonde zijn."

Zijn vriend met het pistool knikt instemmend. Hij blijft ons onder schot houden, terwijl ze in de richting van de gang lopen.

Ik begrijp dat ik ze uit moet laten.

Voor ik de deur achter hen dichttrek informeert de lange nog naar mijn poes.

"Het is toch een volbloed Siamees? Prachtig. Ik hou ook van

Siamezen. Ze hebben karakter. Jammer dat mijn compagnon zo allergisch is. Hij beseft niet wat hij mist."

Ik knik afwezig en breng mijn hand naar mijn hoofd waar ik een pijnlijke bult voel, terwijl ik de deur achter hen dichttrek.

Orlaidis heeft inmiddels Boemibol bevrijd. Miauwend loop ze naar me toe om kopjes te geven. Zij is niet in paniek, maar kijkt bezorgd. Ze is het niet eens met de keuze van mijn vrienden.

Miami, 5 december 1999

Waar ik ook ben, altijd weer moet ik op deze avond aan Sinterklaas denken. Ik krijg beelden van de gezellige, donkere avonden met mijn moeder in Hoorn. Op 5 december om een uur of zeven werd er altijd weer hard op de voordeur geklopt. Moeder deed voorzichtig open en ik schrok steeds weer van de zwarte hand die dan naar binnen kwam. Die hand gooide de hele gang vol met snoep en pepernoten. Ik wist dat we daarna naar het koude atelier naast het huis zouden gaan. Tussen de grote gipsen beelden lagen dan pakjes van Sinterklaas voor mij klaar. Terug in de warme kamer las moeder vervolgens de gedichten voor die ondertekend waren door Sint en Piet. Die bleken altijd weer alles van mij te weten: hoe ik op school was en hoe ik me had gedragen tegenover mijn moeder en mijn vriendinnetjes. Zoete en ook spannende herinneringen.

Sinds een maand werk ik voor een Porto Ricaanse investeringsbank die een groot kantoor in Miami heeft. Onze klanten beleggen in zakelijke projecten in heel Latijns-Amerika. Ik ben accountbeheerder voor verschillende particulieren en bedrijven met investeringen op de Bahama's. Mijn ervaring met belastingparadijzen die ik opgedaan heb bij Barclay's in Gibraltar komt me hier goed van pas. Ik weet niet hoe lang ik het nog blijf doen. Ismaël vindt het onzin wat ik doe. Wat hem betreft hoef ik niet te werken. Hij heeft geld genoeg. Maar ik hecht nog te veel aan mijn onafhankelijkheid. Hij is wekelijks een paar dagen bij me. Meestal komt hij vrijdagavond uit Mexico City en blijft dan twee, drie dagen bij me. Overdag heeft hij het vaak druk omdat hij dan politieke vergaderingen heeft, zoals hij die noemt. De laatste dagen is zijn club permanent in de weer met een kwestie over een jongetje, Elian Gonzalez, dat een dag of tien geleden levend is gered van een van de vlotten met vluchtelingen uit Cuba. De moeder van dit 6-jarig jongetje is tijdens de overtocht verdronken en het knaapje is nu bij zijn familie in Miami ondergebracht. Zijn vader in Cuba wil Elian terug hebben, maar de familie in Miami vindt het niet verantwoord om het kereltje terug te sturen naar deze 'verschrikkelijke dictatuur'. Alle anti-Castrogroepen hebben het er erg druk mee en iedereen praat erover op de radio en de tv. Ook Castro zie ik elke avond op de buis met dreigende taal.

Vanavond is Ismaël weer naar een hoogst geheime bijeenkomst van zijn groep. Ze overleggen met een aantal advocaten over de vol-

gende stappen in deze kwestie. Voorlopig willen ze de pers hier buiten houden. Ik moet soms een beetje om hem lachen als ik zijn verhalen hoor over zijn strijd voor een vrij Cuba. Soms lijken zijn vrienden en hij op Sjors van de Rebellenclub, zoals ze praten over hun besloten bijeenkomsten en de zogenaamde geheime militaire oefeningen in de Everglades. Het is voor hem een heel serieuze zaak. Van mij pikt hij grapjes hierover. In bed noem ik hem soms pesterig 'my fifty-year old boyscout'.

15

Amsterdam, 16 juli 2001

Het lukt me maar niet om me te concentreren. De notitie waarmee ik bezig ben, moet eind van de week klaar zijn, op tijd voor de rechtszitting van volgende week dinsdag. Ik treed weer op als getuige-deskundige bij een witwaszaak van een cocaïnenetwerk. Maar eerlijk gezegd raken bankrekeningen van boeven op de Kanaaleilanden me niet zo persoonlijk als de bedreigingen door die twee heren van gisteravond. Boemibol is er ook nog niet helemaal overheen. Ze loopt onrustig door het huis, terwijl ze pas een halfuur geleden haar ontbijt van kattenbrokjes heeft verorberd.

Ik ben bezorgd over het verhaal van die mannen. Met de Cubaanse oppositie in Miami kun je het maar beter niet aan de stok krijgen. Het zijn machtige groepen die geen enkel middel schuwen om hun zin te krijgen, al dan niet met de hulp van halve of hele gangsters, die op hun beurt weer gesteund worden door industriëlen en politici. Vorig jaar is dat nog eens duidelijk geworden door die affaire met dat Cubaanse jongetje Elian, waarmee ze maandenlang de USA op hun kop hebben gezet. Uiteindelijk hebben ze verloren, maar hun macht hebben ze duidelijk gedemonstreerd. Nu George Bush aan het bewind is hebben ze meer invloed dan ooit. Uiteindelijk heeft hij zijn verkiezing te danken aan het gesjoemel in Florida, de staat waar zijn broer Jeb gouverneur is met goede contacten in het Cubaanse circuit.

Ik moet me eerst eens wat meer oriënteren op de types in Miami waarmee ik te maken heb. Misschien word ik wat wijzer op internet. Ik start Internet Explorer op en ga naar mijn geliefde zoekmachine Google, waar ik het surfen begin met de zoekwoorden *cuban opposition miami*. Als eerste verschijnt de site van de CANF met op de voorpagina de biografie van een van de oprichters, Jorge Mas Canoso, die in 1997, 'helaas voortijdig' volgens de website, is overleden. Hij is in 1981, bij de oprichting van de Cuban American National Foundation, voorzitter geworden, gesteund door de toenmalige president Reagan. Een van zijn wapenfeiten, zo lees ik, is zijn deelname aan de invasie in Cuba, de beroemde en mislukte Varkensbaai-invasie in 1961. Vervolgens werd hij officier bij het Amerikaanse leger, waarmee ze waarschijnlijk de CIA bedoelen. Er volgt een lange lijst met eerbewijzen die hij heeft ontvangen voor zijn 'buitengewone verdiensten voor de democratie en de mensenrechten'. Inmiddels blijkt zijn zoon hem te hebben opgevolgd.

Op een andere website lees ik dat de terrorist Luis Posada Carriles, indertijd getraind door de CIA, altijd op financiële steun kon rekenen van de CANF, om precies te zijn van zijn vriend Jorge Mas Canoso. Deze Posada Carriles werd in 1976, samen met een andere terrorist, Orlando Bosch, gearresteerd in Venezuela voor het opblazen van een vliegtuig van Cubana de Aviacion boven Barbados. Hierbij kwamen 73 inzittenden om het leven, waaronder het complete schermteam van Cuba. In 1985 ontsnapte Posada Carriles uit de gevangenis in Venezuela nadat grote geldbedragen aan gevangenisautoriteiten waren betaald. Later vertelde hij dat het geld afkomstig was van zijn vrienden in Miami.

Deze zelfde Luis Posada Carriles vertelt in 1998 openhartig in een interview in *The New York Times* dat hij de aanslagen in 1997 op Cubaanse toeristenhotels organiseerde waarbij één dode, een Italiaanse toerist, en meerdere gewonden vielen. Hij betaalde met geld van de CANF, deze mooie organisatie voor 'democratie en mensenrechten'. Posada Carriles en zijn collega-bommenlegger Orlando Bosch lopen nu gewoon vrij rond in Miami en worden regelmatig toegejuicht op bijeenkomsten van de anti-Castrolobby. Om terroristen te vangen hoeven de Amerikanen helemaal niet naar Irak, Libië of Afghanistan, zou je zeggen.

Dat er veel geld omgaat bij de organisatie staat wel vast. Een van de grote financiers van dit soort groepen in Miami is het internationale familiebedrijf Bacardi. Op de lijsten van bestuurders kom je overal de namen tegen van grootaandeelhouders en directeuren van Bacardi. Een voorbeeld is Manuel J. Cutillas, die tot zijn pensioen in 1997 president-directeur was van Bacardi. Op dit moment is hij voorzitter van de Raad van bestuur van het Center for Free Cuba. Dit is een van de anti-Castro-organisaties die samen met de CANF de belangrijkste lobby is geweest voor de Helms Burton-wet. Dit is de wet die probeert vanuit de USA buitenlandse bedrijven aan te pakken die gebruikmaken van bezittingen in Cuba die na de revolutie onrechtmatig zouden zijn genationaliseerd. Dezelfde Manuel J. Cutillas, een achterachterkleinzoon van Don Facundo, de stichter van Bacardi, zoals zijn biografie vermeldt, was tot 1994 ook een van de directeuren van de CANF. In de wandelgangen van Washington wordt de Helms Burton-wet dan ook niet voor niets de 'Bacardi Claims Act' genoemd.

De volgende keer zal ik toch maar een ander merk rum in mijn Cuba Libre mixen. Ook de Bacardi Breezer gaat een stuk minder fris smaken.

Na een uurtje zoeken op internet heb ik het wel gezien. Wat het met de dreigingen van gisteravond te maken heeft, weet ik nog niet precies. Maar één ding staat vast: ik moet echt oppassen. Deze onfrisse strijders voor de mensenrechten, democratie en privé-eigendom houden zich niet bezig met het doorzagen van mijn remleidingen. Ze hebben belangrijker dingen aan hun hoofd. Als het nodig is, hebben ze ook betere middelen. Ik begin ook te geloven dat de Amsterdamse politie zich liever op de achtergrond houdt, zoals de twee mannen vertelden. Er zijn hier te grote krachten aan het werk.

Ik voel me als een hoofdpersoon in een Hitchcock-film. Wanneer Cary Grant in de film North By Northwest door een misverstand voor een spion wordt aangezien begint iedereen achter hem aan te jagen. De ene na de andere aanslag wordt op hem gepleegd. Net als Cary Grant ben ik onschuldig, met die Cubaanse juwelen heb ik niets te maken, maar zolang die lui dat denken blijft het linke soep. Waar of niet waar, je bent de klos. Het is aan mij om de waarheid boven tafel te krijgen met het oog op mijn eigen hachje. Cary had tenminste nog een aantrekkelijk blondje waar hij iets moois mee kreeg, bedenk ik zuur. Die bleek achteraf trouwens even leugenachtig als mijn blonde fee. Volgens dit scenario ben ik tot Anita veroordeeld. Zij is de enige die mij kan helpen om die spullen te vinden. Als ze al iets weet. Het vervelende is alleen dat ik haar maar niet te pakken krijg. Ik heb al verschillende keren gebeld.

Ik heb een afspraak met Freddy. Lunchen bij café Wildschut vond hij ook een goed idee. Dan komt hij weer eens achter zijn computer vandaan. Wildschut is zo'n trendy café in Amsterdam-Zuid waar dure adviseurs en reclameartiesten met hun mooie secretaresses naartoe gaan. Aan het drukke gekakel te horen zijn het vandaag vooral communicatieadviseurs.

Freddy zit al aan een tafeltje in het voorste gedeelte. Hij kijkt zijn ogen uit naar de meiden die hier rondlopen. Hij is in zijn nopjes over zijn laatste succes. Handenwrijvend vertelt hij dat het gelukt is om in te breken in de spaarrekeningen van een van de grootste Nederlandse banken. Hij heeft nog wat adviezen gegeven om het lek te dichten. De bank heeft hem een premie betaald van dertigduizend gulden. Hij kan weer een halfjaartje vooruit.

"Nee, de naam zeg ik niet. Ik heb een contract moeten tekenen met de bank dat absoluut niemand het mag weten. Ik vertel het niet eens aan mijn eigen moeder. Ze zijn natuurlijk bang dat de klanten weglopen als ze horen dat je zomaar bij hun spaarcentjes kunt komen."

Het is ook weer koek en ei met zijn vriendin Evita. Ze wil nu alleen een lat-relatie. Binnenkort gaan ze samen op vakantie van het geld van zijn laatste klus.

Mijn verhaal van de doorgezaagde remleidingen kent hij al uit de politierapporten. Bij de politie denken ze dat het te maken heeft met het werk dat ik doe als forensisch onderzoeker.

"Die lui van de cocaïnemaffia zijn natuurlijk niet zo blij met jouw witwasonderzoekjes voor de rechtbank. Moet je je voorstellen: ze hebben de spullen met veel moeite uit Colombia gehaald en ze doen hun best om ze tegen goed geld te verkopen. Vervolgens komt zo'n veredelde boekhouder in Amsterdam aan de rechtbank uitleggen waar de centjes naartoe zijn gegaan. Dat zou jij toch ook niet leuk vinden?"

Ik knik. Ik weet maar al te goed hoe het zit. In het verleden ben ik meer dan eens bedreigd. Tot nu toe is er nooit iets ernstigs gebeurd, waarschijnlijk dankzij de politiebescherming die ik meestal kreeg. Remleidingen doorzagen zijn voor maffiosi de eerste eenvoudige pesterijtjes waarmee ze je tot andere gedachten proberen te brengen. Als dat niet helpt, volgen de rigoureuze maatregelen die meestal eindigen op de bodem van het IJ met een blok beton aan je been.

"De politie houdt je vanaf nu goed in de gaten. Zie je die blauwe Volkswagen daar aan de overkant?"

Freddy wijst naar buiten.

Als ik me omdraai zie ik de onopvallende auto waarin twee mannen de krant zitten te lezen.

"Volgens mij zijn dat je engelbewaarders."

Meestal ben ik niet blij met dit soort bewaking. Ik ben erg gesteld op mijn privacy. Maar na dat herenbezoek van gisteravond geeft het toch een geruster gevoel.

"Hoelang kan ik van dit escorte genieten?"

"Voorlopig wachten ze de rechtszitting af, minimaal een week dus om te beginnen."

Freddy weet ook nog te melden dat Anita goed in de gaten wordt gehouden.

"Ze houden er rekening mee dat ze ertussenuit piept."

Het verhaal dat Carlos als enige wist waar de spullen zijn en die informatie met zich mee in zijn graf heeft genomen, vinden ze bij de politie niet geloofwaardig. En van de verklaringen van die Mexicaan in de bak worden ze ook niet veel wijzer. Volgens de procesverbalen die Freddy te lezen krijgt beweert hij dat Anita de spullen heeft. Hij weet alleen niet waar. Dat schiet dus ook niet erg op.

Freddy is het met mij eens dat ik weinig kan verwachten van de politie als het gaat om die Miami-Cubanen. De BVD wil dat de plaatselijke politie een beetje op afstand blijft, omdat deze zaken politiek gevoelig liggen. Als ze te hard worden aangepakt, heb je voor je het weet stront met de Amerikanen. De Nederlandse overheid wil deze vrijheidsstrijders niet al te zeer voor het hoofd stoten. Voor de Amerikaanse politiek is de Koude Oorlog nog in volle gang, zeker nu er weer zo'n stelletje communistenvreters aan het bewind is. Ik heb op internet kunnen lezen hoe goed de connecties van die Miami-Cubanen met de politiek zijn. Onze minister van Buitenlandse Zaken moet daar rekening mee houden en niet zo'n klein beetje. Geloof maar dat die als eerste aan de telefoon hangt bij de BVD als de Amsterdamse politie die Cubaanse contra's gaat aanpakken. Dan moeten ze het wel erg bont maken.

Mijn Cary Grant-gevoel wordt er niet minder op. Als ik even later in de tram stap zie ik uit mijn ooghoek dat een van de heren uit de blauwe Golf achter mij naar binnen stapt. Een nette man in een donkere blazer. Hij heeft de krant nog in de hand. Hij stempelt netjes zijn strippenkaart af. Het is het enige wat aan hem opvalt, de gemiddelde Amsterdammer doet dat niet.

Ik krijg steeds weer haar antwoordapparaat als ik Anita probeer te bereiken. Door het raam van mijn huis zie ik de auto van de twee politiemensen die in de straat geparkeerd staat, minder dan 50 meter van mijn huis. De beveiliging is in orde, tijd om weer aan het werk te gaan. Het witwasverhaal dat ik in kaart breng is op zich niets bijzonders. Het is een bekende constructie. Simpel maar moeilijk achterhaalbaar. Behalve wanneer je genoeg bewijzen hebt om de autoriteiten op de Kanaaleilanden zover te krijgen dat je een kijkje mag nemen in de papieren van brievenbusmaatschappijen. Met de hulp van Europol is dat deze keer gelukt. De aandeelhouders van dit soort brievenbusmaatschappijtjes, waarvan er daar duizenden bestaan, zijn vaak trustkantoren. Dat zijn maatschappijen die handelen in opdracht van anonieme opdrachtgevers. Het is dus bijna niet mogelijk om de personen achter deze constructies te achterhalen. De grap is om de maatschappijtjes met elkaar te laten handelen om het geld wit te maken. In het geval waar ik nu mee bezig ben was de truc om miljoenen cocaïnegeld via de trustmaatschappij over te maken op de rekening van een bedrijfje met de naam Silvertrust. Daarnaast hadden ze een ander bedrijfje opgericht dat Sunny Island heet. Op de bankrekening van dit bedrijf stond een klein bedrag met een duidelijk legale herkomst. Dát geld was afkomstig van de verkoop van een kleine woning in Friesland. Via een effectenmakelaar belegden deze beide maatschappijen op de Amsterdamse effectenbeurs. De makelaar kreeg van beide maatschappijen het verzoek om winsten van alle transacties over te maken op de rekening van Sunny Island. De verliezen werden afgeboekt van de rekening van Silvertrust, de rekening met de cocaïnemiljoenen. Klaar is Kees. Op een gegeven moment is het miljoenenbedrag via Sunny Island wit geworden, op het oog netjes legaal verdiend via beursspeculaties met het geld van het huisje in Friesland. Een beetje veel misschien, maar sommige mensen hebben nu eenmaal geluk. Geen speld tussen te krijgen, behalve als je de geldstromen precies in kaart kunt brengen zoals wij in dit geval konden doen. Meestal lukt dat niet in belastingparadijzen als de Kanaaleilanden, waar nog een streng bankgeheim bestaat.

Ik ben nu bezig het verhaal netjes op papier te zetten. Ook maak ik mooie sheets met veel tekeningen met pijltjes om de volgende week in de rechtszaal te projecteren. Een goede presentatie is het halve werk, rechters houden daarvan. Ze hebben het al moeilijk genoeg om mijn boekhouderverhalen te begrijpen.

"Hai pap."

Het is de stem van mijn dochter Vera via de telefoon. Ik heb haar maar geen details verteld van mijn ongeluk in de Schipholtunnel. Ik wil haar niet met dat soort zorgen belasten. Het enige wat ze weet is dat mijn Fiatje total loss is.

"Kan ik dit weekend bij je logeren?"

"Leuk, heb je plannen?"

"Ik wil naar Paradiso, ga je mee?"

Ook dat nog, als het maar geen drum 'n bass is, schiet het door me heen. Met Orlaidis vrijen zit er dan ook niet in.

"Je weet dat ik het altijd heerlijk vind om met je te stappen. Vind je moeder het goed?"

"Ze vindt het volgens mij prima om een weekendje alleen met Adriaan te zijn." Er klinkt sarcasme in haar stem. Ik ga er niet op in.

"Wie speelt in Paradiso?"

"Zaterdagavond zingt Angie Stone, ouderwetse soul van het Motown-type. Ik weet zeker dat je dat ook leuk vindt."

Het gaat de goede kant uit met haar muziekvoorkeur. Ik kan me bedwingen om haar positief toe te spreken met woorden als: "Mooi, dat is gelukkig wat anders dan dat house en drum 'n bass." Je komt dan al gauw in de rol van zo'n ouwe lul die het allemaal beter weet. Ik denk aan mijn vader, die ook altijd commentaar had op mijn voorkeur voor 'oerwoudmuziek'.

Ik beloof haar dat ik mijn best zal doen om kaartjes te krijgen. Het komt niet dagelijks voor dat ik een avondje met mijn dochter ga stappen. Misschien ook een mooie gelegenheid om haar voor te stellen aan Orlaidis. Benieuwd of Jansen en Janssen, mijn bewakers, ook mee gaan naar Paradiso. Ze zullen daar behoorlijk opvallen met hun nette blazers.

Mexico City, 2 juli 2000

Vandaag zijn we een dagje naar Guanajuata geweest, een paar uur rijden vanuit Mexico City. Ik griezel nog na van het mummiemuseum. Typisch Mexico. Mexicanen zijn gefascineerd door de dood. Dat zie je ook op de kerkhoven. Zondags zijn de begraafplaatsen vol met Mexicanen die samen met hun overleden familieleden de lunch gebruiken. Guanajuata heeft een bepaalde bodemgesteldheid waardoor de lijken op de begraafplaats op een natuurlijke wijze worden gemummificeerd. Na enkele decennia, als er weer plaats gemaakt moet worden op het kerkhof, worden de mummies opgegraven en te kijk gezet in het plaatselijke mummiemuseum. Gefascineerd drukken de Mexicanen hun neus tegen de glazen vitrines waar ze worden aangekeken door hun vervormde en uitgedroogde voorouders. Kinderen likken aan lollies in de vorm van een geraamte. Gezellig een dagje uit.

Ismaël was in een opperbeste stemming. Hand in hand hebben we onderweg achter in zijn limousine een Mexicaanse video gekeken met mooie mensen en veel sentimenteel gesnotter. Ik heb hem ervan weten te weerhouden een nummertje te maken. Ik voel me niet op mijn gemak met zo'n chauffeur voorin. Het kostte me even moeite, want voor het eerst van mijn leven raak ik echt erg opgewonden van een man. Tot nu toe ben ik nooit uit mijn bol gegaan op die manier zoals ik van vriendinnen wel eens hoor. Ismaël weet me echt gek te maken. Als hij bij mij is, liggen we vaak en lang in bed. Het is zijn zachtaardige en geduldige aanpak. Heel langzaam en geduldig bespeelt hij me met zijn handen en zijn mond tot ik helemaal wild word. Soms bespring ik hem. Gelukkig zijn de muren in mijn appartement geluiddicht. Achteraf besef ik soms hoe ik krijsend tekeergegaan ben. Hij vindt het ook heerlijk als ik hem vastbind aan de stang aan het hoofdeinde van het bed en hem dan tergend langzaam pijp tot hij gek wordt. Hij is heel anders dan de meeste Latino-mannen, die alleen maar rechttoe rechtaan een nummertje willen maken.

Ik woon nu al een paar maanden in een groot appartement in het oude centrum van Mexico City, op loopafstand van de Plaza Mayor. Uiteindelijk heb ik toch maar toegegeven aan de druk van Ismaël om mijn baan in Miami op te geven. Waarom zou ik stoer blijven doen over mijn onafhankelijkheid terwijl ik zo gek op hem ben? Een groot deel van de week kunnen we nu bij elkaar zijn. Ik voel me thuis, voor het eerst van mijn leven. Eindelijk durf ik me door een man te laten verwennen. En hoe! Ik woon in een prachtig ruim huis, een klassiek appartement gebouwd in het begin van deze eeuw. Maria, een oudere Mexicaanse vrouw die met haar dochter Rita in een klein appartement naast ons woont, zorgt voor alles. Ismaël heeft er plezier in om met mij naar de duurste modehuizen te gaan en te zien hoe ik op mijn mooist kan zijn.

De contacten met zijn familie, die hier ook in Mexico City woont, zijn beperkt. Hij is al twee jaar met zijn scheiding bezig. Het gaat vooral nog over geld. Heel veel geld heb ik begrepen. Het is hem er vooral om te doen dat zijn drie kinderen, twee zonen en een dochter die studeren, goed terechtkomen. In de manier waarop hij erover praat, is hij een echte Latijnse pater familias.

16

Amsterdam, 21 juli 2001

Eerst moet Boemibol zijn eten hebben, anders blijft ze onrustig. Orlaidis ligt nog te slapen. Boemibol weet dat ik er een hekel aan heb als zij wakker wordt gemaakt door het gemiauw. Zij kijkt nu dreigend in mijn richting alsof ze wil zeggen: "Als ik niet snel mijn vishapje krijg ga ik stennis schoppen."

Wie is hier eigenlijk de baas in huis? Pas als zij tevreden smikkelt, kan ik beginnen met het maken van koffie. Het is gisteravond laat geworden. Na lange tijd heb ik weer eens uitgebreid gekookt; we hebben genoten van mijn viergangendiner met sterallures. Na de eendenmousse en het krabsoepje was vooral de Catalaanse visschotel een doorslaand succes. Er hangt nu nog een smakelijke knoflooklucht in huis. Een paar glazen Rioja, de kruidenlikeur bij de koffie en de zoete bolero's gezongen door Felix Baloy stuwden de hitsige sfeer op tot grote hoogte. Achternagejouwd door Boemibol zijn we half ontkleed in bed beland. Ik voel me weer warm en opgewonden als ik eraan denk.

De afgelopen dagen is Orlaidis steeds bij me geweest. De bedreigingen van die twee engerds vorige week waren ook niet mis. Inmiddels is ook gebleken dat ik ze niets te bieden heb. Anita, die ik uiteindelijk telefonisch heb gesproken, blijft bij haar verhaal dat ze niet weet waar de spullen zijn. Elk moment kunnen onze Miami-vrienden zich weer aandienen. Orlaidis kan mee profiteren van de 'rond de klok'- politiebewaking die ik geniet. Als ik het huis uit ben, vergrendelt ze de buitendeur en we staan voortdurend in contact via onze mobieltjes.

Sasja wil me dringend spreken, ze kan niets zeggen via de telefoon. Een halfuur later zit ik in de tram op weg naar haar huis in Amsterdam-Zuid. Normaal neem ik haar paniek met een korreltje zout, maar op dit moment komt het goed uit om eens uitgebreid te praten over Anita. Ik heb begrepen dat ze inmiddels op zeer vertrouwelijke voet staan. Misschien dat Sasja andere dingen van haar te horen krijgt. Lijn 5 zit vol met cultuurzoekers. Het zijn vooral veel oudere dames met gepermanente hoofden die, zo te horen, op weg zijn naar de VARA-zaterdagmatinee in het Concertgebouw. Ook zijn er buitenlanders op weg naar het Van Gogh-museum en het Stedelijk. Daar tussendoor lopen de gebruikelijke allochtone zakkenrollertjes, die al vroeg op pad zijn. Vanuit hun ooghoeken bekijken ze de tasjes en rugzakken op zoek naar prooi. Lijn 5 heeft een hoge slaagkans met al die toeristen die veel geld en pasjes op zak hebben. De trambestuurder heeft ze ook al herkend. Bij elke halte roept hij in verschillende talen om dat er zakkenrollers aan boord zijn. Als je goed kijkt zijn ze gemakkelijk te herkennen aan hun speurende blik en de bij dit warme zomerweer overbodige wijde windjacks, waarin je veel kunt wegmoffelen.

Sasja woont in een appartement in de Van Breestraat, achter het Concertgebouw. We begroeten elkaar met een stevige zoen alsof we elkaar een tijd niet meer gezien hebben. Het is al weer lang geleden dat ik verliefd op haar was, maar ze is nog steeds een van de mooiste vrouwen die ik ken. Ze heeft een lange, slanke gestalte, grijsgroene ogen en kastanjekleurig halflang haar. Het probleem met haar is dat ze zich altijd weer in de nesten weet te werken, als het niet in de liefde is, dan is het wel op financieel gebied. Je hebt van die mensen die altijd onheil aantrekken. Als verstandige man moet je afstand houden tot dit type, zo heb ik al jaren geleden besloten. Maar we zijn nog steeds redelijk bevriend.

"Ik maak me echt zorgen over Anita, ze is plotseling spoorloos verdwenen."

Ze begint met haar verhaal als we de woonkamer binnenlopen. Ze kijkt bezorgd.

"Ik zou gisteravond bij haar eten, maar ze deed niet open. De buren hadden haar 's middags zien vertrekken met een weekendtas. Ik ben toen naar binnen gegaan, want ik heb de sleutel van haar huis. Ik verzorg de laatste tijd haar planten als ze weg is. De resten van haar ontbijt lagen nog op de keukentafel en sommige laatjes van kasten stonden open. Niks voor haar. Ze moet overhaast zijn vertrokken. Lex, ik maak me zorgen."

"Wat heeft ze je de laatste tijd verteld?"

Sasja vertelt de slachtofferversie van het verhaal van Anita. Hoe de arme vrouw verzeild geraakt is in de machinaties van Carlos en

Pablo, terwijl ze er alleen maar op uit was om Carlos te helpen om met zijn bezittingen uit Cuba te komen.

"Ze werd ten onrechte verdacht van betrokkenheid bij de moord op Carlos en de politie heeft haar niet met rust gelaten. En dat na alles wat ze doorgemaakt heeft."

Sasja vertelt het met verontwaardiging in haar stem.

"Ze vertelde trouwens dat jij haar ook wantrouwt, klopt dat?"

Nu moet ik voorzichtig zijn met mijn woorden. Sasja wil geen negatieve dingen over haar vrienden horen.

"Sasja, ik weet dat je Anita graag mag en ook dat je erg met haar te doen hebt, maar luister eens heel goed naar mij. Op een of andere manier is ze actief betrokken bij een grote juwelensmokkel uit Cuba, die al één dode heeft opgeleverd. Als we niet uitkijken gaat er nog veel meer gebeuren. De afgelopen week is er een aanslag op mij gepleegd en er zijn gewapende mannen bij mij op bezoek geweest op zoek naar de spullen die zij en Carlos hiernaartoe hebben gebracht. Ik ben er buiten mijn wil zo bij betrokken geraakt, dat ik vrees voor mijn leven. Begrijp je nu waarom ik achterdochtig ben? Mag ik misschien?"

Tijdens dit betoog is mijn stem steeds luider geworden. Het mist zijn uitwerking niet. De grote stoere Lex, die bang en wanhopig is. Nu ben ik voor haar het slachtoffer en de hulpvrager geworden.

Ze luistert ademloos naar de details die ik haar vertel. Ze raakt zelfs mijn knie aan als ze mij alle hulp toezegt om Anita op te sporen.

"Die mannen die jou bedreigd hebben, zitten dus ook achter Anita aan."

"Ik denk zelf dat ze op de vlucht is voor dezelfde mensen die mij ook bedreigen. Ze zeggen dat ze voor de eigenaar van de kostbaarheden werken. Misschien is ze ook op de vlucht voor de politie. Heb jij enig idee waar ze naartoe zou kunnen zijn?"

"Geen idee, bij mijn weten heeft ze hier in Nederland geen familie en vrienden meer. Ik heb nooit mensen bij haar ontmoet. Ze is erg eenzaam. Ze heeft jaren in het buitenland gezeten en alle contacten verloren. De laatste jaren woonde ze meestal in Florida en Mexico."

Op het politiebureau zijn ze natuurlijk al op de hoogte van het verdwijnen van Anita. Via Europol is er een zoekopdracht uitgegaan, niet als voortvluchtige verdachte maar als verdwenen kroongetuige bij een moordzaak. Ook op alle vliegvelden in de Benelux ligt een opsporingsverzoek. De rechercheurs die haar waren kwijtgeraakt, hebben nog uren gepost op Schiphol. De marechaussee, die de paspoorten controleert bij de vluchten buiten de Europese Unie, had al een halfuur na haar verdwijning op de Lindengracht al haar gegevens. Tevergeefs.

Van Gerard Bakker, die ik bel, hoor ik hoe het precies gegaan is. Ze kwam naar buiten met een weekendtas en in een fractie van een seconde liep ze de menigte op de vrijdagmiddagmarkt in. Toen de rechercheurs naar de andere kant reden, bleek de weg versperd door een vrachtauto. Een van hen sprong uit de auto om haar te achtervolgen, maar het was te laat. De vogel was gevlogen. Het speelde zich af binnen een minuut. De rechercheurs denken dat ze hulp had van iemand met een auto die haar opgepikt heeft. De politie heeft vanochtend haar huis doorzocht en ze hebben met enige moeite toestemming gekregen van de rechter-commissaris om bij de KPN haar telefoontjes na te trekken. Het heeft allemaal niets opgeleverd. Alles in huis wijst inderdaad op een overhaast vertrek.

Als ik laat in de middag thuiskom, blijkt Vera al te zijn gearriveerd. Tussen haar en Orlaidis botert het goed, zo te zien. Ze zitten met elkaar te praten over vrouwenzaken als kleren en make-up. Als ik even met haar alleen in de keuken ben en Orlaidis met de koptelefoon op naar een cd luistert, vertrouwt Vera me toe dat ze dit pas echt een leuke vrouw voor me vindt. Het gaat erop lijken dat mijn vriendin voor het eerst geen probleem voor haar oplevert. Dat is wel eens anders geweest. Tegen mijn vorige vriendin, die iets ouder was dan Orlaidis, sprak ze soms dagen niet. De *Margriet* en de *Viva* staan vol met dat soort problemen. Daarbij wordt meestal een deskundige opgevoerd die een verhandeling houdt over het Oidipus- of het Elektracomplex, zoals dat bij meisjes heet: de diep ingewortelde haat en jaloezie tegen de partner van je vader. Niks van dit alles op dit moment, misschien een teken dat ze volwassen begint te worden.

Tussen neus en lippen door vertelt Vera ook nog dat het uit is tussen haar en Johan. Ze lijkt het niet erg te vinden. Ze wil er niet meer over vertellen als: "Hij is toch mijn type niet."

Ik word de keuken uit geduwd als ze samen eten gaan klaarmaken. Op de achtergrond hoor ik ze aanhoudend kwetteren en schateren. Zo te horen gaat het over Cuba en hoe de mannen daar zijn.

Ik voel me trouwens ook zo'n echte machoman als ik even later door de twee vrouwen feestelijk word bediend met een quiche, een salade en een goed glas wijn. Tijdens het eten vertelt Vera dat ze met mij mee wil als ik naar Cuba ga.

"Misschien wel leuker dan de States."

Orlaidis blijkt haar verteld te hebben dat ze binnenkort terug naar Cuba moet vanwege haar visumproblemen. Met haar vingertje omhoog vermaant Orlaidis haar half lachend dat het veel te gevaarlijk is voor haar met al die mannen daar.

"Zo'n mooie jonge Hollandse, daar worden Cubanen helemaal gek van."

Vera moet ervan blozen.

Als we om halfnegen uit de tram stappen op het Leidseplein zie ik in de verte bij Paradiso een lange rij wachtenden voor de deur staan. Gelukkig heb ik tijdig kaartjes voor Angie Stone kunnen bemachtigen. Of mijn engelbewaarders ook naar binnen gaan is de vraag. Een van de twee rechercheurs die mij al dagen volgen, staat voor de City-bioscoop. Hij is wel beter gekleed; voor de gelegenheid in zijn lichte katoenen broek en een blauw poloshirtje met korte mouwen. De temperatuur is er ook naar. Op deze tijd van de dag is het nog tegen de twintig graden. Ik hoop dat hij onder zijn kleren nog ergens plaats heeft kunnen vinden voor zijn schiettuig.

Als we de lange rij naderen bij Paradiso komt de vertrouwde zoete reuk van wiet mij al tegemoet. Het is jaren geleden dat ik er voor het laatst was, maar dit is niet veranderd. Het belooft een vreedzame avond te worden. Tevreden rokers zijn geen onruststokers.

Angie Stone zingt rauwe soul die doet denken aan Aretha Franklin en Gladys Knight and the Pips. Terecht heeft ze vorig jaar twee Lady of Soul Awards gewonnen. Jammer dat de akoestiek in Paradiso te wensen overlaat, maar het swingt de pan uit en het publiek gaat uit zijn dak, zeker bij *Brotha*, een loflied op de zwarte Amerikaanse man. Die kan wel een oppepper gebruiken. Orlaidis en Vera amuseren zich kostelijk samen. Ze staan uitzinnig te dansen als ik mij een weg baan door de swingende menigte om bij de bar drankjes te halen. Een Breezer voor Vera en rum-cola voor Orlaidis en mij.

Terwijl ik sta te wachten aan de bar word ik aangesproken door een man met een Che Guevara-speldje op zijn T-shirt.

"Jij bent toch Lex Eckhardt?"

"Ja, hoezo?"

"We willen je iets vragen."

"Wie zijn we?"

"Ik ben van het comité Vrij Cuba. Wij verdedigen de Cubaanse revolutie. We weten dat je bedreigd wordt door de Miami-maffia. We kunnen je helpen."

Door het oorverdovende geluid van de muziek staan we in elkaars oor te roepen.

"Kom straks tijdens de pauze even buiten bij de ingang, dan maken we een afspraak", is het laatste wat hij in mijn oor toetert.

Ik ben aan de beurt.

"Twee Bacardi-cola en een Bacardi Breezer", schreeuw ik met mijn handen in een toeter naar de barkeeper. Mijn voornemen om geen Bacardi meer te drinken heb ik al snel laten varen. Er is geen andere rum te krijgen. Dan toch maar de contrarevolutie steunen.

Tijdens de pauze loop ik op weg naar het toilet even langs de ingang. Als ik die salonrevolutionair zie, kan ik in elk geval zijn telefoonnummer noteren. Benieuwd wat ze te melden hebben. Mijn revolutionaire vriend staat om de hoek bij de ingang te wachten. Dat is het laatste wat ik mij herinner van Paradiso. Behalve dan de geur van chloroform of ether, of zoiets, op de doek die in mijn gezicht wordt geduwd.

17

Amsterdam, 22 juli 2001

De barstende hoofdpijn en het gierende geluid van een motor dringen het eerst tot me door. Mijn mond is droog en plakkerig, ik zweet over mijn hele lijf en ik proef de smaak van rum in mijn mond. Alsof ik een kater heb. Ik word heen en weer geslingerd als het voertuig waarin ik lig, de bocht om gaat. Het is aardedonker. Ik lig achter in een bestelwagen die met grote vaart over de weg raast. Zo te horen een auto met een luchtgekoelde motor. Het doet me denken aan de vakanties in mijn oude camper. Waarschijnlijk is het een Volkswagenbus. Mijn handen zijn op mijn rug vastgebonden en op een of andere manier zijn ze vastgemaakt aan mijn voeten. Het ademen wordt bemoeilijkt doordat er een doek voor mijn mond zit. Ik ruik het schuimrubber van de matras waarop ik lig. Het motorgeluid verandert, alsof we nu door een tunnel rijden. Ik glij weg in mijn slaap om even later weer bij te komen.

Waar zijn Orlaidis en Vera? Ik voel de paniek in me opkomen. Hoe lang geleden heb ik ze achtergelaten in Paradiso? Een minuut, een uur, een dag? Alle tijdsbesef is weg.

Ik probeer mijn handen los te wringen, het doet alleen maar pijn. Lichamelijk voel ik me te zwak. Ik voel pijn in mijn linkerarm, alsof ik een injectie heb gehad. We gaan weer door een bocht. Ik rol op mijn rechterzij. Waarschijnlijk zo'n bochtige afrit. Ik word duizelig en zak weer in een zwart gat.

"Pak jij hem vast onder zijn linkerarm, dan slepen we hem dit laatste stukje."

Ik herken de stem van de man met het Che Guevara-speldje, hij heeft een Zaans accent.

Ik hang tussen twee mannen in die mij als een dronkeman voortslepen over een grasveld. Het is hier pikdonker. Boven mij zie ik alleen het licht van de sterren. Voor mij ontwaar ik een donker silhouet, een soort schuur. Er schijnt een flauw geel licht door de open deur. De man aan mijn linkerkant, van wie ik alleen het gehijg heb gehoord tijdens het sjouwen, schopt met zijn voet de deur open. In het halfdonker binnen zie ik meer mensen. Er is een vrouw bij met lang haar. Er wordt niet gesproken als er helpende handen worden toegestoken die mij een trap af dragen. Alsof het van tevoren is ingestudeerd.

De matras ligt comfortabel. Ik wil niets liever dan weer slapen. Ik hoor het luik boven aan de trap dichtgaan.

"Die is voorlopig onder zeil", hoor ik de vrouwenstem zeggen.

Ik droom van Angie Stone die krijsend 'onder zeil' zingt. In het dameskoortje achter haar staan Orlaidis en Vera, de enige blanke in het gezelschap.

Ik word wakker als het luik piepend opengaat. Het duurt even tot alles weer tot me doordringt. Ze hebben de doek voor mijn mond weggehaald. Er gaat een gloeilamp boven mijn hoofd aan. Ik voel een lichte pijn in mijn hoofd. De spieren zijn verkrampt op de plaats waar mijn handen en voeten aan elkaar zijn vastgebonden. Mijn geest is helder.

"Hoe is het met onze gast?"

Het is de stem van mijn vriend de Che Guevara-man.

"Wat zijn jullie in godsnaam met mij van plan? Maak me los!"

Mijn stem klinkt woedend en wanhopig, harder dan ik van plan was.

"Als je met ons meewerkt, zal je niets overkomen. Het spijt ons dat we deze maatregelen moeten nemen."

De man gaat naast me zitten op een gammele keukenstoel. Hij heeft blond halflang haar, met blauwe ogen. Door zijn ongeschoren gezicht en een spijkerbroek die al lang geen wasmachine meer heeft gezien, ziet hij er een beetje smoezelig uit.

"Als je mij belooft om rustig te blijven, wil ik je handen losmaken van je voeten zodat je meer kunt bewegen. Dan praten we verder. Elke vluchtpoging is trouwens zinloos. De enige uitgang is de trap en die wordt bewaakt door gewapende kameraden. Schreeuwen heeft ook geen zin, de dichtstbijzijnde huizen zijn een kilometer hiervandaan."

Gewillig draai ik mij om zodat hij de touwen kan losmaken. Door de spierpijn duurt het even voor ik in staat ben rechtop te zitten. Uiteindelijk zit ik op de rand van de matras met mijn handen op mijn rug en mijn voeten tegen elkaar. Niet echt comfortabel, maar ik kan me even uitrekken.

De man schuift zijn stoel achteruit. Als ik hem al een schop had willen geven zou het nu niet meer lukken.

In de ruimte boven ons hoor ik muziek. Het is countrymuziek, Johnny Cash?

"Laat ik beginnen met te zeggen dat we alles van je weten."

Hij doet zijn best om geruststellend te klinken, wat hem wat mij betreft niet lukt. Het meest bedreigende is nog dat hij niet vermomd is. Kennelijk gaat hij ervan uit dat ik hier niet meer vandaan kom om hem aan te klagen.

"We weten dat jij die vrouw, Anita, helpt. We weten ook dat de Miami-maffia achter je aan zit en dat je politiebescherming hebt. Op dit moment weet niemand waar je bent en je moet er ook van uitgaan dat nog niemand aan een ontvoering denkt. We luisteren steeds naar de Amsterdamse politieradio: je bent alleen als vermist opgegeven."

"Wat wil je van mij? Besef je trouwens wel dat je voor ontvoering tien jaar de bak in draait?"

Hij reageert met een ontspannen glimlach.

"We zijn niet achterlijk. Ieder lid van onze groep heeft jarenlange guerrilla-ervaring in de strijd tegen het wereldkapitalisme. Neem van mij aan dat we weten wat we doen. Ik ben de enige die je zult herkennen, de anderen zijn gemaskerd. Overmorgen ben ik in een gebied waar de internationale politie geen greep op heeft. Pas daarna kom je vrij, als je tenminste meehelpt. Bedenk dat er een oorlog aan de gang is. Een oorlog waarover je niet in de kranten leest, maar waarin wel doden vallen."

Ik voel een rilling door mijn buik gaan, van pure angst, door de kille vanzelfsprekendheid waarmee hij de woorden uitspreekt. De tekst lijkt veel op die van de tegenpartij, de Miami-boys die vorige week bij mij op bezoek waren.

"Je moet beseffen dat jij samenwerkt met een vrouw die wij beschouwen als een van de grootste criminelen aller tijden. Zij behoort tot de misdadigers die de verworvenheden van de Cubaanse revolutie proberen te ondermijnen. Terwijl onschuldige zuigelingen overlijden door gebrek aan medicijnen en het volk dagelijks honger lijdt, allemaal als gevolg van de imperialistische Amerikaanse boycot, heeft zij het volk bestolen. Zij heeft miljoenen dollars geroofd, geld dat rechtmatig toebehoort aan het dappere Cubaanse volk. Zij deed dit in opdracht van de bezittende klasse, vijanden van het volk bestaande uit fabrikanten en grootgrondbezitters die vóór de revolutie Cuba hebben leeggezogen."

Van zijn poging om rust uit te stralen is weinig meer over. Zijn gezicht is vertekend door haat terwijl hij spreekt. Ik sputter tegen, maar de man is onstuitbaar. Het lijkt wel alsof hij een politiek congres toespreekt.

"Dat is wat er aan de hand is. Wij zullen kost wat kost deze bezittingen terugbrengen bij de Cubaanse revolutionaire regering. De misdaad zal streng gestraft worden, het staat vast dat deze vrouw door een volkstribunaal ter dood wordt gebracht. Daar zullen wij voor zorgen."

Het lukt nu om zijn monoloog te onderbreken.

"Dat kan allemaal wel waar wezen. Maar jullie zijn bij mij aan het verkeerde adres. Ik zal je uitleggen wat mijn relatie met haar is. Na de moord op haar vriend is ze bedreigd en toen heeft ze een beroep op mij gedaan. Ze was bang dat ze bij het politieonderzoek problemen zou krijgen over een smokkelaffaire uit Cuba en ik heb haar toen aangeraden een advocaat te nemen."

"Hou eens op met die flauwekul over smokkel. Het was gewoon diefstal."

Er klinkt irritatie in zijn stem.

Ik ga door met mijn verweer.

"Wat het ook is, ik wil daar verder niets mee te maken hebben. Het zijn dingen die inmiddels bekend zijn bij de politie, maar die houdt zich niet bezig met dingen die in Cuba gebeuren. Ze zijn alleen geïnteresseerd in de moord die in Amsterdam is gepleegd. Verder heb ik niets met haar en haar zaakjes te maken. Het is gewoon een vervelende vrouw die mij overal in betrekt."

De man beweegt onrustig op zijn stoel. Zijn stem klinkt nu dreigend.

"Wij zullen ervoor zorgen dat je ons de waarheid gaat vertellen. Als het niet op een redelijke manier kan, dan gaan we andere middelen gebruiken. Je dwingt ons daartoe. Ik zei toch al dat we alles van je weten. In elk geval meer dan je denkt. Ik zal een paar feiten noemen. Vorige week donderdag laat kwam deze vrouw bij jou op bezoek. Drie dagen later, laat op de avond, nadat jij en je Cubaanse vriendin in El Centro waren geweest, kreeg je bezoek van een paar maffiosi uit Miami. We hebben ze naar buiten zien komen. Vrijdagavond gaat jullie wederzijdse vriendinnetje, die mooie verpleegster, bij Anita op bezoek en gisteren op zaterdagochtend blijkt de vogel gevlogen. En jij probeert mij wijs te maken dat jij er niets mee te maken hebt."

Ik hoor zelf hoe weinig overtuigend ik ben als ik vertel dat al die bezoekjes tegen mijn zin waren en dat ik zaterdag pas hoorde dat Anita met onbekende bestemming was vertrokken. Hij luistert nauwelijks. Terwijl ik nog bezig ben met mijn verweer vliegt hij op van zijn stoel en geeft mij een klap midden in mijn gezicht. Ik val achterover en voel het warme bloed uit mijn neus over mijn gezicht stromen.

Ik hoor hem de trap op lopen terwijl hij in zichzelf mompelt: "Wat een gelul."

Boven hoor ik alleen het geroezemoes van stemmen. Ze houden beraad. Ik probeer me te concentreren op de touwen om mijn voeten. Eerst ga ik nauwgezet na hoe de knopen bij mijn enkels zijn gelegd en daarna zoek ik achterlangs met mijn handen naar de juiste eindjes. Na een maximale concentratie van een minuut of tien met mijn ogen dicht, zodat ik alleen met mijn vingertoppen bezig ben, voel ik langzaam beweging in de knoop. Het touw is los. Ik blijf op de matras liggen en schik het touw zo rond mijn voeten dat het nog vast lijkt. Ik voel dat het bloed in mijn onderbenen weer gaat stromen. Als ze mij voldoende tijd gunnen, moet het lukken om op te staan en het touw rond mijn polsen door te schuren tegen de scherpe hoek van het muurtje naast de trap. Te laat. Het luik gaat weer open. Ik laat me achterover vallen en ga in een hulpeloze houding op de matras liggen. Mijn gezicht is vol gestold bloed, het moet er zo dramatisch genoeg uit zien. Uit mijn ooghoeken zie ik iemand langzaam naderen.

"Hé, hoe is het?"

Het is een vrouwenstem met een buitenlands accent. Zacht kreunend draai ik me met veel drama om. Ze heeft een donkerblauwe bivakmuts over haar hoofd. Er komen alleen wat zwarte krullen onderuit. Daaronder draagt ze een weinig elegant sweatshirt en een kakibroek. Tegen de witte muur rechts vormt zich een lange schaduw als ze de laaghangende gloeilamp passeert. Ze gaat naast mij zitten op de matras en veegt met een tissue het bloed van mijn gezicht terwijl ik mijn ogen dichthou en zacht kreun alsof ik zwaargewond ben. Een softe benadering, dat is hun nieuwe strategie. Ik val weer achterover alsof ik uitgeput ben.

"Lex, als je met ons meewerkt, ben je heel snel weer thuis. Als wij Anita te pakken hebben, ben je een vrij man. Wij weten dat jij niet de dader bent. Het gaat ons om haar en alles wat ze gestolen heeft. Wij zijn strijders voor de gerechtigheid."

Op dat moment klinkt een oorverdovende knal boven ons hoofd. Het hele gebouw trilt op zijn grondvesten. Door de spleten van het luik zie ik vuur. Ik spring op van de matras en met een achterwaartse zwaai geef ik haar met mijn samengebonden vuisten een dof klinkende klap in het gezicht. Ze valt. Ik hol de trap op, duw met mijn hoofd het luik omhoog en kom terecht in een ruimte die gevuld is met rook en vuur. Ik zie dat links de uitgang is. De deur staat open. Er wordt geschoten met zoiets als een machinegeweer: *tak-tak-tak*. Het lijkt wel een oorlogsfilm. Ik word door iemand naar buiten getrokken door de open deur en val in het gras, gelukkig op mijn linkerschouder in plaats van op mijn gezicht. Als ik me omdraai kijk ik in het gezicht van een van de zwarte mannen uit Miami. Het lukt me om met zijn hulp overeind te komen en ik hol het weiland in, weg van de schuur die inmiddels in lichterlaaie staat. In het schijnsel van de vlammen waardoor de omgeving wordt verlicht, zie ik de andere man uit Miami, met een automatisch geweer, vermoedelijk een AK74 met daarop een granaatwerper, dat hij richt op de ingang van de schuur.

"*Run for your life, man. There is a path, that way. Walk to the village. We go the other way.*" Hij gebaart achter zich.

Ik ren het weiland in. In de verte begint het al licht te worden, er is een rode gloed aan de horizon. Ik kom bij een ijzeren hek dat openstaat. Ik zoek naar een hoek om het touw om mijn handen door te schuren. De onderkant van het hek is scherp genoeg. Uit de schuur komt nu een grote, blauwe steekvlam die de omgeving verlicht. Waarschijnlijk een ontplofte gasfles. Ik lig op de grond voor het hek en na enkele minuten schuren voel ik dat het touw loslaat. Ik sta op, ik ben helemaal vrij. In de verte zijn de lichten van een dorpje en de contouren van een kerktoren zichtbaar. Ik hol het pad op. Overal zijn sloten met eenden die kwakend genieten van het begin van de dag. Ver weg klinken sirenes, waarschijnlijk politie en brandweer die nu gealarmeerd zijn. Ik moet ervoor zorgen dat ze mij niet zien.

Een halfuur later sta ik voor een telefooncel aan de rand van het dorp. Het blijkt Westzaan te zijn, zo'n vijftien kilometer buiten

Amsterdam. Gelukkig heb ik een paar munten bij me. Orlaidis pakt onmiddellijk de telefoon op.

"Goddank, Lex waar ben je?"

"Niets aan de hand, ik ben gezond. Ik kan nu niets zeggen. Is Vera bij je?"

"Ze staat hier naast me. Ze is heel blij. Ze wil even je stem horen."

"Ha, lieverd. Nee, ik kan nu niets zeggen."

"Pap, wanneer kom je?"

"Wil jij zo naar het Centraal Station lopen en een taxi pakken naar Westzaan via de Coentunnelweg? Neem een paar honderd gulden mee. Er ligt genoeg geld in het laatje onder de tv. Ik loop van hieruit via de rijksweg in de richting van de Coentunnelweg. Als jullie de officiële afslag nemen naar Westzaan, dan kom ik jullie daar tegen. Zeg niemand waar je naartoe gaat, behalve de taxichauffeur. Begrepen?"

"Ja, begrepen. Naar Westzaan via de Coentunnelweg."

"Mag ik Orlaidis nog even?"

"Hier komt ze. Tot zo."

Ik voel me trots dat Vera zo nuchter en efficiënt reageert. Ze lijkt meer op mij dan op haar moeder.

"Ja", klinkt de stem van Orlaidis.

"Heb jij contact met de politie?"

"Ze hebben mij een telefoonnummer gegeven dat ik kan bellen als we iets van je horen."

"Bel en zeg dat ik terecht ben. Vertel maar een verhaal dat ik een oude vriend ben tegengekomen waarmee ik ben doorgezakt. Zeg maar dat we ruzie hebben. Vertel ze maar dat ik soms zo'n mafkees ben die plotseling wegloopt."

"Wat is dat Lex, een mafkees?"

"*Un loco*, je weet wel."

"Kom je nu snel? Ik maak me zorgen."

Op dat moment wordt de verbinding verbroken. Het geld is op.

Ik loop op een drafje naar het dorpscentrum, waar een bord staat in de richting van Amsterdam. Er komen politieauto's voorbij en een ambulance met zwaailichten. Ze kijken niet eens naar mij. Gewoon een bezwete vroege jogger, zoals er zoveel 's ochtends vroeg door het polderlandschap hollen.

Vlak bij de oprit naar Amsterdam komt de taxi me tegemoet. Vera heeft me al gezien. Ze zwaait. De taxi keert om en stopt in de berm van de weg. Mijn dochter springt uit de auto en valt me om de hals.

"Gelukkig, je ben terecht. We waren zo bang, we hebben de hele nacht op je gewacht."

Ik knik haar geruststellend toe en ik knuffel haar nog eens stevig voor we achter in de taxi stappen. Ik hou haar stevig tegen mij aangedrukt en als we weer op de snelweg zijn, fluister ik in haar oor.

"Het spijt me verschrikkelijk. Maar ik heb een vriend geholpen die in de problemen zat. Het kon niet anders."

"Heb je gevochten?"

Ze wijst naar mijn gezicht waar kennelijk nog wat bloed zit. Met haar zakdoek veegt ze het laatste restje weg. Ook veegt ze roetvlekken van mijn shirt.

"Ik kan je hier verder niets over zeggen, maar maak je geen zorgen."

Ze legt nog even haar hoofd tegen mijn borst en stelt verder geen vragen.

Orlaidis die in de deuropening staat als we thuis aankomen, is over haar toeren. Ik vertel haar hetzelfde verhaal, ze lijkt het niet te geloven maar laat het voor wat het is. Ze begrijpt dat ik Vera wil ontzien.

Ze heeft de politie gesproken. Die hebben het zoeken gestaakt, maar wel gevraagd of ik ze zo snel mogelijk bel. Ik stel dat voorlopig maar even uit. Ik moet nu eerst zorgen voor de veiligheid van Orlaidis, Vera en mezelf. De politie heeft ons niet veel te bieden. Vera moet zo snel mogelijk naar haar moeder in Alphen aan den Rijn. En Orlaidis en ik verschansen ons voorlopig achter een gebarricadeerde deur in mijn huis.

De Telegraaf heeft het op maandagochtend op de voorpagina.

VIER MENSEN KOMEN OM IN VLAMMENZEE

ZAANSTAD, 22 juli 2001.
Bij een fel uitslaande brand in een afgelegen schuur in Westzaan zijn in de nacht van zaterdag op zondag vier mensen omgekomen. De brandweer trof vier totaal verkoolde lijken aan van onbekenden. De politie tast in het duister over de oorzaak van de brand

en de identiteit van de slachtoffers. Volgens omwonenden werd de verlaten schuur regelmatig bezocht door buitenlandse drugsverslaafden.

Zo komt oorlog dus in de krant. Dat bedoelde die revolutionaire engerd daar in de kelder, toen hij het had over die oorlog die al jaren aan de gang is en waarover je niet in kranten leest. Ik leg de krant onder een stapel oud papier naast de vuilniszak. Ik wil het zo snel mogelijk vergeten. Orlaidis kent inmiddels het verhaal.

Mexico City (2), 2 september 2000

De afgelopen weken hebben Ismaël en ik een tocht gemaakt langs de Mayaroute in het zuiden van Mexico. Uren hebben we dromerig rondgezworven door de ruïnesteden van de Maya's met exotische namen als Chichen Itza en Uxmal. Via Palenque zijn we uiteindelijk terechtgekomen in San Cristobal de las Casas in de staat Chiapas. Hier hebben we twee dagen gelogeerd in Hotel Casa Mexicano, een gerestaureerd herenhuis uit de Spaanse koloniale tijd. We hadden de bruidssuite die uitkomt op de patio die vol staat met bloemen rond een ruisende fontein. We hebben lange wandelingen gemaakt door de stad en naar de omliggende indianendorpen. Wat een prachtig volk, en zo kleurrijk gekleed. Na elk vermoeiend uitstapje verwenden we onszelf en elkaar in de gigantische jacuzzi. Het leek echt een huwelijksreis: zoveel dagen samen, met alleen aandacht voor elkaar. Mijn lichaam gloeit nog na van het aaien, strelen en likken. Ook dat hoort bij een huwelijksreis. Ismaël heeft me ook alles verteld over zijn bemoeienis met het Cubaanse verzet. Hij heeft al jong met zijn ouders Cuba moeten verlaten toen de communisten aan het bewind kwamen. Al hun eigendommen, huizen, rumfabrieken en bierbrouwerijen werden door de Castro-aanhangers in beslag genomen, waarop de hele familie het land heeft verlaten. Hij wordt nog geëmotioneerd als hij vertelt over zijn schooltas die hem als klein jongetje werd afgepakt en helemaal werd doorzocht vóór ze in Havana het vliegtuig in mochten. Ik moest er bijna van huilen. Zijn hele familie is sindsdien betrokken bij de strijd tegen het regime. Twee neven van hem zijn omgekomen bij de strijd in de Varkensbaai in 1961. Ze werden op het laatste moment door de Amerikanen in de steek gelaten. Sinds die tijd voeren ze de strijd, vooral politiek, vanuit Miami. Ik heb begrepen dat zijn familie een van de belangrijkste geldschieters is van organisaties die de Amerikaanse politiek bewerken om Castro op de knieën te krijgen. Over zijn bemoeienis met de militaire strijd en de sabotage vertelt hij weinig. Waarschijnlijk om mij niet ongerust te maken. Hij heeft mij gevraagd of ik ook een bijdrage wilde leveren. Als Nederlandse zou ik zonder problemen als toerist naar Cuba kunnen reizen. Ik schrok ervan, maar hij heeft me verzekerd dat het niets met geweld of zoiets te maken zou hebben. Ik heb hem gezegd dat ik alles voor hem wil doen wat ik kan, zolang mijn leven maar niet in gevaar komt. Hij heeft me verzekerd dat hij absoluut niet wil dat zijn grote liefde iets overkomt. Eerlijk gezegd vind ik het allemaal erg spannend, maar ik ben geen Mata Hari. Hij moest daar erg om lachen, hij bleek het verhaal te kennen van de mooie Friese spionne waarmee het uiteindelijk slecht is afgelopen. Ik heb hem toen voorgedaan hoe ik Castro zou gaan verleiden. Hij werd daar zo opgewonden van dat we die broeierige avond in San Cristobal het diner op de patio hebben laten schieten.

Het gaat beter dan ooit met me. Nog nooit heb ik me zo sterk gevoeld. Het is bijna een jaar geleden dat moeder is overleden. Gek genoeg is het alsof een last van mijn schouders is gevallen. Ik sta er nu echt alleen voor. Ik ga ook helemaal alleen aan mezelf denken. Niets kan mij meer tegenhouden. Alsof ik alle kracht van mijn moeder erbij gekregen heb. Ik zal iedereen laten zien wie ik ben en wat ik kan.

18

Amsterdam, 24 juli 2001

Het proces is mooi op tijd begonnen. Ik zit naast officier van Justitie, Mulder, een goedmoedige buldog, die mij bemoedigend toeknikt tijdens mijn betoog, terwijl ik de ene na de andere prachtsheet projecteer. In één oogopslag zie je de beweging van de gelden op de Kanaaleilanden. Met gekleurde pijltjes bewegen de dollartekentjes zich van de trustmaatschappij in de richting van BV Silvertrust om dan vervolgens via de Amsterdamse effectenmakelaar bij de BV Sunny Island te arriveren. Op een foto, gemaakt van de videoband van de bewaking van de Jerseybank Unlimited, zie je de verdachte grote bedragen aan dollars in twee lederen weekendtassen stoppen. Als ik ook nog het bankafschrift projecteer waaruit blijkt dat de directeur op dat moment twaalf miljoen dollar in contanten heeft opgenomen, is daar natuurlijk weinig tegen in te brengen door hem en zijn advocaat. Vermoedelijk is hij vlak daarna met de 120.000 briefjes van honderd dollar zonder problemen in zijn privé-Cessna gestapt op het vliegveld. In Jersey is de douane niet lastig. Leve de vrije handel. De verdachte Oscar T., een goedgeklede Nederlandse man met de onkreukbare uitstraling van een notaris, is al eerder in verband gebracht met de drugsmaffia. Tijdens de uiteenzetting kijkt hij geen moment in mijn richting. Hij zit er bij zonder uitdrukking op zijn gezicht, alsof hij er niets mee te maken heeft. Zijn advocaat doet het werk. Dit is de eerste keer dat zo overduidelijk aangetoond wordt dat hij de financiële man is achter deze operatie. Ook de mensen van de trustmaatschappij, waar het geld oorspronkelijk vandaan komt, hebben hem aan de hand van foto's herkend. Oscar T. heeft tot nu toe nog niet duidelijk kunnen aantonen hoe hij aan het geld is gekomen. Het kan natuurlijk altijd nog worden uitgelegd dat hij met privégeld aan het manipuleren is, belastingfraude dus. Maar de officier van Justitie denkt te kunnen bewijzen dat het geld afkomstig is uit cocaïnegelden van de Colombiaanse maffia. Dat laat ik graag aan hem over. Na enige toelichting op het dikke rapport dat iedereen voor zich heeft, zit mijn werk in deze kwestie erop. De president van de rechtbank heeft geen verdere vragen. Hij bedankt mij beleefd voor de duidelijke uiteenzetting. Ik kan vertrekken.

Als ik me omdraai om de zaal te verlaten, zie ik een van de twee politiebewakers, die mij al dagen volgen, op de publieke tribune zitten. Vanochtend, toen ik voor het eerst sinds zondag mijn woning verliet, had ik ze al verderop in de straat zien staan. De man staat op en loopt me achterna.

"Heel interessant, dat witwasverhaal van je. Nu pas begrijp ik hoe dat werkt."

We wandelen samen het parkeerterrein op.

"Je zou wat meer rekening moeten houden met je gevolg", moppert hij, wijzend naar de blauwe VW waar zijn collega zit te wachten.

"Zaterdagavond bij Paradiso heb je ons in de problemen gebracht door plotseling om het hoekje te verdwijnen. We hadden er behoorlijk de pest in."

"Ik zal het nooit meer doen", reageer ik als een ondeugende schooljongen die spijt heeft van zijn wangedrag.

"Doe de groeten aan je collega. Zeg maar dat ik me vanaf nu netjes ga gedragen."

Mijn huurauto van Budget-Rent-A-Car staat in het gezichtsveld van mijn twee begeleiders die inmiddels hun auto hebben gestart. Ik krijg weer een gevoel van veiligheid terug. De afgelopen uren zijn mijn remmen niet doorgezaagd en is er ook geen kneedbom tegen de versnellingsbak geplakt. Daar hebben deze mannen op toegezien. Wat wil je nog meer in deze barre tijden?

Er ligt een briefje in mijn brievenbus.

"Don't use your own phone; the police has a wiretap on you."

Ik word verzocht een mobiel nummer te bellen.

Terwijl ik de lunch voor Boemibol klaarmaak, bedenk ik dat ik nog een prepaid telefoon van Orlaidis in de kast heb liggen. Die zal bij de politie niet bekend zijn. Ik stop het toestel met de oplader in het stopcontact. Op het antwoordapparaat staat een lief bericht van Vera. Ze gaat overmorgen met haar moeder naar Zuid-Frankrijk waar ze een huisje hebben gehuurd, vlak bij het strand van Croix Valmer. Als dat maar goed gaat. Ze is er in elk geval veilig. In deze roerige tijd heb ik haar liever niet bij mij in Amsterdam. Ik leg mijn papieren van de rechtszitting in de archiefkast. Ik kan wel allerlei spannende dingen meemaken, maar mijn core business is boekhouden. Ordelijk met je spullen omgaan hoort bij het vak. Het is een behoorlijke klus geweest, waarvoor ik weer een pittige rekening aan Justitie kan uitschrijven. De pest is alleen dat ze zo lang wachten met betalen, de zorg van alle kleine zelfstandigen.

"*Hi, this is Jorge.*"

Ik herken de stem van de langste van de twee.

"Lex Eckhardt."

"*How do you feel, Lex?*"

Het lijkt nu ineens een gesprek tussen twee oude vrienden. De sfeer is de afgelopen week behoorlijk verbeterd.

"*Thank you for your help, last Saturdaynight. Everything is fine with me.*"

"*I told you we are friends, as long as we work together.*"

"*Sure. What can I do for you today?*"

Goed zo Eckhardt, dit is de juiste klantgerichte toon.

Hij geeft een korte nabeschouwing van de gebeurtenissen in Westzaan.

De brand in die boerderij is volgens hem door de autoriteiten afgedaan als een fataal ongeluk veroorzaakt door een stel halfgare wietrokers die een peuk in het hooi hadden gegooid. De technische recherche, als die er al aan te pas is gekomen, heeft kennelijk de granaatresten over het hoofd gezien. De brandweer van Westzaan kun je het ook niet kwalijk nemen dat ze geen militaire experts in dienst hebben.

Ik verzeker hem dat ik niemand iets verteld heb.

"*Can you do something for us now?*"

"Natuurlijk, ik ben je wel iets verschuldigd na afgelopen zaterdag. Zolang ik Fidel Castro maar niet hoef te vermoorden. Dat is al zo vaak geprobeerd."

Gegrinnik aan de andere kant van de lijn. Jorge is goedgemutst vandaag.

Uit zijn verhaal blijkt dat een deel van de Cubaanse juwelen inmiddels is opgedoken bij Christie's in Londen. Keurig vergezeld van echtheidscertificaten uit Taiwan. De eigenaar is onbekend. De spullen zijn aangeboden via een makelaar. Mogelijk dat Anita in Londen is om het geld in ontvangst te nemen. Hun mensen in Londen hebben haar verblijfplaats niet kunnen achterhalen. Of ik misschien een idee heb wat haar adres zou kunnen zijn, of misschien heb ik een GSM-nummer waarmee ze haar kunnen traceren. Nee dus.

"Moet je nou eens goed luisteren, Jorge. Sinds het bezoek van jullie vorige week heb ik Anita even telefonisch gesproken. Ik heb haar hetzelfde gevraagd wat jullie van mij willen weten: waar zijn de kostbaarheden? Ik kreeg weer te horen dat ze van niets weet. Toen ik haar vervolgens persoonlijk wilde spreken, was ze spoorloos verdwenen. Ik weet dus niets meer dan jullie of de politie of die revolutionaire gekken uit Westzaan. Iedereen kan me zoveel bedreigen als hij wil, maar niemand wordt hier een cent wijzer van."

De afloop van het gesprek is iets minder vriendelijk. Jorges enige reactie is:

"*See you soon.*"

Een van mijn geliefde plekken in Amsterdam is het Blauwe Theehuis in het Vondelpark. Een blauw geschilderd cirkelvormig gebouw met twee etages, gebouwd in de zakelijke stijl van de jaren dertig. Rondom is een terras met een publiek dat een aardig beeld geeft van wat Amsterdam op het gebied van mensen zoal te bieden heeft. Er zitten stralende jonge moedertjes die schommelend met hun kinderwagen bijkomen van de recente bevalling, oudere schrijvers met een vergeelde nicotinebaard die aandachtig notities maken, en directeuren die er even uitgepiept zijn om op kosten van de zaak Chablis te drinken en tevergeefs proberen hun secretaresse te versieren.

Orlaidis zit met haar ogen halfdicht te genieten van het late middagzonnetje. Voor haar staat een lege ijscoupe. Als even later de ober mij een ijskoude Margharita bezorgt, voel ik me helemaal het mannetje. Hoezo zorgen over al die narigheid die ik meemaak?

De lange, glimmende, zwarte atleet met zijn blauw gespiegelde zonnebril en baseballpetje met de klep achterstevoren die hijgend aan komt lopen, herken ik onmiddellijk. Het is Jorge, mijn nieuwe vriend uit Miami. Hij draagt een oranje opengewerkt shirt met blote gespierde armen en een blauw sportbroekje. Hij heeft te weinig kleren aan om er onopvallend een wapen onder te dragen. Dat zou trouwens ook niet verstandig zijn. Als je zo zwart bent en er zo bij loopt, heeft de Amsterdamse politie meer dan gewone belangstelling voor je. Hij komt op dit moment niet erg gelegen. Maar

Orlaidis en ik knikken een beetje verkrampt vriendelijk als hij vraagt of hij er even bij mag zitten. Vrienden kun je niet zomaar weigeren.

Hij bestelt een *'natural orange juice'* bij de passerende ober.

"The Vondelpark is my favorite place for my daily training. In this time of the year it's like Miami. Have you been there?"

Ik vertel hem over mijn vakantie in South Beach, een paar jaar geleden.

Tijdens het gesprek neemt hij de situatie om ons heen goed in zich op met het oog op ongewenste luistervinken.

Hij komt ter zake.

"We hebben afgelopen zaterdag gezien wat er met je gebeurd is. Vanaf het moment dat je in de bestelwagen gegooid bent, hebben we je gevolgd. We wisten dat deze gewetenloze groep revolutionairen in Nederland verbleef, maar niet precies waar. Het was dus gewoon een kwestie van dat Volkswagenbusje volgen om bij hun verblijfplaats te komen."

"Ik heb jullie dus geholpen door ontvoerd te worden."

"Ja, in zekere zin zijn we dankbaar dat het gebeurde. Zo kregen we direct contact met de juiste personen en was er een goede mogelijkheid om stevig in te grijpen. Dat heb je gezien."

Er verschijnt een grijns op zijn gezicht.

"Trouwens", vervolgt hij, "we hebben ook nog even gedacht dat Anita onder één hoedje speelde met deze types."

"Je bedoelt dat Anita zij aan zij met deze revolutionairen tegen de Miami-Cubanen vecht?"

"Dat niet, maar wel dat Anita en haar vriendje Carlos bezig waren met smerige streken tegenover onze bevrijdingsbeweging. Je kunt zeggen dat ze daarmee aan de dezelfde kant staan als die zogenaamde revolutionairen."

"Ik begrijp het niet. Hoe komen jullie daarbij?"

"Ik moet je dan iets meer vertellen van de achtergrond van Anita. Zij was verliefd op een rijke zakenman in Mexico City die nauwe banden heeft met de Cubaanse bevrijdingsbeweging. De man is gerelateerd aan de familie Bacardi en iedereen weet dat die familie handenvol geld investeert in de anti-Castro-beweging. Hij had haar overgehaald om een handje te helpen om zeer waardevolle spullen, die vóór de revolutie aan de familie toebehoorden en nu bestemd zijn voor de beweging, uit Cuba te halen. Tijdens de voorbereiding van de operatie kwam ze erachter dat haar minnaar absoluut niet van plan was om te scheiden van zijn vrouw waarmee hij al dertig jaar getrouwd is, het bekende verhaal. Ze was zo verschrikkelijk woedend dat ze hem verschillende keren bedreigd heeft. Een furie was ze. Niets is zo gevaarlijk als een afgewezen vrouw. Om een lang verhaal kort te maken: haar grote wraak bestond eruit dat ze op eigen houtje doorging met de operatie in Cuba. Samen met dat Cubaanse vriendje is ze er toen met alle spullen vandoor gegaan. Met de kostbaarheden die aan onze beweging toebehoorden. De rest van het verhaal kennen jullie. Zij is een gevaarlijke vrouw. Het is goed dat jij dat weet."

Zijn jus d'orange is op. Hij masseert nog even stevig zijn zwarte glimmende benen voor hij weer wegsprint.

"*We'll keep in touch*. Als je iets hoort van Anita dan ga ik ervan uit dat je onmiddellijk belt. Je hebt mijn nummer. Zo kunnen wij vrienden blijven."

Ik ben nog niet helemaal gerust over mijn relatie met de heren. Ik ben blij dat ik nog steeds politiebescherming heb.

Hij verdwijnt weer tussen de skaters en joggers waarmee het Vondelpark vol is op deze tijd van de dag.

Als Orlaidis en ik een uur later naar huis lopen, komt ze gniffelend terug op het gesprek over Anita.

"Ik weet nu heel zeker dat je het niet met die mooie Anita gaat aanleggen. Veel te gevaarlijk, dat heb je gehoord. Ik pak dat heel anders aan dan zij. Als je mij in de steek laat of wanneer je mij ontrouw bent als ik in Cuba ben, dan stuur ik Changó op je af. Hij is de dappere god van de oorlog, overal ter wereld kan hij bliksem en vuur opwekken. Ik heb een heel goed contact met hem want hij is de minnaar van Ochún, mijn orisha die mij van alles op de hoogte houdt, ook over wat jij hier allemaal uitspookt."

Ik druk haar stevig tegen mij aan terwijl ik naar de lucht kijk en zie dat zich donkere wolken hebben gevormd. Zoals zo vaak op een warme Hollandse zomerdag gaat het onweren. Als ik me niet vergis, hoor ik in de verte al het eerste gerommel.

"Zie je wel, dit is nu Changó", kirt Orlaidis als de eerste regendruppels gaan vallen.

Ze voegt eraan toe: "Maak je niet ongerust, dit is alleen nog maar een eerste waarschuwing."

19

Amsterdam, 19 september 2001

Het is druk bij de Martinair-balie op Schiphol. We zijn ruim op tijd. Het vliegtuig van Orlaidis naar Holguín, Oost-Cuba, vertrekt pas over tweeënhalf uur. Maar door de aanslagen in New York van een week eerder zijn de veiligheidsmaatregelen strenger dan ooit. Orlaidis was bang dat ook Cuba erbij betrokken zou worden, maar de berichten zijn dat Castro zich onmiddellijk van het terrorisme heeft gedistantieerd en zelfs medische hulp aan de Amerikanen heeft aangeboden. Orlaidis moet weg. Een dezer dagen loopt haar verblijfsvergunning af. We hebben nog geprobeerd om uitstel te krijgen, maar dat leverde niets op. Opnieuw hebben we dagenlang doorgebracht in de treurige wachtkamers van de vreemdelingen-bureaucratie. We kwamen niet verder dan: "Eerst terug naar Cuba en daar kunnen jullie de procedure opnieuw opstarten."

Zwaarbewapende marechaussees in gevechtspakken staan om ons heen om elk moment op te treden. Het zijn taferelen die je nog niet zo lang geleden alleen aantrof bij de grens bij de DDR of op het vliegveld van een bananenrepubliek met een dictator die afgezet kan worden door andere boeven. Nederland begint ook al een spannend land te worden. Vooraan staat een Nederlandse familie met drie kinderen die nu al tien minuten wordt ondervraagd over hun bagage. Zouden er kneedbommen in het beertje van het jongste ventje zitten? Hij heeft het beest tegen zijn borst geklemd. Het gigantische pak luiers zou best eens ruimte kunnen bieden aan een uit elkaar geschroefde AK-47. De veiligheidsambtenaar besluit, na het reuzenpak even opgetild te hebben om het gewicht te schatten, dat het veilige luiers zijn. De familie is nu luchtwaardig bevonden en mag doorlopen. De kindertjes kijken nog even om of de enge mannen in de zwarte pakken met al dat schiettuig niet achter hen aankomen. Ze kennen zulke types waarschijnlijk alleen uit hun computerspelletjes waar ze dit soort mannetjes kunnen bedienen met de *remote control.*

In de taxi naar Schiphol heeft Orlaidis voortdurend gehuild. Ze kan geen afscheid van me nemen. Ik trouwens ook niet van haar. De halve nacht hebben we in elkaars armen gelegen. *Besame mucho esta noche, como si fuera la ultima vez.* Wel tien keer heeft ze dit Cubaanse lied gezongen. *Blijf me kussen deze nacht alsof het de laatste keer is.* We hebben elkaar bezworen dat het zeker niet de laatste keer zal zijn. Ik kom zo snel mogelijk naar Cuba. Ik wil haar land en haar familie leren kennen. Hoe het verder tussen ons zal gaan? We weten het niet. Tot nu toe weet alleen Ochún, haar huisheilige, het zeker. De berichten klinken gunstig, hoewel? In het land van de Orishas gaat volgens haar het verhaal dat we een lange toekomst samen hebben, inclusief gezin. Mijn ervaringen met het familieleven zijn tot nu toe niet onverdeeld gunstig. Het kleine beeldje zit in haar handtasje en zal zo dadelijk achterdochtig worden onderzocht op dynamiet of een ander ontplofbaar mengsel. Uiteindelijk valt haar hoeveelheid bagage mee. Ze is maanden bezig geweest met de aankopen van cadeaus voor de familie. Omdat in Cuba weinig te krijgen is en niemand geld heeft, verwachten Cubaanse families veel van de enkeling die 'naar buiten' is geweest. Ik heb haar met moeite kunnen weerhouden van de aankoop van een magnetron, waarmee haar moeder in enkele minuten de yucca aan de kook kan krijgen. De huishoudelijke apparatuur in haar bagage is beperkt gebleven tot een koffieapparaat en een staafmixer. Ze zit nu net iets boven de twintig kilo, wat voor Martinair en de Cubaanse autoriteiten een acceptabele hoeveelheid is.

De man in het glimmende trainingspak die nu aan de beurt is, heeft het moeilijk. De reuzengettoblaster heeft hij uit de zorgvuldig samengestelde fabrieksverpakking moeten halen. Hij staat zwetend boven zijn doos om het allemaal weer passend te krijgen. De veiligheidsbeambte inspecteert nu een grote hoeveelheid lakens die uit het cellofaan zijn gehaald. Hij heeft wel erg zijn best gedaan bij zijn aankopen, waarschijnlijk om de familie van zijn Cubaanse verloofde tevreden te stemmen. Het onderzoek van de bagage van Orlaidis en het inchecken verlopen zonder problemen. Ik mag niet verder lopen, omdat bij de eerste veiligheidscontrole de passagiers van de uitzwaaiers worden gescheiden. Orlaidis kijkt niet meer om nadat we innig afscheid hebben genomen en ze in de richting van de douanecontrole loopt. Ik weet waarom. Ook mij lukt het bijna niet meer om mijn emoties te bedwingen. Ik kijk nog even om of alles vlekkeloos verloopt. Ze kan zonder problemen doorlopen. Misschien denkt de ambtenaar wel: weer zo'n bruine buitenlander het land uit. Nederland binnenkomen is heel wat lastiger. Ik hou niet van de uitdrukking 'alsof er een stuk van mezelf weg is', maar het voelt wel zo als ik via de hal van het vliegveld in de richting van het treinstation loop.

Er staat een bericht van Jan, de ex van Orlaidis uit Heerenveen, op mijn antwoordapparaat. Hoe komt hij aan mijn nummer? Straks gaat hij me nog vertellen dat hij het ook moeilijk heeft met het vertrek van Orlaidis. Even niet terugbellen dus. Hoe dringend het ook is, althans dat bleek uit de boodschap. Het is het laatste wat ik nu kan gebruiken. Eerst maar eens aandacht geven aan Boemibol, die blijft tenminste bij me, hoewel haar stemming ook niet echt opbeurend is. Ze loopt rusteloos miauwend door het huis. Zelfs een Gourmet-blikje tonijn kan haar niet opvrolijken. Na afloop van haar maaltijd zit ze triest voor het raam naar de voorbijgangers te kijken.

"Wij kennen elkaar niet persoonlijk, maar het is belangrijk dat ik u even bel. Het gaat over Orlaidis."

Ik heb mijn nieuwsgierigheid toch niet kunnen bedwingen en na een uur het opgegeven nummer in Heerenveen gebeld.

De stem van Jan met zijn Friese accent klinkt gejaagd.

"Ik heb vanochtend vroeg bezoek gehad van een paar heren die op zoek waren naar Orlaidis. Het waren twee Amerikanen en een Nederlandse rechercheur. Ik zat midden in een spreekuur toen mijn assistente hen aankondigde. Toen ik klaar was met mijn laatste patiënt heb ik een halfuur met hen gesproken. De heren stelden zich voor als medewerkers van de Amerikaanse DEA, de Drug Enforcement Authority. Ze zochten Orlaidis. Ze denken dat ze betrokken is bij cocaïnehandel via Cuba. Het klonk me onwaarschijnlijk in de oren. Ik heb er in elk geval nooit iets van gemerkt. Wel heb ik me soms afgevraagd hoe ze aan al dat geld kwam. De rechercheurs noemden namen van Cubanen die hier in Nederland wonen, vriendjes van haar. Het zei me allemaal niets. Het zijn namen die ik nog nooit van haar had gehoord. Heb jij enig idee?"

Hij noemde een paar namen die ook mij niet bekend voorkwamen.

Toen ik van mijn eerste verbazing bekomen was, vroeg ik hem

hoe ze er in godsnaam bij komen om juist Orlaidis, die eerlijke en openhartige Orlaidis, van zoiets te beschuldigen. Ik heb nooit gemerkt dat ze ook maar enige connectie heeft met het criminele circuit.

Jan blijkt het helemaal niet eens te zijn met deze visie.

"Volgens mij is ze tot alles in staat", hoor ik de stem aan de andere kant van de lijn.

Ik voel de boosheid in me opkomen, maar ik kan me beheersen.

Als ik om uitleg vraag brandt hij los.

"Deze vrouw heeft mij geruïneerd. Bij de scheiding hebben zij en haar advocaat mij het vel over de oren gehaald. Ik ben zo stom geweest om met haar in gemeenschap van goederen te trouwen. Het heeft er nog aan ontbroken dat ik mijn praktijk moest verkopen. En nog steeds ontdek ik dat dingen in huis zijn verdwenen, niet alleen geld, maar ook kostbare, dierbare bezittingen van mijn overleden vrouw. Het is een ekster. Ik heb haar vorige week nog een aangetekende brief gestuurd met een lijst van vermiste voorwerpen. Ze reageert niet of ontkent alles."

"Maar hebt u de politie dan niet gewaarschuwd?"

Ik merk dat ik me formeel en afstandelijk ga opstellen tegen de woedende man.

"De politie ziet het als echtscheidingsgeharrewar. Zaken die gewoon bij de scheidingsprocedure hadden moeten worden ingebracht. Maar zij en haar advocaat ontkenden alles. Uiteindelijk heb ik de scheiding geaccepteerd zodat ze zo snel mogelijk het land uit moet. Zolang ze hier is ben ik juridisch ook nog aansprakelijk voor haar doen en laten, en daar pas ik voor."

"Ik heb haar juist vanochtend naar het vliegtuig gebracht. Ze is nu op weg naar Holguín."

Er valt een stilte. Er klinkt alleen geruis op de lijn, alsof hij even de telefoon heeft uitgeschakeld.

Even later hoor ik zijn stem weer. Hij klinkt nu wat rustiger.

"Misschien is het maar goed ook. Ik moet dit allemaal achter me laten en opnieuw beginnen. Ik hoop dat de politie haar te pakken krijgt. Ik heb de heren haar adres in Guantánamo gegeven. Misschien dat de Amerikanen wel samenwerken met Cuba op het gebied van drugsbestrijding."

Ik ga niet in op zijn beschuldigingen en rancunes en probeer zo neutraal mogelijk te klinken.

"Ik kan alleen maar zeggen dat het me zeer verbaast dit alles van u te horen. Mocht u nieuwe informatie krijgen van de politie, dan hoor ik het wel. Trouwens, hebben die heren van de DEA zich geïdentificeerd?"

"Nee, daar heb ik niet naar gevraagd. Ik neem aan dat het waar is. Het waren betrouwbaar uitziende Amerikanen. Waarom zouden ze zoiets uit hun duim zuigen?"

Ik wens hem het allerbeste toe, sluit het gesprek af en staar voor me uit.

Boemibol is naast me op de bank komen liggen.

Ik heb al een tijd door de stad gelopen als ik besluit om mijn oude stamkroeg in het stadsdeel de Pijp op te zoeken. Ik zal er wel geen bekenden meer tegenkomen, maar het is in elk geval een kroeg met sfeer. Met lijn 24 vanaf de Dam bereik ik de Albert Cuyp, waar na de marktdag de laatste hand wordt gelegd aan het schoonmaken van de straat. Met brandslangen wordt de straat elke avond schoongespoten. De laatste restjes bloemkool, bananen en sla die de kooplui hebben achtergelaten, worden op een hoop geveegd voor ze in een container verdwijnen. Zwervers zoeken in de overgebleven dozen en kisten of er nog iets eetbaars of bruikbaars te vinden is.

Café Koekenbier ligt in een zijstraat. Ik kwam hier al toen ik eind jaren zeventig een paar jaar aan de universiteit studeerde voor ik naar de politieacademie ging. Het waren de laatste jaren van de culturele revolutie in Amsterdam. Er liepen toen nog grote aantallen jaren zestig-provo's, kabouters, maoïsten en andere anarchisten, warhoofden en dromers rond in Amsterdam. Vroeg of laat belandden ze allemaal bij Koekenbier. Misschien wel juist bij Koekenbier, want daar heerste tenminste orde. Volgens sommigen was hier de Amsterdamse revolutie begonnen. In de jaren zestig werden hier bomrecepten uitgewisseld, en leden van de internationale arbeidersbeweging bespraken de strategische objecten van het kapitalisme die gesaboteerd zouden worden. Het wachten was alleen nog op de orders uit Moskou of Peking. Als er toen iemand een krant zat te lezen wist je zeker dat het een agent van de Binnenlandse Veiligheidsdienst was.

Het café is helemaal betegeld, inclusief de bar. Hierdoor heeft de akoestiek veel weg van een ouderwets sportfondsenbad. Het rook toentertijd altijd naar chloor, waarschijnlijk van de schoonmaakmiddelen, want schoon was het zeker. Gekleed in stofjassen voerden twee stevige barmannen een streng bewind. Het waren mannen van weinig woorden en duidelijke regels. Het glas mocht niet naast het viltje staan en iemand die al te dronken werd en zich onbetamelijk gedroeg werd met ferme hand op de stoep gezet. Luid zingen was absoluut niet toegestaan en de muziek stond nooit aan om de conversatie niet te storen. Het motto van Leo, een van de barmannen, was: je komt naar een café om te drinken en te praten, punt uit. Alleenstaande vrouwen werden met argwaan bekeken, daar komt alleen maar rotzooi van. Oudere stamgasten wisten nog dat deze vrouwen tot voor kort de deur werd gewezen. Door de opkomst van het feminisme was dat niet meer toegestaan. Volgens Leo zou het feminisme tot de ondergang van het echte caféleven leiden. Let op mijn woorden, zo besloot hij meestal zijn filosofische bespiegeling, die nooit uit meer dan twee zinnen bestond.

Het is inmiddels een gewoon café geworden. Een paar studenten uit de buurt en een paar plat Amsterdams pratende Marokkanen die ik ken van de groentekraam op de markt, drinken hun pilsje. Uit de speakers klinkt luid André Hazes. Het is niet meer wat het geweest is. Gelukkig dat Leo dit niet meer mee hoeft te maken. De glazen bier die vroeger een inhoud hadden van een halve liter zijn vervangen door gewone caféglazen. Die grote glazen waren speciaal geïmporteerd uit Engeland, vertelde Leo altijd trots. Voor mij is dit café een passende gelegenheid, na deze enerverende dag, om te filosoferen over verleden, heden en toekomst. Bij het vierde pilsje dat nog eens gevolgd wordt door een ouderwetse kopstoot, begint de leegte in mij zich enigszins te vullen. Het is lang geleden dat ik zoveel heb gezopen. Ik weet dat het niet verstandig is, maar het moet even. Ik zit in een hoekje van de bar waar altijd de denkers en miskende genieën zitten. Zij willen niet gestoord worden. Nergens wordt in een café zoveel gedroomd als op die plek. Ik kom niet veel verder met mijn gedachten. Het enige wat ik zeker weet, is dat ik naar Orlaidis verlang en zo snel mogelijk bij haar wil zijn. Als uiteindelijk de drank goed bezit van me neemt, komen beelden in mij op van tropische palmenstranden met een Cubaans orkestje. Orlaidis en ik hebben er een restaurantje geopend met uitzicht op de blauwe zee en de branding. Iedereen loopt swingend rond en maakt een gelukkige indruk. Zou Ochún dan toch gelijk krijgen? Laat die mafkees van een dokter daar in Heerenveen maar lullen.

Ik begrijp niet wat Orlaidis ooit in hem gezien heeft. Als ik mijn zesde pilsje bestel, merk ik dat ik met dubbele tong begin te praten. Oppassen Eckhardt, dit gaat niet goed. Zeker met al die types die het op je gemunt hebben. Ze kunnen je straks zo de gracht in duwen. *Stay cool man.*

Bij het verlaten van het café heb ik enig houvast aan de rechte lijnen van de tegels die er nog steeds liggen. Ik zie niet eens meer de blauwe Volkswagen van mijn engelbewaarders, die op de hoek van de Albert Cuyp staat te wachten.

20

Santiago de Cuba, 4 december 2001

De Boeing van Martinair is zojuist geland op de kleine luchthaven van Holguín. Er landen hier voornamelijk chartervliegtuigen vol toeristen op weg naar nabijgelegen vakantieoorden als Santa Lucia en Guardalavaca. De meeste medepassagiers zijn in Amsterdam, ondanks de vorst, in kleurrijke T-shirts en dunne zomerkleren aan boord gegaan. Sommigen zijn al in een luidruchtige vakantiestemming door de alcoholische versnaperingen die onderweg door de chartermaatschappij zijn verstrekt. Als we de vliegtuigtrap afkomen slaat de tropische lucht ons als een warme föhn in het gezicht. Een paar honderd meter verderop zie ik het kleine luchthavengebouw omgeven door palmen. Op het dak staan groepen mensen om ons welkom te heten. Als ik me niet vergis, zie ik daar ook Orlaidis in een rode zomerjurk. Ze zwaait uitbundig. Ik zwaai terug. Ik heb een flinke rugzak als cabinebagage, nog net binnen de regels. Het zit vol met bestellingen van Orlaidis voor haar en haar familie, van Nescafé tot een kaki safaribroek voor haar broer. Allemaal dingen die moeilijk te krijgen zijn in dit socialistische paradijs. Als je binnen het gewicht blijft laat de douane je meestal met rust, hebben ze me verteld. Mijn bagage ziet er redelijk toeristisch uit: naast de rugzak heb ik alleen nog een koffer met een gewicht onder de twintig kilo. Het enige wat misschien problemen kan geven, is de kleine laptop in mijn koffer. Dat schijnt een gewild smokkelartikel te zijn. De controle kost enige tijd. Iedere passagier wordt uitgebreid ondervraagd over zijn bestemming, alvorens het paspoort en het visum worden gestempeld. Er zouden wel eens contrarevolutionairen het land binnen kunnen komen. Door de open deur naar de aankomsthal zie ik Orlaidis. Ze is omgeven door enkele mensen, waarschijnlijk familie. Als ik eindelijk die deur doorga, stormt ze op me af, geeft me overal in mijn gezicht warme zoenen en klampt zich aan me vast alsof ze me nooit meer los zal laten. Ik voel het vertrouwde vrouwenlijf dat ik de afgelopen drie maanden zo heb gemist. De warmte die ik voel, komt nu niet alleen meer door de tropische temperatuur. Ik word voorgesteld aan haar moeder, een dikke negerin met een grote boezem in een bloemetjesjurk. Haar broer Eduardo is iets lichter van huidskleur dan Orlaidis. Ze omhelzen me alsof ze me al jaren kennen. Ik hoor al helemaal bij de familie. Met de bagage die eerst door de röntgenapparatuur moet, kan ik zonder problemen doorlopen. Maar als ik buiten het gebouw ben op weg naar de taxi waarmee ze uit Guantánamo zijn gekomen, holt een douaneambtenaar buiten adem achter me aan en wijst naar mijn bagage. Ik moet terugkomen. Ik begrijp dat mijn koffer moet worden opengemaakt. Ik ga terug. Binnengekomen mompelt hij iets over een *computadora* terwijl hij in mijn koffer graait en, inderdaad, daar komt hij tevoorschijn. Kennelijk is hij gewaarschuwd door de man van de röntgenafdeling die achterop was geraakt bij het bestuderen van de opnamen. De computer wordt zorgvuldig bestudeerd en ook even aangezet om te kijken of hij functioneert. Hij doet het zonder problemen. De ambtenaar gebaart me vriendelijk dat ik weer kan vertrekken. Het gaat hem kennelijk meer om de veiligheidsmaatregelen dan om mogelijke smokkel. Het zal wel te maken hebben met de aanslagen van een paar jaar geleden door enkele terroristen die in opdracht van de Miami-Cubanen apparaten, zoals transistorradio's, lieten ontploffen in vakantieoorden om het Cubaanse toerisme te ondermijnen. Het heeft een Italiaanse toerist in Havana het leven gekost.

Buiten op de parkeerplaats staat een krakkemikkige Lada met een chauffeur die Otto blijkt te heten, op ons te wachten. Otto is nog bezig de laatste voorbereidingen te treffen onder de motorkap. Als de bagage in de achterbak is gelegd en iedereen is ingestapt, kan de reis beginnen. De afstand naar Guantánamo is ongeveer honderdzestig kilometer en de reis zal volgens Orlaidis, die begeleid door gelach van haar familieleden Nederlands praat, ongeveer drie uur duren. Het plan is dat Orlaidis en ik onderweg in Santiago uitstappen. We hebben daar een kamer gereserveerd in Hotel Casa Granda.

De chauffeur start de auto door twee draadjes tegen elkaar te houden. Geen geluid.

"Dit is Cuba", giechelt Orlaidis terwijl ze tegen mij aankruipt achter in de volle auto. De mannen stappen uit om de auto een stevige duw te geven. De chauffeur holt een stukje mee alvorens in de auto te springen om hem in de versnelling te zetten. Aan het eind van de parkeerplaats komt het vehikel, met veel geloei en blauwgrijze rookwolken uit de uitlaat, eindelijk tot leven. De reis kan beginnen. De weg naar Santiago zit vol gaten die Otto, slingerend en zwenkend over de weg, handig weet te ontwijken. Eduardo rommelt al een tijd met draadjes onder het dashboard en nu is het eindelijk zover. Er klinkt keiharde salsa door de speakers achter op de hoedenplank. De moeder van Orlaidis zingt met haar zware stem en klapt het ritme mee. Als ze ook nog een plastic fles rum tevoorschijn haalt, die van mond tot mond gaat, krijgt de reis een feestelijk Cubaans tintje.

Santiago is gebouwd op heuvels. Voordat we de weg naar de stad afdalen krijgen we een prachtig vergezicht te zien. Orlaidis wijst me de gigantische kathedraal aan, die midden in de stad op het hoogste punt staat. Verderop is een grote baai waar, zo te zien aan de kranen en de schepen, de haven is. De baai is roodgekleurd door de ondergaande zon. We passeren de Plaza de la Revolución met in het midden een enorm monument van een generaal te paard die achterom kijkend gebaart hem te volgen. Het is generaal Maceo, een van de leiders van de onafhankelijkheidsstrijd tegen Spanje. Iedereen in de auto geeft een toelichting op het monument. Ik krijg te horen waar, wanneer en bij welke slag dit voorval heeft plaatsgevonden. Het zal niet de laatste keer zijn dat ik kennismaak met dit goed geïnformeerde Cubaanse nationalisme.

Het is al donker als we twintig minuten later in het centrum arriveren bij hotel Casa Granda. Het is een groot koloniaal gebouw naast de kathedraal met een terras dat uitkijkt over Parque Céspedes, het centrale plein van de stad waar alles zich afspeelt. Casa Granda is een beroemd hotel. Graham Greene beschrijft het in zijn roman *Our man in Havana*. Toen de schrijver hier logeerde in de jaren vijftig, wemelde het aan de bar van de Amerikaanse spionnen die van hieruit de ontwikkeling van de revolutie nauwlettend in de gaten hielden.

Na een drankje en een hapje op het terras nemen we afscheid van de familie. Eindelijk alleen met Orlaidis. We hebben een grote kamer met uitzicht op het plein. Door de koelte van de airconditioning merk ik hoe bezweet ik ben van de vochtige tropenlucht.

We gaan eerst samen onder de douche. Met inzepen, strelen en zoenen onder de koele waterstraal kunnen we weer wennen aan elkaar, na al die maanden.

We zijn alle twee nog vochtig als we over elkaar heen duikelend in bed belanden.

Er komt pas echt een gesprek op gang dat verder gaat dan 'heerlijk' en 'wat lekker', als we een halfuur later tevreden van de liefde onder de lakens liggen.

"Je krijgt de groeten van Boemibol en Vera, ze hebben je erg gemist. Boemibol zat elke dag voor het raam te kijken waar je bleef."

"Ik heb elke dag een glas rum en een bloemetje bij Ochún gezet en gebeden dat het goed met je zou gaan. Ze hield me op de hoogte van je doen en laten en ze heeft me steeds gerustgesteld."

"Wat zei ze dan?"

"Ze heeft steeds goed op je gelet. Je voelde je soms wel ongelukkig, maar je bent niet met andere vrouwen geweest. Dat klopt toch?"

Ze kijkt mij onderzoekend aan.

Ik geef haar een zoen en aai haar vochtige krulletjes.

"Ik heb wel goed rondgekeken maar er bestaan geen aantrekkelijker vrouwen dan jij."

"*Loco!*"

Ik praat haar bij over wat er de laatste tijd gebeurd is. Ze reageert heel verbaasd op het drugsverhaal van haar ex uit Heerenveen. Ze kent hooguit een paar Cubanen in Amsterdam die in hasj en wiet scharrelen. Maar wie kent die niet? Van die Colombiaanse cokejongens die in sommige Amsterdamse disco's rondscharrelen, heeft ze zich altijd verre gehouden.

"Hoe komen ze daar in godsnaam bij?"

Na even nadenken zegt ze: "Misschien zijn het dezelfde mannen geweest die mij in juni in mijn flat hebben bedreigd. Waarschijnlijk waren die ook van een van die organisaties in Miami."

Het klinkt oprecht.

Ze is ook geïnteresseerd in het laatste nieuws over de kwestie Anita. "Er valt niet veel over te vertellen. Anita blijft onvindbaar en er duiken steeds weer juwelen van haar op bij dure veilingen van Christie's en Sotheby's. Ze zien er steeds keurig uit met echtheidscertificaten uit Antwerpen en Taiwan. Niemand kan er een vinger achter krijgen omdat ze verkocht worden via makelaars die als integer bekendstaan. Ik heb nog een paar keer contact gehad met Jorge en zijn vriend uit Miami. Ze hebben waarschijnlijk geaccepteerd dat ik niet meer weet dan zij en dat ze last krijgen met de politie als ze mij iets aandoen. Ze bleken te weten dat ik naar Cuba ging. Vanochtend nog stond Jorge op Schiphol om uit te zoeken wat ik in Cuba ging doen. Mijn verhaal over de pure liefde voor jou maakte weinig indruk. Ik heb hem moeten beloven dat ik hier via de familie van Carlos probeer te achterhalen wat er gebeurd is. Hij weet niet dat ik weet dat zijn familie in Baracoa woont, hier in het oosten van Cuba. Anita heeft Carlos daar ook leren kennen."

Orlaidis reageert uitgelaten, ze springt uit bed en maakt een bloot rondedansje.

"Heerlijk, mi amor, samen op vakantie in Baracoa. Het is een tropisch paradijs, een van de mooiste plekken van Cuba. Het is vanaf hier ongeveer vijf uur rijden."

De telefoon, zo'n ouderwets rinkelding op het nachtkastje, gaat over.

"*Hola, digame*!"

Het blijft stil aan de andere kant. Na een paar seconden wordt de verbinding verbroken.

Als ik bij de telefoniste informeer wie er gebeld heeft, weet ze van niets.

"U bent helemaal niet gebeld. Dan zou ik het moeten weten."

Hier waart de geest van Graham Greene rond.

Orlaidis is minder achterdochtig.

"Gewoon een foutje. De telefooncentrales in Cuba zijn meer dan vijftig jaar oud. Er gebeuren hier altijd rare dingen."

Later op de avond gaan we het hotel uit. Even de sfeer proeven in de stad. Buiten op het terras slaat de warmte ons tegemoet. In de gekoelde kamer vergeet je dat je in de tropen bent. Om de hoek naast het hotel in Calle Heredia, zien we een menigte op straat staan voor de open luiken van de Casa de la Trova. Dit is het muzikale centrum van Santiago de Cuba. Hier wordt op verschillende plaatsen in het gebouw, van 's ochtends elf uur tot laat in de nacht, live traditionele Cubaanse muziek ten gehore gebracht. Het is ook een historische plek. De bar en de patio zijn genoemd naar Virgilio, een man die hier vóór de revolutie een bekend muzikantencafé had dat bezocht werd door alle muzikale grootheden uit die tijd. Op dit moment speelt de groep *Sones de Oriente*, een swingende sonband onder leiding van een goedgemutste pikzwarte bassist met een soort Che Guevara-pet op met daarop het Nike-logo geborduurd. Orlaidis kent hem, hij heet Pastor.

El Cuarto de Tula, klinkt het door de ramen. Het is een ondeugend lied over Tula, een mooie meid van wie de kamer in brand staat. De brandweermannen verdringen zich om te kunnen blussen. Een van de vele Cubaanse liedjes met een dubbele betekenis waarbij Sigmund Freud zich vergenoegd in de handen gewreven zou hebben. De mensen op straat genieten ervan, iedereen staat mee te wiegen. Een zwarte meid gekleed in een nauw aansluitend aerobicspakje met een tot haar navel doorlopend decolleté, danst zich helemaal uit haar bol met haar vriendje.

We betalen een dollar entree en gaan naar binnen. De band speelt zich in het zweet. De twee zangers, een grote forsgebouwde man die, zo hoor ik later, Angelito (Engeltje) heet en Jonaz, die een Nederlandse verloofde blijkt te hebben, zingen nu *Chan Chan*. Het is het beroemde lied van Compay Segundo dat door de Buena Vista-rage wereldberoemd is geworden. Het wordt hier overal gespeeld, speciaal om de toeristen een gevoel van herkenning te geven. Tijd om te dansen met Orlaidis. Deze traditionele muziek wordt, vooral in Santiago, *contratiempo* gedanst, dat wil zeggen tegen de beat in. Tussen de lokale dansers die voor in de zaal hun kunsten vertonen, slaan we niet eens een gek figuur. Het is in elk geval beter dan het gehuppel van de meeste toeristen dat hier meewarige blikken oplevert. De lessen van Orlaidis in Amsterdam werpen hun vruchten af. Een Santiaguero op de eerste rij, een 65-plusser met een leren petje, roept ons bemoedigend toe. Zo'n *gringo* die de son volgens de regels danst, dwingt respect af.

Tijdens de pauze ga ik naar het toilet bij de patio. Als ik terugkom, zie ik Orlaidis bij de ingang staan tussen twee agenten met het grijze uniform van de Policía Revolucionaria die haar identiteitskaart controleren. Ze voert een discussie met ze die ik niet goed kan verstaan, omdat die in het zangerige Spaans wordt gevoerd met de plaatselijke tongval. Ze is woedend. De mannen, eigenlijk nog jongens, zijn niet erg onder de indruk. Als ze aanstalten maken om haar naar buiten te brengen, bemoei ik me ermee. Ik stel me voor en zeg dat ik haar *novio*, haar verloofde, ben. Ze reageren schouderophalend en voeren haar zonder naar mij te kijken af naar een grijze Lada met een blauw zwaailicht. Orlaidis verzet zich niet, ze blijft alleen doorgaan met protesteren terwijl ze naar mij wijst. Als ze instapt roept ze naar mij dat ik contact moet opnemen met haar broer Eduardo. De Lada rijdt vol gas weg. De menigte die gelaten heeft toegekeken, stuift uiteen om de auto te ontwijken. Een oudere man met een geblokte jaren vijftig-pet op loopt naar me toe en zegt dat ik me niet ongerust hoef te maken.

"De jacht op de *jineteras* is weer begonnen. Als het de eerste keer is, worden ze na een nacht weer vrijgelaten. Dit is Cuba."

Jineteras zijn in het Cubaanse jargon vrouwen die zich ophouden met toeristen. In het kader van de bestrijding van de prostitutie, die Cuba zo'n slechte naam geeft, wordt er van tijd tot tijd hard tegen opgetreden.

Vloekend in mezelf loop ik terug naar mijn hotel om Eduardo te bellen. Orlaidis heeft mij eerder verteld dat hij goede contacten heeft bij de politie. Ik heb een telefoonnummer van de buren van Orlaidis in Guantánamo. Binnen vijf minuten heb ik haar broer aan de lijn.

"*Qué pasó*! Wat is er gebeurd?"

Via de krakende telefoonlijn vertel ik hem wat een kwartier geleden is voorgevallen.

Hij begint te schelden in een onverstaanbaar Spaans.

Morgenvroeg neemt hij de eerste bus. Om een uur of acht is hij bij het Casa Granda.

"Ga rustig slapen. Je zult zien dat het in orde komt."

Het lukt mij helemaal niet om rustig te slapen, ondanks mijn jetlag. In mijn halfslaap rol ik steeds naar de lege plek naast me. Ik zie het beeld voor mij van Orlaidis, die naar me wijst voor ze in de politieauto stapt. Machteloos en woedend zit ik dan weer overeind in mijn bed.

"Wat een kloteland!"

21

Santiago de Cuba, 5 december 2001

Eduardo en ik stappen uit de ronkende Mercury '47 bij het gebouw van de PNR, de Policía Nacional Revolucionaria. De taxichauffeur rijdt onmiddellijk door, alsof hem deze bestemming helemaal niet bevalt. Het betonnen gebouw in jaren vijftig-stijl, dat nog niet zo lang geleden roze en grijs geverfd is, staat in het stadsdeel Santa Barbara, ver buiten het centrum. Bij de ingang hangt in het vroege ochtendzonnetje een groepje mensen rond dat bestaat uit agenten en wachtende burgers. Eduardo baant zich een weg door het gezelschap en ik volg hem. Hij weet hier de weg omdat een goede vriend van hem hier werkt. We komen in een kale, rokerige ruimte waar een politieman geconcentreerd zit te typen op een Olivetti-schrijfmachine zoals ik me die herinner uit mijn jeugd. Naast hem, bij een draaiende ventilator, ligt zijn gordel met revolver, handboeien en gummiknuppel. Eduardo mompelt 'hola' om de aandacht van de man te trekken. Hij reageert niet. Als de politieman even later de papieren met carbonnetjes uit de machine draait, kijkt hij op en knikt.

Eduardo vraagt naar Pepe Gonzales, '*un amigo*'.

Nu komt hij echt in actie. Die naam maakt indruk, hij wordt vriendelijk en attent. Zeker een hoge Piet. Na een kort telefoontje gebaart hij ons om te volgen. Aan het eind van een lange, hol klinkende gang worden we binnengelaten in een kamer met airconditioning. De donkere man met kroeshaar achter het houten bureau reageert enthousiast als hij Eduardo ziet.

"*Qué sorpresa, amigo!*" Wat een verrassing!

Ze omarmen elkaar alsof het een weerzien is na een lange tijd. Eduardo heeft me op weg hiernaartoe verteld dat ze schoolvrienden zijn uit Guantánamo. Hij heeft goede relaties.

"Gisteravond laat is Orlaidis opgepakt bij de Casa de la Trova. Weet jij daar iets van?"

Eduardo vertelt het verhaal en ik vul af en toe de details aan.

Pepe hoort ons hoofdschuddend aan.

"Ik weet van niks. Ze is hier niet binnengebracht, want dan zou ik het weten."

"Kwamen jullie samen binnen in de Casa de la Trova?" Hij richt het woord tot mij. Ik kan hem goed volgen, hij heeft een duidelijke uitspraak.

Ik knik.

"Volgens de instructie worden de meisjes alleen opgepakt als ze daar contact zoeken met buitenlanders. Wij krijgen vanuit Havana de opdracht om dit beleid uit te voeren. De prostitutie heeft ons land een slechte naam bezorgd. Maar er loopt wel eens wat mis", zegt hij verontschuldigend.

Hij pleegt een paar telefoontjes waarbij hij steeds de naam Orlaidis Hierrezuelo noemt. Hij lijkt er niet veel wijzer van te worden. Bij de vierde keer is het raak. Hij knikt naar ons, terwijl hij luistert naar het verhaal aan de andere kant van de lijn. Zijn gezicht wordt steeds somberder.

Als hij de telefoon neerlegt klikt hij veelbetekenend met zijn tong tegen zijn verhemelte.

"Ze is vannacht ondervraagd door de DSE, de staatsveiligheidsdienst. Ik ben er niet precies achter kunnen komen wat er aan de hand is, maar er bestaat een vermoeden dat ze in Nederland contact heeft gehad met contrarevolutionairen."

Eduardo luistert bezorgd als zijn vriend Pepe uitlegt waar ze nu is.

Ze blijkt in het gebouw te zijn van de DSE. Zoals Eduardo me later uitlegt, is dit een van de meest gevreesde gebouwen in de provincie Santiago. Het ligt in het stadsdeel Versailles, op de weg naar het vliegveld.

"Jij kent haar uit Nederland. Wat denk je, is dat mogelijk? Heeft ze contact met contrarevolutionairen?"

Pepe kijkt mij onderzoekend aan, terwijl hij op de nagel van zijn duim bijt. Uit zijn stijl spreekt jarenlange ervaring in verhoortechnieken.

"Ik vind het godgeklaagd dat ze juist haar hiervan verdenken. Ik ken Orlaidis als de meest patriottische Cubaanse die ik ooit ben tegengekomen. Nooit, maar dan ook nooit, heb ik iets gemerkt van sympathie met de vijanden van Cuba. Ze is tweeënhalf jaar geleden naar Nederland gekomen omdat ze verliefd was geworden op een Nederlandse huisarts die hier op vakantie was. Ze is een paar maanden geleden gescheiden. Ze is nu mijn vriendin, ik ken haar al een jaar. Ze wilde niets liever dan teruggaan naar Cuba omdat ze het land en de familie zo miste."

Ik knik in de richting van Eduardo, die mijn verhaal bevestigt.

"Dacht u dat zo iemand haar land zou verraden?"

In het vuur van mijn betoog word ik steeds woedender. Ik sla met mijn vuist op het houten bureau om mijn overtuiging te onderstrepen.

Ik moet uitkijken dat ik niet beledigend ga worden. Ik weet dat ik in dit soort omstandigheden soms de verkeerde dingen zeg. Woorden als 'politiestaat' en 'vuile fascisten', liggen mij voor op mijn tong. Pepe trommelt met zijn vingers op het bureau terwijl hij nadenkend naar buiten kijkt. Na een tijd kijkt hij me weer aan. Achterover wippend op zijn stoel met zijn handen achter zijn hoofd, zegt hij zuchtend: "Ik zal kijken wat ik kan doen. Ben je straks te bereiken in het Casa Granda?"

Ik knik. Hij staat op en begeleidt ons naar de gang. Bij de deur slaat hij een arm rond de schouder van Eduardo en informeert naar zijn moeder. Hij drukt mij stevig en formeel de hand. Aan zijn gezicht is weinig te zien.

Bij de ingang staat nog steeds hetzelfde gezelschap. De politie is hier weinig klantgericht. Als we vijftig meter van het bureau verwijderd zijn, fluistert Eduardo: "Dat is niet best. We zeggen hier over dat DSE-gebouw: *Donde todo el mundo canta.* Het is het gebouw waar iedereen gaat zingen, het Cubaanse woord voor doorslaan. Ze gebruiken daarbij geen vriendelijke methoden."

"Wordt er gemarteld?"

"Nee, zover ik weet zetten ze je onder grote psychische druk met dag en nacht geluiden en licht in je cel, zodat je niet kunt slapen. Ook vertellen ze je op de meest onverwachte momenten allerlei zaken die ze zogenaamd van je weten om je nerveus te maken."

Ik ben er niet gerust op.

Eduardo wacht beneden op het terras van het hotel. In mijn kamer zie ik meteen dat er in mijn bagage is gerommeld. Mijn koffer ziet er ogenschijnlijk normaal uit, maar de kleren zijn voor mijn doen te netjes opgevouwen. De hoes van de laptop staat een beetje open. Het blijkt dat de diskette die in de computer zat, is verdwenen. Ik weet zeker dat die er nog in zat bij de controle op het vliegveld. Verder is er niets weg; de Visa-kaart in het zijvakje en de Thomas

Cook travellercheques zijn onaangeroerd. Op de diskette stond alleen het overzicht van mijn inkomsten in het afgelopen jaar en mijn correspondentie met de juweliersvereniging. Daar zullen ze van opkijken. Niet erg interessant voor die jongens van de geheime dienst of wie het ook mag wezen. Ze zullen hooguit jaloers worden op mijn inkomsten, als ze er al wijs uit kunnen worden. Overheidsfunctionarissen verdienen hier hooguit twintig dollar in de maand.

Ik loop naar beneden naar het terras, want het is te koud in mijn kamer door de airco en ik voel me hongerig. Bij de receptie laat ik weten waar ze me kunnen vinden, omdat ik een belangrijk telefoontje verwacht. Desgevraagd vertellen ze dat er de afgelopen uren niet naar mij geïnformeerd is. Ik had niet anders verwacht, insluipers melden zich niet bij de receptie.

Tijdens het verorberen van een onsmakelijke sandwich samen met Eduardo, vraag ik me af hoe het nu met Orlaidis gaat. Dat geboefte zal haar behoorlijk de stuipen op het lijf jagen. Ik mag hopen dat het daarbij blijft. Ik moet er niet aan denken dat haar iets ergs overkomt. Ik kijk elke vijf minuten op mijn horloge. Het is nu drie uur, het heetst van de dag. Op het plein zitten alleen wat oudere mensen te knikkebollen in de schaduw. Af en toe komt een groepje schoolkinderen voorbij in hun roodwitte uniformpjes.

"Señor Eckhardt!"

De stem is van het meisje van de receptie die naar mij toekomt en gebaart dat er telefoon is.

Het is Pepe Gonzales.

"Hola señor. Er komt zo een auto naar het hotel om jullie op te pikken. We gaan naar de DSE. Maakt u zich geen zorgen, het gaat goed met Orlaidis. Ze willen ook u een paar vragen stellen."

"Akkoord, we zitten op het terras."

"Hasta luego."

Bernardo Santos is een *big shot*, dat zie je zo. Hij is blank, een grote rijzige man met een dunne David Niven-snor. Nadat hij ons koel heeft verwelkomd, neemt hij plaats achter een groot bureau. De kamer is kaal, er hangen alleen foto's aan de muur van Fidel Castro en Che Guevara met daarboven de Cubaanse vlag. De stoel van Bernardo is net iets hoger en comfortabeler dan de onze. Zijn gestalte is voor hem kennelijk onvoldoende om indruk op ons te maken. Hij is smaakvol gekleed in een lichte, katoenen pantalon met daarover een *guayabera*, een ruimzittend los hemd met discrete borduursels van duur katoen dat je bij Cubanen zelden ziet. Niemand hier draagt een uniform, ook niet de kleine donkere man naast Bernardo die op de hoek van het bureau klaar zit om notities te maken. Bij de deur staat een stevige figuur met een machinepistool dat losjes aan zijn arm bungelt. Alleen Pepe Gonzales en ik zijn toegelaten tot dit heilige der heilige. Eduardo kreeg het verzoek om in de gang te wachten.

Pepe zit er ontspannen bij met zijn goudgerande zonnebril op zijn hoofd tussen het kroeshaar. Hij vertelt de reden van onze komst.

"We willen precies weten waarom Orlaidis Hierrezuelo is gearresteerd."

Uit zijn toon blijkt dat hij niet onder de indruk is van de entourage.

"Ik heb u al verteld dat we deze mevrouw verdenken van contrarevolutionaire contacten. We weten dat zij en ook deze buitenlander contact hebben in Amsterdam met mensen die illegaal kostbaarheden, die het Cubaanse volk toebehoren, hebben geroofd."

Hij spreekt zonder enige expressie de woorden uit. Alleen het woord *extranjero*, buitenlander, krijgt een klemtoon.

"Als u daar bewijzen voor hebt, sta ik aan uw kant. Maar zijn die er?"

Uit zijn bureaula haalt Santos een zwartwitfoto tevoorschijn die hij voor ons op het bureau legt. Ik herken de ingang van het huis van Anita op de Lindengracht. Orlaidis en ik staan op de stoep te wachten tot de deur wordt geopend.

"Je ziet hier dat deze man en deze vrouw op bezoek gaan bij een van de belangrijkste daders. Met de hulp van handlangers hier in Cuba heeft ze juwelen van onschatbare waarde ons land uit gesmokkeld."

Hij haalt een tweede foto tevoorschijn waarop te zien is dat Orlaidis en ik het pand weer verlaten. In de deuropening staat Anita die ons uitlaat.

Ik neem het woord.

"Het is duidelijk dat wij dit zijn. Ik herinner me het bezoek nog precies. Maar wat zegt het?"

"Wij weten dat zij op dat moment hulp zocht bij de verkoop van de juwelen, gezien uw connecties met de juwelenhandel in Nederland en Antwerpen."

Dit begint op blufpoker te lijken. Zijn uitdrukkingsloze gezicht is daar ook geschikt voor. Hij wrijft over zijn kin en kijkt afwachtend naar een punt boven mijn hoofd.

Het is even stil in de grote ruimte. Het enige geluid is het zoemen van de airconditioning.

"Ik begrijp absoluut niet hoe u daarbij komt. Moet u eens luisteren, señor Santos. Deze foto is genomen twee dagen na de moord op Carlos, een goede vriend van haar. U weet daar waarschijnlijk alles van via uw relaties in Amsterdam. Zij belde mij via een wederzijdse vriendin die erg met haar te doen had na de moord in El Centro. Ze zocht hulp, ze voelde zich bedreigd en ze vertelde mij een wazig verhaal over een smokkelaffaire vanuit Mexico. Ik heb haar geadviseerd contact op te nemen met de politie en een goede advocaat te zoeken. Met dat soort zaken wil ik absoluut niets van doen hebben. Zoals u waarschijnlijk ook weet, werk ik als boekhoudkundig expert voor de politie. Dacht u werkelijk dat ik ook maar enigszins in verband gebracht wil worden met dit soort illegale praktijken? Dat ik mijn werk met dit soort kwesties in gevaar zou willen brengen?"

De laatste woorden spreek ik uit op luide toon en ik hef mijn handen theatraal omhoog.

Pepe komt tussenbeide.

"Zijn er meer bewijzen dan deze foto?"

Hij kijkt de chef van de geheime politie strak aan, terwijl hij de zonnebril naar achteren op zijn hoofd verplaatst.

"Wij weten dat deze extranjero en zijn Cubaanse *novia* daarna nog vaker contact hebben gehad met deze verdachte vrouw", is het antwoord van Bernardo Santos die er nu iets ongemakkelijker bij zit.

"Zijn er ook bewijzen dat señor Eckhardt en de *señorita* haar geholpen hebben met haar misdadige praktijken?"

Ondanks de koelte in de kamer zie ik nu dat er minuscule zweetdruppeltjes verschijnen op het voorhoofd van de grote man.

"Dat is precies wat we hier willen uitzoeken", is zijn bitse antwoord.

"Okay. U hebt nu een hele nacht en deze dag de tijd gehad om Orlaidis Hierrezuelo te ondervragen. Hebt u inmiddels meer bewijzen dan wat we tot nu toe gezien en gehoord hebben?"

Pepe blijft hem nog steeds aankijken. Zijn ogen glinsteren van ingehouden woede. Hij bijt op de nagel van zijn linkerduim terwijl hij het antwoord afwacht.

Als hij geen antwoord krijgt springt Pepe op. Zijn bruine kleur verschiet naar rood. Wild gebarend verzoekt hij of de assistent van Bernardo Santos en de bewaker de kamer willen verlaten.

"Ik ga nu een paar dingen zeggen die je ondergeschikten beter niet kunnen horen!"

Bernardo knikt naar zijn medewerkers die geschrokken de kamer verlaten.

Als de deur dicht is steekt Pepe van wal. Hij staat rechtop voor het bureau.

"Als je nu niet onmiddellijk Orlaidis vrijlaat en deze mensen met rust laat dan ga ik bellen met de hoogste autoriteiten in Havana."

Hij wijst theatraal naar de telefoon op het bureau.

"Je weet dat Raoul Castro een goede vriend is van mijn vader. Ze hebben samen gevochten in de Sierra Maestra. Hij is een huisvriend van mijn familie in Guantánamo. Ik zal hem vertellen dat je ons volk te schande maakt door willekeurig patriottische landgenoten en onschuldige buitenlanders lastig te vallen en te arresteren zonder enig bewijs. Dat je ook nog eens met je domme optreden in staat bent om een internationaal incident te veroorzaken. Juist nu we een moeilijke tijd doormaken in ons land, nu we de buitenlandse toeristen hard nodig hebben om economisch te overleven. Het zijn jouw soort mensen die dit land te gronde richten. Zal ik dat telefoontje nu plegen?"

Bernardo Santos veegt over zijn voorhoofd om de zweetdruppels weg te krijgen. Zijn blanke huid is nu een tint lichter. Het is niet duidelijk of hij angstig of woedend is.

De op het eerste gezicht zo kalme Pepe, staat nog na te trillen op zijn benen.

Als Bernardo Santos even de kamer verlaat, fluistert de inmiddels gekalmeerde Pepe me toe: "Sorry, dat ik me even liet gaan. Dit soort idioten moet je stevig aanpakken. Een beetje theater hoort erbij hier in Cuba. Maar we zijn er nog niet. Even afwachten."

Een kwartier later komt Santos terug. Hij heeft zijn ijzige zelfverzekerdheid hervonden. Hij neemt plaats achter zijn bureau en vouwt zijn handen in elkaar. Met zijn harde grijze ogen kijkt hij over ons heen, terwijl hij vertelt over zijn telefonisch contact met Havana.

"We zijn niet helemaal overtuigd van de onschuld van deze extranjero en de señorita, maar er is op dit moment geen reden meer om haar vast te houden."

"Maar kun je garanderen dat ze verder niet worden lastiggevallen?"

De stem van Pepe klinkt geïrriteerd.

"Nee dat kunnen we niet", is het vastbesloten antwoord van de politiechef.

"Tijdens zijn verblijf zullen señor Eckhardt en zijn novia beschikbaar moeten blijven voor ondervraging, voor het geval we meer informatie binnenkrijgen. Ze kunnen zich vrij bewegen, maar we zullen ons op de hoogte houden waar ze zijn. De naam en het paspoortnummer van señor Eckhardt zijn bekend bij alle vliegvelden."

Pepe protesteert niet verder en begint nu een vriendelijk lulverhaal over het belang van het vaderland en de noodzakelijke strijd tegen de contrarevolutionairen. Hij onderstreept hun gezamenlijke inzet en eindigt met de zin: "Als mocht blijken dat deze mensen schuld hebben aan acties tegen ons land, dan sta ik honderd procent achter je."

Terwijl hij dit zegt, kijkt hij omhoog naar de foto's van Fidel en Che. Even lijkt het of ze instemmend knikken.

22

Santiago de Cuba, 6 december 2001

Ze hadden Orlaidis de hele nacht wakker gehouden met muziek en lawaai. Om de paar uur was ze opgehaald en verhoord. Haar verhaal aan de ondervragers kwam overeen met het mijne. Ze had alleen de contacten met Anita ter sprake gebracht en wat zij ons verteld had over de smokkel uit Mexico. Ze hadden allerlei suggesties gedaan over contacten met Miami-groepen, maar die waren zo algemeen dat ze daar niet op gereageerd had. Niets wees erop dat ze op de hoogte waren van Jorge en zijn andere vriend van de Cubaanse contra's. Gemakkelijk te ontkennen dus. Ze was niet bedreigd met fysiek geweld. De boodschap was steeds geweest dat ze de vakantie met mij wel kon vergeten. Ik kon ook elk moment opgepakt worden.

In de auto op de terugweg naar de stad verzekerde Pepe ons dat we waarschijnlijk niet meer lastiggevallen zouden worden. Ze houden ons wel in de gaten, maar dat doen ze sowieso bij buitenlanders. Hij schatte in dat de schrik er bij de heren goed in zat. Zijn verhaal over Raoul Castro was geen bluf. Zijn vader was een oude strijdmakker uit de revolutie en zijn familie had nog regelmatig contact met de tweede man in Cuba. Als Raoul in de buurt was, kwam hij altijd langs in Guantánamo. Grijnzend voegde hij eraan toe dat ze hem meer dan eens volkomen lazarus in zijn kogelvrije jeep hadden geladen. Dat moesten we maar niet verder vertellen, hoewel het een publiek geheim is dat Fidels jongere broer van een goed glas rum houdt en dat zijn feestjes wel eens uit de hand lopen.

Orlaidis heeft nu twaalf uur aaneen geslapen. Gisteravond was ze uitgeput na haar slapeloze nacht in de cel. Maar ze was niet in paniek van het gebeuren.

"Dat is hier in Cuba gewoon. Opgepakt worden is iets waar je aan went. De ene keer is het omdat je met de verkeerde mensen praat. Dan weer omdat je illegale garnalen bij je hebt en een andere keer word je meegenomen omdat je met een te kort rokje in de buurt van een toeristenhotel wandelt", was haar laconieke reactie. "Als je de juiste mensen kent en geen contacten onderhoudt met de oppositie valt het allemaal wel mee. Dat heb je gezien."

Ze begint nu wakker te worden. Ze kijkt door haar zwarte krullen verdwaasd om zich heen en ziet mij voor het raam zitten.

"Hoe laat is het?"

"Negen uur."

"Tijd om iets leuk te gaan doen. Onze vakantie kan nu echt beginnen, mi amor."

Ik kruip nog even tegen haar aan.

Bij het ontbijt op het terras maken we plannen. Het is nog koel en er waait een fris windje. Er zijn weinig andere gasten. Na de aanslagen in New York is het ook hier in Cuba stil geworden. Pepe vertelde gisteren dat het toerisme in november en december volgens de schattingen is gehalveerd.

"Vandaag ga ik je mijn geliefde Santiago laten zien. We wandelen naar alle romantische plekjes die ik ken."

Ze ziet er goed uit in haar kraakwitte zomerjurk. Bijna engelachtig als er tenminste van die donkere engelen zouden bestaan. De jurk is van boven decent gesloten. Te sexy verhoogt het risico dat ze weer door een overijverige agent wordt aangehouden die haar voor een *jinetera* aanziet. Van de politie hebben we voorlopig onze bekomst.

We dalen de Aguilera af in de richting van de haven. In de verte in de baai liggen roestige schepen waarvan niet duidelijk is of ze nog ooit zullen vertrekken. Een oudere man, want wie zou anders nog iets kunnen weten van de Bacardi-fabrieken, heeft ons aangeduid waar het oude hoofdkantoor van de multinational is gevestigd. De jongeren hier kennen alleen Ron Caney, zo heet de uitstekende rum die nu in de oude fabriek wordt gemaakt. De Bacardi-rum die van de Bahama's en Mexico komt, is van een veel mindere kwaliteit dan Ron Caney. Hij doet mij nog het meest denken aan het plakkerige zoete spul dat je vroeger aantrof in de rumbonen die mijn tante altijd meebracht als ze bij ons op bezoek kwam. Het is laat in de ochtend, het begint al warm te worden. Orlaidis en ik zijn bezweet als we het gebouw naderen dat het oude hoofdkantoor geweest moet zijn. Het is een breed gebouw van twee etages dat bijna een heel stratenblok in beslag neemt. Het moet vroeger rood geweest zijn, nu is het grauwroze voorzover de verf niet afgebladderd is. De ramen zijn dichtgetimmerd. Onder de galerij aan de voorkant van het gebouw is het koel. We mogen niet naar binnen van de bewaker die voor de deur staat. Alsof er staatsgeheimen in het gebouw liggen of dat het beschermd moet worden tegen terroristen die de verworvenheden van de revolutie willen opblazen. Of misschien gewoon omdat er anders sokken worden gejat, want dat hebben we inmiddels begrepen: in het hoofdkantoor van de vroegere Cubaanse multinational is nu een sokkenfabriek gevestigd. We mogen wel even een blik naar binnen werpen. In de ontvangsthal van het gebouw was vroeger een bar gevestigd waar de gasten van de directie bij ontvangst een glas rum kregen aangeboden. De bewaker wijst ons de plaats waar de bar stond, maar er is verder niets te zien omdat de hal halverwege primitief is dichtgetimmerd met ruwe planken. Het gestamp dat we van daarachter horen, moet van de machines komen waarmee de sokken worden gefabriceerd. Orlaidis ontdekt als eerste de inmiddels wereldbekende Bacardi-vleermuissymbolen in de zuilen van de galerij. Het zijn kleine, in het beton verwerkte plaquettes. Als we naar de overkant van de straat lopen om naar boven te kijken, zien we dat op een van de erkers op het gebouw, nauwelijks zichtbaar door de grauwe aanslag, hetzelfde teken staat, maar dan tien keer zo groot. De andere erkers vertonen in het midden een loze ruimte waar de plaquettes vroeger gezeten hebben.

"Weet je nog de nacht voor de moord op Carlos bij El Centro? Toen ik die droom had met die vleermuizen die mij zo bang maakten? Dat was een teken van Ochún, waarmee de maagd dood en verderf aankondigde. Het waren vijf vleermuizen."

Ze kijkt afwezig voor zich uit, alsof ze in een andere wereld is.

"Wat wil je daarmee zeggen?"

"Hoeveel zijn er hier op deze gevel te zien?"

"Ook vijf."

"Wat zou dat betekenen?"

"Niets wat mij betreft. Puur toeval."

"Als je contact hebt met de Orishas, zoals wij Cubanen, dan weet je dat toeval niet bestaat. Dit is een teken. Mensen uit Europa begrijpen die dingen niet."

Ik streel haar door haar glimmende krullen en zeg niets. Ze vindt het niet prettig, ze zet een stap achteruit.

"Je neemt me niet serieus. Dit zal altijd tussen ons in blijven staan. Jouw wereld is anders."

"Wat dan nog? Het klopt: ik ben een nuchtere Nederlandse boekhouder die geleerd heeft om logisch te redeneren. Maar ik ben ook een romanticus, iemand die heel veel van je houdt en probeert te begrijpen wat jij voelt."

"Lex, na deze reis zul je nooit meer dezelfde zijn. Je leert een andere waarheid kennen."

Ze komt weer dichterbij. Ze staat op haar tenen en geeft mij een zachte zoen. Ik voel haar krullen en ruik haar zachte bloemenparfum. We staan in de koele arcade van het Bacardi-gebouw. De bewaker die in de deuropening staat fluit aanmoedigend tussen zijn tanden bij het zien van het verliefde stel.

"Hier niet ver vandaan is het heiligdom waar het beeld van de Maagd, de Virgen de Caridad, wordt tentoongesteld. De plaats heet El Cobre. Het is een plaats waar de Spanjaarden eeuwenlang koper uit de grond gehaald hebben, vandaar de naam, die 'koper' betekent. Daar is de Maagd voor het eerst verschenen, tenminste dat dachten de Spanjaarden. Wij met onze Afrikaanse achtergrond wisten dat het Ochún was die met ons meegereisd is uit Afrika. Voor je teruggaat naar Nederland gaan we haar bezoeken. Ik zal je dan het verhaal vertellen."

Ik knuffel haar en streel haar rug.

Er gaat een rilling door me heen, ondanks de warmte. Ik voel dat ik weg moet bij dit gebouw met de onheilstekens. Orlaidis voelt het ook. Zonder iets te zeggen lopen we verder in de richting van de haven.

De promenade is vergane glorie. We passeren de lege jachthaven. De laatste jachten zijn hier ruim veertig jaar geleden overhaast vertrokken. Het ziet eruit alsof er sindsdien niets meer gebeurd is. De marmeren boulevard, opgesierd met borstbeelden van belangrijke Santiagueros, is op dit hete uur van de dag zo goed als verlaten. Het is nu een verkeersader voor paardenkoetsjes die hier in het vlakke gedeelte van de stad, beneden aan de heuvels, het belangrijkste openbaar vervoermiddel zijn. Voor de prijs van een peso, iets meer dan een dubbeltje, nemen we plaats in het achtpersoons paardenkarretje en betalen twee peso's aan de *cochero*, zoals de koetsier wordt aangeduid. De andere passagiers knikken ons toe. Het is krap met z'n achten in het koetsje, maar het is een gezellige boel. Ik kan de opgewonden gesprekken niet goed verstaan door het plaatselijke dialect, maar het lijkt te gaan over baseball. De meeste discussies in Cuba gaan hierover. Politiek is meer iets voor de huiselijke kring, je weet nooit wie meeluistert. We rijden in de richting van het station van Santiago dat een kilometer verderop ligt, tegenover pakhuizen en fabrieken. Orlaidis legt me uit dat hier vroeger de Bacardi-distilleerderijen waren gevestigd. In de verte torent een gigantische fles boven de huizen, het symbool van de Hatuey-bierbrouwerij. De fles is al sinds meer dan een halve eeuw te zien in een groot deel van de stad. In tegenstelling tot de naam Bacardi heeft Hatuey na de revolutie wel zijn naam kunnen handhaven. Een donkere man met een blauwe baseballpet, die naast Orlaidis zit, wijst naar een oud gebouw met een grote ketel op het dak.

"Dat is de oorspronkelijke fabriek van Bacardi uit de negentiende eeuw. Het is nu een opslagplaats van cement. De nieuwe distilleerderij die nu Caney-rum maakt staat ernaast."

Hij wijst naar een paar gigantische fabriekshallen verderop, die in een frisse, gele kleur geverfd zijn.

"Ik kan het weten want ik werk er al tien jaar", voegt hij eraan toe.

Hij nodigt ons uit voor een kopje koffie bij hem thuis. Hij zegt dit op een fluisterende toon, alsof de andere passagiers het niet mogen weten. Privé-contact met buitenlanders is hier altijd nog een beetje verdacht. Orlaidis knikt.

"Ik woon hier vlakbij in San Pedrito, daar bij de Hatuey-fabrieken", legt hij uit als we bij het station zijn uitgestapt. Links van ons staan prachtige oude treinen van lang voor de revolutie. Sommige wagons zijn zo te zien al jaren niet meer gebruikt. Ze vormen een fel contrast met het splinternieuwe stationsgebouw achter ons. In de felle, brandende zon lopen we in de richting van een buurt met kleine houten huizen, met aan de voorkant schaduwrijke veranda's, waar het sociale leven plaatsvindt. Er komt ons een indringende lucht tegemoet die afkomstig moet zijn van de nabijgelegen bierbrouwerij: gerst en hop. Oude vrouwen schillen groenten en petroleumstelletjes worden opgestookt ter voorbereiding van de maaltijd. Op andere veranda's rollen jonge vrouwen elkaar krulspelden in het haar en overal krioelt het van de kinderen die luidruchtig spelen. De meeste mensen in deze buurt zijn zwart. Veel mannen met ontbloot bovenlijf zijn bezig met reparaties: fietsen die helemaal uit elkaar liggen, ventilatoren die van een nieuwe wikkel worden voorzien, radio's uit de jaren vijftig waar de onderdelen uit gehaald zijn. De armoede leidt tot veel creativiteit en een vernuft dat wij niet meer kennen in onze rijke wegwerpmaatschappij.

"Benieuwd wat hij ons wil verkopen", fluistert Orlaidis als we achter Juan, zo heet onze nieuwe vriend, het huis binnenlopen.

Zijn vrouw, een mooie zwarte vrouw met een afro-kapsel, verwelkomt ons, zoals gebruikelijk in Cuba, met één zoen. Alsof ze ons al jaren kent. Ook de kindertjes worden opgetrommeld om de gasten te verwelkomen. Twee lieve meisjes van een jaar of zes komen tevoorschijn. Het is een tweeling. Ze hebben vlechtjes met witte strikjes die scherp afsteken bij het kroeshaar en hun zwarte huid. Ze worden trots aan ons voorgesteld. Orlaidis vertelt dat ze oorspronkelijk uit Guantánamo komt maar jaren in Nederland heeft gewoond, en ze stelt mij voor als haar novio uit *Holanda*. Zij hebben familie in Guantánamo die Orlaidis vagelijk blijkt te kennen. Er ontstaat een levendige conversatie. De beide kinderen zitten duimzuigend, ieder op een knie van hun nieuwe oom uit Holland, die zachtjes op en neer beweegt in de schommelstoel. We drinken zwarte, zoete Cubaanse koffie.

Het klopt wat Orlaidis voorspelde. Even later zien we Juan onder het bed kruipen in de kamer ernaast en hij komt tevoorschijn met flessen rum en kisten sigaren van bekende merken als Cohiba en Montecristo waar sigarenrokers opgewonden van kunnen raken.

In sigaren ben ik niet geïnteresseerd, maar in de rum des te meer. Vooral ook omdat Orlaidis me uitgelegd heeft dat de Matusalem Anejo, die hij mij laat zien, de lekkerste rum van Cuba is. Ik koop er twee voor in totaal zes dollar. Ze worden in een discreet plastic tasje ingepakt en na een tweede kopje koffie verlaten we het huis.

"Je bent altijd welkom bij ons en je kunt zoveel rum krijgen als je wil. Ik hoef mijn vrienden in het magazijn alleen maar even te tippen", zijn de laatste woorden van Juan bij ons afscheid.

Waarschijnlijk heeft Karl Marx dit niet zo bedoeld toen hij pleitte voor het afschaffen van het privé-bezit en de verdeling van de rijkdommen onder de massa's.

Later in de middag, na een paar glaasjes van de Matusalem Anejo en een sensuele siësta in ons hotelbed, besluiten we dat we de volgende dag naar Baracoa gaan. Het zal erom spannen of we de ouders van Carlos daar kunnen vinden.

23

Baracoa, 7 december 2001

Vanaf het centrale plein van Baracoa, dat officieel Parque de Independencia heet, rijden we comfortabel achter in een bicitaxi in de richting van de baai. Een bicitaxi is de Cubaanse variant van de riksja, een driewielige fietskar voortgestuwd door menskracht. De verhouding tussen de fietser en de passagiers lijkt mij niet helemaal in overeenstemming met de idealen van de Cubaanse revolutie. Toch heeft Fidel het fietsen, tijdens het grote olietekort van het begin van de jaren negentig toen door het wegvallen van de Sovjetsteun het openbaar vervoer plat lag, weten te verkopen als een bezigheid die gezond is voor lichaam en geest. Misschien een goed idee voor Amsterdam. Om in plaats van zoveel geld te betalen voor onze eigentijdse fitnessclubs je spierkracht te gelde maken bij het openbaar vervoer. Of misschien moeten we deze clubs aansluiten op een elektriciteitscentrale om ons energieprobleem van de toekomst op te lossen.

Luid claxonnerend op een toeter met rubberen bal, rijden we met duizelingwekkende vaart de heuvel af naar een buurt die beneden bij de haven ligt. Ik hoop dat de remmen het doen. De voetgangers op de weg zijn daar niet helemaal van overtuigd. Ze zoeken een veilig heenkomen naast de weg. Orlaidis kruipt tegen me aan. Als Cubaanse heeft ze alle vertrouwen in de goede afloop. Ze weet dat de Orishas aan haar kant staan. Onze zwarte fietser glimt helemaal van het zweet als we de baai bereiken. Ik neem me voor om mijn schuldgevoel af te kopen door hem een fikse fooi te geven. In de baai liggen een paar kleine vissersboten en twee grote verroeste koopvaardijschepen die al jaren geleden zijn opgegeven. Een van de roestbakken is doormidden gebroken en half gezonken. Aan de overkant van de haven is het vliegveld. Niet veel meer dan een landingsstrip waar elke dag een ronkende dubbeldekker landt, waarschijnlijk alleen met post en de kranten.

We zijn onderweg naar de chocoladefabriek die net buiten Baracoa is gevestigd. De weg zit vol gaten en de bruggen die we passeren zijn niet veel meer dan planken vlonders. Kleine houten huizen gelegen in bananen- en cacaoplantages, alles tropisch groen afgewisseld met struiken met grote paarse, gele en roze bloemen. We passeren de kleine fabriek waar cucuruchu wordt gemaakt, de zoete kokoslekkernij van Baracoa die in heel Cuba geliefd is.

Even verderop zien we tussen de kokospalmen de chocoladefabriek. De trots van Baracoa. Een groot bord met de afbeelding van Che Guevara vermeldt dat Che persoonlijk als minister van Industrie op 1 april 1963 de fabriek heeft geopend. De bouw is gefinancierd door de toenmalige DDR die de fabriek heeft geschonken aan het kersverse revolutionaire regime. Aan een van de bewakers vragen we naar Pepe Rodriguez, die hier chef is van de walserij. Hij bekijkt ons achterdochtig van top tot teen alsof we contrarevolutionairen zijn die een aanslag op de chocoladefabriek beramen.

"Nee, het is niet mogelijk voor buitenstaanders om naar binnen te gaan."

Ik had al eerder van een taxichauffeur gehoord dat alle bedrijven in Cuba gezien worden als strategische doelen van de vijand. Hij voegde er lachend aan toe dat ze eigenlijk vooral beschermd moeten worden tegen de Cubanen, die op het werk alles stelen wat los- en vastzit om hun schamele salaris aan te vullen. Goederen ontvreemden van de staat wordt hier niet als stelen gezien. "Alles is immers van het volk, toch?", was de toelichting van de chauffeur die zoals bijna iedereen in staatsdienst is. Het was mij al opgevallen dat hij na een bedrag te zijn overeengekomen de meter uitzette. Ieder zijn eigen bijverdienste.

De bewaker is wél bereid om te kijken of Pepe Rodriguez naar buiten wil komen. Even later zien we hem uit de grote loods komen, vergezeld van een oudere zwarte man met grijs kroeshaar die allang de pensioengerechtigde leeftijd is gepasseerd. Hij is een vriendelijke man die gekleed is in een keurige, lichtblauwe guayabera, een lang geborduurd hemd met boven en onder zakken. Hij heeft een vriendelijke uitstraling. We stellen ons voor.

"Lex Eckhardt."

"Orlaidis Hierrezuelo."

"*Encantado.*"

Orlaidis voert het woord omdat haar Spaans, zeker de Cubaanse variant ervan, beter is dan het mijne. Ze legt uit dat we uit Nederland komen en kennis willen maken met de nabestaanden van

Carlos die afgelopen zomer in Nederland zo jammerlijk om het leven is gekomen. We hebben hem persoonlijk gekend. Via de uitvaartonderneming die het lijk van Carlos naar Cuba heeft vervoerd, hebben we zijn naam en adres gekregen. Hij, Pepe Rodriguez, was contactpersoon namens de familie.

Het gezicht van de man verstart terwijl Orlaidis aan het woord is. Hij kijkt ook even om zich heen, maar de bewakers zijn nu buiten gehoorafstand. Ik zie nu dat hij een klein speldje op de rechterzak van zijn guayabera heeft. Als ik me niet vergis, is het de afbeelding van Lenin. Waarschijnlijk een onderscheiding als Held van de Arbeid.

Zijn reactie is kort.

"Waar logeren jullie?"

Ik leg uit dat we een kamer hebben in Hotel La Rusa op de Malacon.

"Vanavond om acht uur kom ik even langs. Wacht buiten op het terras."

Zonder veel uitdrukking op zijn gezicht schudt hij ons de hand en mompelt:

"*Que le vaya bien.*"

Hij loopt in een rechte lijn terug naar de loods waar hij eerder vandaan is gekomen.

Onze bicitaxi-rijder ligt in het gras naast zijn transportmiddel te wachten. Zo te zien is hij alweer een beetje bijgekomen van de zware tocht.

De terugweg naar het dorp neemt meer tijd in beslag dan de heenweg. Een ander verschil is dat we nu niet meer gevolgd worden door de onopvallende, blauwe Moskvich met getint glas.

Om acht uur precies stopt een krakkemikkige Lada voor het terras van ons hotel. We zien in het halfdonker dat de ramen van de achterste helft zwart zijn geschilderd, zoals meestal het geval is bij particuliere taxi's in Cuba. Officieel tegen de zon, maar vooral ook om onopvallend illegaal toeristen te kunnen vervoeren, wat verboden is voor particulieren. Pepe Rodriguez die achter uitstapt, is mooi op tijd. Opvallend voor een Cubaan. Via de zijdeur komt hij het terras op waar we juist de laatste happen nemen van onze gefrituurde kip, meestal het enige voedsel dat in staatshotels te krijgen is, hoeveel andere gerechten er ook op de kaart prijken. We schudden elkaar weer de hand. Hij is even netjes gekleed als vanmiddag.

Hij draagt nu een witte guayabera. Hij neemt plaats aan onze tafel en desgevraagd bestelt hij een glaasje rum, Havana Club van zeven jaar oud. Een traktatie voor Cubanen omdat het alleen te krijgen is in de dollarhotels.

Hij praat zacht.

"De taxi die voor de deur staat, brengt jullie naar Arelis, de moeder van Carlos. Zij is mijn ex-vrouw, maar we gaan heel goed met elkaar om. Carlos is niet mijn eigen zoon. Hij is geboren voordat wij trouwden. Ik ga niet met jullie mee omdat ik in mijn functie beter niet gezien kan worden in gezelschap van buitenlanders. Dat ligt hier gevoelig. De taxi brengt jullie via een omweg naar haar toe. Niemand mag weten dat jullie haar bezoeken. Zij weet dat jullie komen. Ze is heel blij dat ze nu kan horen wat er precies gebeurd is in Nederland."

Verder wil hij weinig loslaten. Het gesprek krijgt het karakter van een gesprek van een Cubaan met toeristen. Orlaidis vertelt dat ze uit Guantánamo komt en een tijd in Nederland getrouwd is geweest. Hij is oorspronkelijk ook afkomstig uit Guantánamo maar woont vanaf 'de triomf van de revolutie', zoals ze dat hier noemen, in Baracoa. Wat ik van Cuba vind?

Al snel gaat het gesprek over muziek, rum en mooie vrouwen, waarbij Pepe nog eens bewonderend en instemmend naar Orlaidis kijkt.

"Ik moet nu naar een vergadering. Ik hoor de berichten wel van Arelis."

Met een opmerkelijk stevige pas, want hij moet tegen de zeventig zijn, verlaat hij het terras.

Wij rekenen af en lopen door de lounge naar de ingang van het hotel waar de Lada op ons wacht.

Wij rijden het dorp uit in de richting van Guantánamo, waar we vandaan gekomen zijn. We naderen het ziekenhuis. Onder de verlichting van de ingang staan drommen patiënten en familieleden te wachten. Onverwacht rijden we de oprit op, passeren geparkeerde ambulances en via de achterkant verlaten we het ziekenhuisterrein. Op de donkere weg achter het ziekenhuis stopt de auto. De chauffeur doet de lichten uit, kijkt grijnzend achterom en gebaart dat we stil moeten zijn. Doodstil zitten we enkele minuten te wachten op de onverlichte weg. In het pikkedonker. Het enige wat we horen is de schetterende salsamuziek uit een van de huisjes langs de weg. De chauffeur houdt nauwlettend de achteruitkijkspiegel in de gaten.

"*Nada*", mompelt hij en knikt tevreden terwijl hij de motor start en de verlichting weer aandoet. Kennelijk worden we niet gevolgd. Even later zien we door de donkere ramen de rivier Miel. Het is een tropische rivier waarin overdag op de oevers auto's en fietsen worden gewassen en donkere kinderen vanaf de brug duiken. Bij een bananenplantage gekomen slaat de Lada linksaf een pad op, dat na honderd meter niet meer te berijden is. We stappen uit en de chauffeur leidt ons zo'n vijftig meter het donkere pad af, waar we onder de bomen een eenvoudig houten huis aantreffen. Onderweg komen we knorrende varkentjes tegen en een blaffende hond die ons bezoek aankondigt. Op de veranda voor het huis onder de verlichting van een kale gloeilamp zit een oude vrouw in een schommelstoel. Als ze ons ziet staat ze op en loopt naar ons toe. Ze begroet ons met een stevige zoen alsof we lang verloren vrienden of familie zijn. Ze moet iets jonger zijn dan Pepe Rodriguez. Ik schat begin zestig. Ze is mulattin. Ze heeft een gelooid gezicht met doordringende grijze ogen. Lang geleden moet ze een schoonheid zijn geweest.

"Ik ben zo blij iets te horen uit Nederland. Ik weet alleen dat ze Carlos vermoord hebben. Hij is begraven in Santiago waar lang geleden zijn vader woonde. Arme Carlos. *Pobrecito.*" Ze spreekt het klagend uit met haar ogen halfdicht. Haar ogen zijn vochtig, haar verdriet lijkt even de overhand te krijgen als ze ons uitnodigt op de twee andere schommelstoelen plaats te nemen. Naast het huis kraait een haan. Verder zijn alleen de geluiden van de tropennacht hoorbaar: zoemende muggen, tjilpende krekels en fladderende vleermuizen. De hond is weer rustig gaan liggen. Het geblaf heeft het stokoude beest veel energie gekost. Zijn werk als bewaker zit er weer even op.

De vrouw wil precies van ons weten wat er in Nederland gebeurd is. De politie is indertijd bij haar thuis geweest. Zij waren alleen maar geïnteresseerd in de mogelijke criminele connecties van Carlos. Ze toonden absoluut geen interesse in het moederverdriet door het verlies van haar enige zoon. Ze heeft hun zo weinig mogelijk verteld, dat zou nog meer problemen kunnen geven. Ze suggereerden dat hij betrokken was bij smokkel.

Als we de naam Anita noemen, spugen haar ogen vuur. Ze noemt haar *la bruja rubia*, de blonde heks.

"Zij heeft al deze ellende veroorzaakt."

Na ons verhaal uit de dancing en de versie van Anita over de smokkel steekt ze van wal.

"Ik zal jullie alles vertellen, misschien helpt het om de ware boosdoeners te straffen. Ik ben een oude vrouw. Mij kan niets meer gebeuren."

Haar verhaal begint ruim veertig jaar geleden in de dagen van de revolutie. Ze was toen de minnares van een van de directeuren van Bacardi.

"Misschien geloven jullie me niet als je mij nu ziet, maar ik was toen een heel mooie, slanke vrouw, een danseres bij een dansgroep. We traden op in de chique clubs. Ik kon zoveel mannen krijgen als ik maar wilde. Maar als mulattin wist je dat iemand uit de betere kringen nooit met je wilde trouwen. Ze zouden hun blanke familie te schande maken."

Juan, zo heette haar minnaar, was zelf van eenvoudige komaf, maar door zijn hoge positie bij Bacardi werd hij in de hoogste kringen geaccepteerd. "Op een gegeven moment, tijdens onze relatie, is hij getrouwd met een blanke vrouw. Dat was heel gewoon in die tijd, zo waren de verhoudingen. Het is een tijd goed gegaan. Ik accepteerde het en ik hield zielsveel van die man."

Ze kijkt even dromerig voor zich uit, voor ze haar verhaal vervolgt.

"Iedereen uit die klasse was na de overwinning van Castro op de vlucht met geld en kostbaarheden. Zo ook Juan. Ik was bij hem toen hij op weg was naar Guantánamo om kostbaarheden van de Bacardi's in veiligheid te brengen. Het was één week nadat Castro en zijn mannen Santiago waren binnengekomen. Ik was al enige tijd zwanger van hem, wat ik aan niemand vertelde, ook niet aan Juan. Ik was bang dat hij me in de steek zou laten, want zo ging dat ook in die tijd. Als je een kind kreeg uit een buitenechtelijke relatie kon je het wel vergeten. Niemand steunde je. Je was blij als zo'n man je nog wat geld gaf voor het kind. Meestal ontkenden ze het glashard. Ik heb dat gezien bij vriendinnen uit mijn dansgroep, die bijna allemaal een relatie hadden met hoge heren."

Tijdens die tocht naar Guantánamo had ze samen met de chauffeur de benen genomen waarbij ze de Bacardi-juwelen meenamen. Beiden wisten dat het afgelopen was. Juan zou met de hele Bacardi-top het land verlaten. Zij zou alleen met een kind achterblijven, en Ánibal, de chauffeur, zou zonder werk komen te zitten.

"Jullie begrijpen dat het een verschrikkelijk moeilijke beslissing was. Ik hield zoveel van die man, ik denk nog vaak aan de mooie tijd met hem. Maar voor ons was het erop of eronder. We hebben gelijk gekregen. Ruim anderhalf jaar later was bijna iedereen uit die kringen weg. Met Juan is het niet goed afgelopen. Jaren later hoorde ik dat hij zelfmoord heeft gepleegd in Miami."

Ze klinkt verbitterd en verdrietig.

Via een boot vanuit Playa Yateritas, zo'n dertig kilometer ten oosten van Guantánamo, gingen Ánibal en zij naar Baracoa. Indertijd, ten tijde van de revolutie, was er nog geen begaanbare weg naar Baracoa vanuit Guantánamo. De weg door de bergen, die Orlaidis en ik hebben genomen, is pas jaren later gebouwd. Vanaf de stranden bij Yateritas was het in die tijd 's nachts een komen en gaan van boten die mensen naar Haïti en de Dominicaanse Republiek brachten. Het lukte hen om een schipper met wat geld over te halen om hen rond de punt van het eiland naar Baracoa te brengen. Daar begonnen zij en Ánibal een nieuw leven onder een andere naam. De situatie was zo chaotisch in die tijd dat dat gemakkelijk kon. De rebellen zelf hadden ook geen papieren meer, uit angst voor represailles tegen hun familieleden als ze door de Batista-militairen werden gepakt. Ánibal sloot zich aan bij de rebellen die in de bergen rondom Baracoa zochten naar gevluchte Batistas.

"Carlos werd hier in Baracoa geboren, ongeveer een halfjaar na de triomf van de revolutie. Ik had me voorgenomen om de kostbaarheden, die we hier verstopt hadden, te gebruiken om in elk geval Carlos een goede opvoeding te geven. Misschien zou hij ooit nog naar het buitenland gaan. Ik vond het rechtvaardig dat hij als zoon van een vooraanstaand iemand een kapitaaltje voor zichzelf zou hebben. Het was in die tijd, en ook nu nog, onmogelijk om deze spullen te verkopen. Onverwachte rijkdom zou hier trouwens ook opvallen en verdacht zijn. Zoals de meeste jongens in Cuba is Carlos jaren in militaire dienst geweest. In de jaren tachtig heeft hij in Angola voor het Cubaanse leger tegen de imperialisten gevochten. Hij was duiker, gespecialiseerd in zeemijnen en het tot zinken brengen van boten van de vijand. Wat heb ik die jaren angsten uitgestaan. Zou mijn enige zoon het overleven? En wat was ik gelukkig toen hij heelhuids terugkwam. Hij werd geëerd als oorlogsheld. Fidel zelf heeft hem nog een medaille gegeven. Na die tijd heeft hij nog een aantal jaren in Havana gestudeerd en gewerkt, maar hij verlangde terug naar zijn dorp."

“Was hij getrouwd of is hij altijd alleen gebleven?” onderbreekt Orlaidis haar verhaal.

“Carlos is begin jaren negentig gescheiden. Hij is toen teruggekomen naar Baracoa. Ik was blij dat hij weer hier was. Zijn huwelijk is nooit goed geweest. Echt een huwelijk van een militair die veel in het buitenland zit. Hij heeft een dochter, die moet nu begin twintig zijn. Ze is net als veel andere Cubanen naar Florida gegaan. We hebben al jaren geen contact meer met haar en zijn ex.”

Ze staart even afwezig voor zich uit. Ze schrikt op en zegt:

“Ik blijf maar praten en ik geef jullie niet eens een kopje koffie, of willen jullie misschien een glaasje rum?”

Wij hebben het liefst rum. In de korte tijd in Cuba ben ik gaan houden van de eenvoudige rum, meestal Ron Caribe, die de mensen thuis drinken. Zij neemt zelf niets. Orlaidis en ik krijgen een stevige slok in een gekleurd limonadeglas met een schijfje limoen erbij.

Ze vervolgt haar verhaal.

“Als ervaren duiker kreeg hij de mogelijkheid van de regering om hier een duikschool te beginnen. Door de opkomst van het toerisme had de school veel succes. Er zijn hier rond Baracoa geweldige mogelijkheden voor duikers door alle wrakken die hier liggen uit de Spaanse tijd. Carlos genoot van het werk.”

Ze krijgt iets dromerigs in haar ogen terwijl ze in de richting van de zee wijst.

“O, wat ik nog vergeten ben is dat ik Carlos, toen hij twintig werd, verteld heb van de juwelen die ik voor hem bewaard had. Hij had weinig belangstelling. Toentertijd geloofde hij nog heilig in de revolutie en was niet geïnteresseerd in dit soort materiële zaken. Dat waren voor hem dingen waar de gehate kapitalisten mee bezig zijn. Ik heb hem zelfs ervan moeten weerhouden om alles aan de staat te geven voor de opbouw van het socialisme.

Hij is later steeds gedesillusioneerder geraakt in de partij waar hij altijd actief lid van was. Dat had hij van zijn stiefvader Ánibal, of Pepe, zoals hij nu heet. Je hebt hem ontmoet. Hij is altijd een goede vader voor hem geweest. Wij hebben het lang goed met elkaar gehad. Toen Carlos een jaar of achttien was zijn we uit elkaar gegaan. Ik kon er niet meer tegen. Zoals dat gaat met Cubanen in een goede positie had hij altijd jonge vriendinnen. Zeker in zijn functie bij de chocoladefabriek die hij mede heeft opgebouwd, is dat natuurlijk te begrijpen. Zo zijn mannen. Maar het ging te ver, er waren tijden dat hij dagenlang wegbleef. Het enige wat ons is blijven binden is ons geheim. Niemand, behalve Carlos, heeft het ware verhaal ooit te horen gekregen. Ook mijn zus niet, met wie ik later weer contact heb gekregen."

"Was Carlos nog partijlid toen hij naar Nederland ging?"

Ik probeer haar verhaal terug te brengen naar Carlos en Anita.

"Door de armoede in de Período Especial van de laatste jaren en zijn contacten met buitenlanders geloofde Carlos allang niet meer in de revolutie. Hij leerde toeristen kennen die vrij waren, die konden gaan en staan waar ze wilden en verschrikkelijk veel geld te besteden hadden. Veel jongeren hebben de afgelopen tien jaar het geloof verloren. Zij hebben de toestanden van voor de revolutie nooit meegemaakt: de uitbuiting, de discriminatie en de honger van de meeste Cubanen. Maar toch heeft Carlos nooit plannen gemaakt om het land te verlaten. Totdat hij vorig jaar die Nederlandse vrouw leerde kennen op de duikschool. Toen is het begonnen."

Ze begint te huilen. Bij vrouwen weet je vaak niet of het verdriet is of machteloze woede. Ik denk dat ze nu woedend is.

"Die jongen was zo verliefd. Wat wil je, zo'n grote mooie blonde vrouw met blauwe ogen. De droom van iedere Cubaanse man. Het gebeurde vanaf de eerste dag dat ze hier was. Het was Anita hier en Anita daar. Er viel geen zinnig woord meer met hem te wisselen. Binnen een week hadden ze trouwplannen. Eerst zouden ze samen naar Nederland gaan, totdat hij met het land en haar familie kennis kon maken. Misschien dat het ook zou lukken om daar te trouwen als hij alle papieren in orde had. Zij zou alles voor hem regelen: een uitnodigingsbrief, een ticket, noem maar op. Het kostte haar een hoop geld, maar dat was geen probleem. Ik heb hem nog gewaarschuwd. Ga toch niet zo overhaast te werk. Maar je weet: de laatste naar wie ze luisteren is hun moeder."

Ze haalt een zakdoek tevoorschijn om haar neus te snuiten.

"Wist u van hun plannen om de juwelen het land uit te smokkelen?"

Ik probeer lijn in haar verhaal te houden. Ze is niet te stuiten.

"Ik hoorde dat pas op het laatste moment. Ik schrok ervan dat hij alles aan haar verteld had. Eerlijk gezegd vertrouwde ik het niet erg. Ik vermoedde dat zij alles zou meenemen. Ik had ook gehoord dat ze de afgelopen tijd in Miami had gewoond. Daar komt al het kwaad vandaan met die anti-Cubagroepen. Maar Carlos wilde niets weten van mijn wantrouwen. Uiteindelijk heb ik toegegeven.

De spullen waren immers van hem en zij nam de grootste risico's doordat ze alles het land uit zou brengen. Toen Pepe het hoorde, zei hij onmiddellijk dat de Cubaanse maffia in Miami haar gestuurd had. Dat vond ik onzin. Als gelovig communist ziet hij achter elke boom een contrarevolutionair. Later hoorde ik trouwens van de dochter van een vriendin die bij Etecsa, de Cubaanse telefoonmaatschappij, werkt, dat ze vaak naar Miami belde. Iemand van Minint, het Ministerio del Interior, de instantie die buitenlanders in de gaten houdt, was er nog naar komen informeren. Maar dat hoorde ik pas maanden later."

Ik dacht aan onze vrienden uit Miami die een paar maanden geleden op bezoek waren. Misschien had Pepe het nog niet zo gek gezien en was alles doorgestoken kaart.

Orlaidis vertelt haar nog eens in het kort wat we weten over de moord op haar zoon in Amsterdam. We bevestigen haar idee dat hij vermoedelijk het slachtoffer is geworden van een samenzwering waarbij de Miami-maffia is betrokken. Tijdens ons verhaal staart ze voor zich uit. Soms knikt ze, maar ze stelt geen vragen. Ze wil het kennelijk zo laten.

Als we op het punt staan om weg te gaan springt Yamilet, zo heette de vrouw voor ze haar schuilnaam Arelis aannam, op.

"Ik heb nog iets voor jullie."

Ze komt even later terug met een blauwe weekendtas.

"Die Anita heeft deze tas achtergelaten omdat ze te veel bagage had toen ze naar Nederland vertrokken. Misschien zit er iets in wat jullie meer informatie geeft. Ik heb gezien dat er een schrift in zit met aantekeningen in een vreemde taal."

Tussen de badspullen en een kleurrijke wikkelrok zit een verfomfaaid groengrijs schoolschrift van kantoorboekhandel Gebroeders Winter in Amsterdam. Ik blader het vluchtig door en zie dat het een handgeschreven dagboek is dat begint in Amsterdam in december 1998 en eindigt in september 2000 in Mexico City. Achterin staat een rijtje telefoonnummers in België, Florida, Mexico en Engeland.

"*Muy interesante*", is het commentaar van Orlaidis, die tijdens het bladeren heeft meegekeken.

24

Amsterdam, 6 januari 2002

Boemibol is weer tot rust gekomen. Na het ontbijt is ze op haar vertrouwde plekje bij het raam gaan liggen om de gebeurtenissen op straat te volgen. Bij mijn thuiskomst liep ze steeds miauwend achter mij aan en ze greep elke gelegenheid aan om kopjes te geven. Alsof ze gerustgesteld wil worden dat ik haar niet meer in de steek laat.

Mijn jetlag zal nog wel even duren. Ik voel me nog niet erg op mijn plaats in dit kille, kleurloze land. Uit het vliegtuig zag ik hoe de kale bomen er in deze wintertijd uitzien. Het lijkt of een gigantische bosbrand door het land heeft geraasd, die al het groen heeft vernietigd. Ik mis de kleuren en de warmte van Cuba.

Het is de tweede dag na mijn terugkomst. Tot het laatste moment heb ik in spanning gezeten of ik het land wel kon verlaten. De mannen van Bernardo Santos hadden kennelijk geen verder bezwarend materiaal tegen mij gevonden. Of misschien is de informatievoorziening naar de vliegvelden toch niet zo goed geregeld als hij suggereerde. Het afscheid van Orlaidis op het vliegveld van Holguín is me zwaar gevallen. We weten niet hoe het verder gaat met ons. Het staat vast dat we elkaar blijven zien, maar waar en wanneer hebben we opengelaten. Vera, die hier gisteravond nog was, vindt het onbegrijpelijk.

"Jullie houden toch van elkaar. Het is de beste vriendin die je ooit hebt gehad, pap."

Meisjes van die leeftijd begrijpen nog niet dat andere zaken dan de liefde ook mee kunnen tellen. Bijvoorbeeld de band met de familie of de gehechtheid aan je land, aan je vertrouwde omgeving. Orlaidis weet nu dat ze het moeilijk vindt om haar geliefde Cuba en familie achter te laten.

Van Freddy hoor ik dat de politie de afgelopen maand niet verder is gekomen met de opsporing van Anita. Alsof ze van de aardbodem is verdwenen. Wel staat vast dat inmiddels de meeste juwelen in verschillende landen zijn verkocht. Er is geen vinger achter te krijgen, omdat alles er steeds legaal uitziet, compleet met betrouwbare papieren, de ene keer afkomstig uit Antwerpen en dan weer uit Hongkong of Abu Dhabi. De totale opbrengst wordt inmiddels geschat op vijftien miljoen dollar. Niemand weet waar dat geld terecht is gekomen. Het is steeds discreet aan tussenpersonen overgemaakt. Er kan niet aangetoond worden dat de juwelen de opbrengst zijn van een misdaad. Daarom is er geen juridische mogelijkheid om die tussenpersonen te dwingen openheid van zaken te geven. Niemand heeft zich tot nu toe bij mij gemeld. De politie niet en ook Jorge en zijn vriend niet. Ze weten waarschijnlijk niet dat ik weer in het land ben, omdat ik in Cuba mijn ticket heb laten veranderen. De terugreis heb ik met een week vervroegd.

Ik ben nu bezig de telefoonnummers na te trekken die ik in het schriftje van Anita heb gevonden. Ik heb ze doorgegeven aan Freddy. Ik heb hem gevraagd om de adressen te zoeken bij de telefoonnummers in het schrift van Anita. Voor gewone mensen is dat niet gemakkelijk. Ter bescherming van de klanten geven de websites van telefoonmaatschappijen alleen informatie als je naam en adres weet. Maar Freddy heeft een programma van zijn hackervriendjes waarmee je via de nummers digitale telefoonboeken kunt binnendringen.

"Een fluitje van een cent", is zijn commentaar als ik hem de nummers geef.

"Alleen geheime nummers zijn wel eens lastig, want dan moeten we de centrale binnengaan. Die proberen ze op alle manieren af te schermen."

Een uur later krijg ik via mijn e-mail alle namen en adressen door. Ze zeggen me weinig, behalve de naam van Facundo Bacardi in Mexico City. Dat zal haar minnaar zijn die in het dagboek ter sprake komt. Voor het eerst blijkt een rechtstreekse relatie van Anita met de Bacardi-familie. Ik neem voorlopig maar even aan dat het geen toeval is. Die naam duikt steeds weer op, ook bij de contra's in Miami. Het zou me niet verbazen als de familie tevens de opdrachtgever is van Jorge. Ik denk aan de vleermuizen van Orlaidis en Ochún.

De nummers in België en Florida zijn privé-adressen met nietszeggende namen. Het adres in Engeland is bij nader inzien heel interessant: L. Williams in Downstreet is een makelaar op het gebied van in- en verkoop van juwelen.

Ik gebruik het prepaid mobieltje, want dan ben ik moeilijk traceerbaar. Er staat genoeg beltegoed op om naar het buitenland te kunnen bellen. In Mexico City, waar het nu midden in de nacht is, krijg ik een antwoordapparaat met de mededeling dat dit de telefoon is van 'La familia Bacardi', met de klemtoon op de 'i'. Ik leg neer. Het nummer klopt dus, wie weet kan ik het nog eens gebruiken. In Florida, waar het vroeg in de ochtend is, krijg ik een Spaanssprekende man aan de telefoon die zijn naam niet noemt. Uit de informatie van Freddy weet ik dat hij waarschijnlijk señor Luis Garcia heet. Zijn rol is niet duidelijk. Ik verbreek de verbinding. L. Williams in Downstreet Londen laat ik maar even met rust. Die zal ik eerst natrekken via mijn relaties in de juwelenhandel. Misschien is hij de makelaar die de afgelopen tijd in de weer is geweest met de verkoop van de Cubaanse juwelen.

In Antwerpen heb ik beet. Een vrouw pakt de telefoon op en zegt: "Met Beatrijs." Het is de stem van Anita, geen twijfel mogelijk. Volgens het lijstje van cybergenie Freddy verblijft zij dus in de Houtstraat 29 in Antwerpen, in het huis van ene Claessen, want op die naam is het telefoonnummer geregistreerd.

Een halfuur later sluit ik de voordeur achter me, nagemiauwd door een teleurgestelde Boemibol. De rechtstreekse trein vanaf het Centraal Station naar Antwerpen vertrekt over twintig minuten. Mijn jetlag ben ik straal vergeten. Wat ik niet vergeet is mijn stungun, die inmiddels goed opgeladen is om mogelijke tegenstanders tijdelijk buiten gevecht te stellen. Je weet nooit waar het goed voor is.

Om vier uur loop ik de Houtstraat in Antwerpen in. Het motregent. De taxi heeft me op de hoek afgezet.

De Houtstraat is een nette straat in een buurt met veel bomen en vrijstaande villa's, waarschijnlijk onderverdeeld in appartementen. Ik loop aan de kant met de even nummers, zodat ik nummer 19 vanaf de overkant kan zien. Een echte detective zou in deze situatie zijn gleufhoed diep over de ogen trekken. Ik moet me behelpen met de capuchon van mijn winterse parka. Eigenlijk veel effectiever dan zo'n hoed en ook meer passend in dit winderige, regenachtige weer.

Er brandt licht op de eerste etage, verder is er niets te zien. Vanuit een zijstraat kan ik het pand in de gaten houden. Zomaar aanbellen is te link.

Beneden in de hal zie ik een vrouw zitten, waarschijnlijk de conciërge. Voorlopig wil ik de toestand goed bekijken. Het is belangrijk om te weten of Anita alleen is. Ik wil ook voorkomen dat ze er via de achterkant van het pand tussenuit piept.

Na een kwartier gaat het licht op de eerste etage uit. Een minuut later komt een vrouw naar buiten. Ik kan haar gezicht niet zien omdat ze de capuchon van haar regenjas op heeft. De gestalte en de lange benen laten er weinig twijfel over bestaan: het is Anita. Ze loopt de straat uit. Ik volg haar op afstand. Tweehonderd meter verderop is een tankstation met een winkel. Ze gaat naar binnen terwijl ik een zijstraat in loop waar ik de ingang kan zien. Twee minuten later komt ze naar buiten met een plastic zakje in haar hand en loopt weer de Houtstraat in. Als even later het licht weer aangaat weet ik het zeker, ze woont op de eerste etage en ze is alleen thuis. Tijd om toe te slaan.

In de winkel bij het tankstation verkopen ze bloemen. Ik koop een dubbele bos rode rozen en laat ze mooi inpakken met een feestelijk rood lint. Met de bos voor mijn borst om ze te beschermen tegen de wind en de regen, loop ik naar het appartementengebouw. Bij de ingang oefen ik mijn feestelijke, charmante glimlach voor de vrouw in de hal. Ze ziet eruit als een Franse conciërge zoals je die vroeger in zwartwitfilms zag: grijs permanentje met een donkere jasschort. Ze zit achter een soort bureautje voor een glimmend wandkleed met leeuwen en tijgers. Voor haar ligt een geopende krant.

"Kom binnen, o wat zijt ge nat! Wie zoekt ge?"

"Ik kom voor Beatrijs."

"Ik hoor het al, ge zijt ook uit Olland. Ik zal haar even bellen."

"Nee laat u maar. Ik ben een goede vriend van haar en ik wil haar verrassen", zeg ik op een samenzwerende toon. Ik wijs knipogend op mijn bos rode rozen.

Ze glimlacht vertederd en wijst in de richting van de brede houten trap.

"Het appartement aan de voorkant. Gewoon even kloppen."

Mijn hart bonst in mijn keel als ik met twee treden tegelijk de trappen op loop met de grote bos rozen in mijn rechterhand. Met mijn linkerhand pak ik nog even de stungun in mijn broekzak vast. Je weet maar nooit.

Na mijn eerste klop gaat de deur open.

Ik roep "surprise, surprise", zo luid dat de conciërge in de hal het kan horen, terwijl ik me naar binnen wring, waarbij ik Anita opzijduw. Ze kijkt me, verstard van schrik, met grote ogen aan als ik de deur achter me dichttrek. Het zijn alleen ogen met een andere kleur: van blauw zijn ze in bruin veranderd en haar blonde haar is pikzwart. Bij vrouwen noem je dat geen vermomming, maar een verfraaiing van het uiterlijk. Geef mij maar de oorspronkelijke combinatie.

"Wat een verrassing, Lex, je maakt me helemaal aan het schrikken", roept ze met een stem waaruit duidelijk wordt hoe onaangenaam ze het vindt.

"Hoe heb je mij zo kunnen vinden?"

Ik overhandig haar de bos rode rozen en volg haar naar de woonkamer. Het is een ouderwets luxeappartement: grote zitmeubels met gedraaide poten, een kolossaal dressoir met twee spiegels erop en een antieke staande klok. Ik ben op mijn hoede.

"Ik kom net terug uit Cuba, waar ik je dagboek heb gevonden in je weekendtas in Baracoa. Ik ben dus van heel veel zaken op de hoogte, ook van dit telefoonnummer."

De eerste klap is een daalder waard.

Ze wordt een tintje bleker, maar raakt niet in paniek.

"Lex, ben je alleen? Geen politie of zo?"

"Ja, ik ben alleen. Ik wil alles rechtstreeks met jou afhandelen. Mijn belang is dat ik eindelijk met rust gelaten wil worden en niet allerlei ongure types achter me aan krijg. Ben jij trouwens alleen of wandelt straks een van je nare vriendjes binnen die mij gaat bedreigen?"

"Ik ben alleen. Lex, je moest eens weten wat ik allemaal heb meegemaakt. Besef je wel dat ik me hier nu al bijna zes maanden schuil moet houden, na alle bedreigingen in Amsterdam? Iedereen zit achter me aan, van de politie tot linkse revolutionairen en de oppositie uit Miami. Dat is voor jou toch geen nieuws?"

Ik knik.

"Ik schrok toen je zo plotseling binnenkwam. Maar ik ben ook blij dat je er bent. Misschien dat je me nu wilt helpen om uit de narigheid te komen. Ik weet het ook niet meer."

Dikke tranen rollen uit haar reebruine contactlenzen.

"Lex, mag ik bij je komen zitten? Ik voel me zo hopeloos alleen en in de steek gelaten."

Zonder het antwoord af te wachten loopt ze, hulpeloos en verdrietig kijkend, naar het tweezitsbankje waarop ik zit. Ze kruipt tegen me aan als een bange kleuter.

De grote klok slaat. Het is vijf uur. Buiten is het bijna donker.

Onopvallend controleer ik de stungun in mijn linkerbroekzak.

"Lex, jij hebt mijn dagboek gelezen, je weet dus hoe het mij in het leven is vergaan."

"Ik weet nu meer van je achtergrond, maar ik weet nog steeds niet precies wat er gebeurd is na je vertrek uit Cuba. Ik heb mijn vermoedens, maar ik wil nu eindelijk een duidelijk verhaal zonder leugens. Misschien dat ik dan iets voor je kan doen. Als ik weer zo'n fantasieverhaal te horen krijg, bel ik onmiddellijk de politie. Besef dat ook hier in Antwerpen een opsporingsbericht ligt."

Ze gaat rechtop zitten en kijkt me aan.

"Lex, ik ga je alles vertellen. Wat de consequenties ook zijn. Ik wil schoon schip maken. Ik kan er niet meer tegen."

Het is even stil. De rustige tik van de klok is het enige geluid in de kamer.

"Ik ben misbruikt door een Cubaanse vriend die ik heb leren kennen in Miami. Ik ben met hem meegegaan naar Mexico City. Nooit eerder in mijn leven ben ik zo verliefd geweest. Hij heet Ismaël, een man die meer dan twintig jaar ouder is dan ik. We hebben een fantastische tijd samen gehad. Je hebt mijn geheimen gelezen in het dagboek. Langzamerhand werd mij duidelijk dat hij betrokken was bij allerlei operaties tegen het Castro-regime. Hij vroeg me om hulp bij het ophalen van een partij juwelen in Cuba, die vóór de revolutie hadden toebehoord aan de familie Bacardi. Het vermoeden was dat die in Baracoa verborgen waren. Voor mij als Nederlandse zou het gemakkelijk zijn om daar als toerist op bezoek te gaan en de spullen het land uit te brengen. De opdracht was dat ik onopvallend contact zou leggen met Carlos Rodriguez, een bekende duiker die lessen gaf aan buitenlanders. Ik zou hem ertoe moeten verleiden om samen met mij de spullen het land uit te brengen. Ik deed dit alles uit liefde voor Ismaël."

Haar gezicht is vertrokken van haat.

"En toen?"

Ik begin ongeduldig te worden.

"De afspraak was dat Ismaël en ik een deel van de opbrengst

zouden krijgen. De totale waarde werd geschat op een bedrag tussen de tien en de twintig miljoen. Wij zouden meer dan een miljoen dollar krijgen en de rest zou een schenking zijn van de familie Bacardi aan de Cubaanse oppositie. Ismaël vertelde dat hij het geld nodig had om zich met mij ergens anders te vestigen na zijn scheiding. Hij was daar op dat moment mee bezig. Vlak voor mijn vertrek werd ik door een Mexicaanse vriendin gewaarschuwd dat Ismaël helemaal niet bezig was met een scheiding. Zijn zogenaamde liefde voor mij was een opzetje om mij te gebruiken voor deze operatie. Ik geloofde haar, want er waren steeds meer dingen die niet klopten in onze relatie. Mijn wereld stortte toen in. Ik voelde mij bedrogen en misbruikt. Ik was zo somber dat ik een paar dagen het bed niet meer uitkwam. Ismaël was toen in Miami. Ik heb zelfs op het punt gestaan om mezelf van kant te maken. Ik wilde niet meer leven. Maar dat gunde ik hem niet. Uiteindelijk besloot ik uit pure woede en wraak om op eigen houtje de operatie in Cuba door te laten gaan. Dat besluit gaf me een enorme energie. Mij krijgen ze niet meer klein. Mijn hele leven al overkomen mij dingen die ik niet wil. Dat zou me niet meer gebeuren."

Ze staart als een sfinx voor zich uit.

Even later herhaalt ze: "Nee, dat zal me niet meer gebeuren."

"Maar het heeft je vriend Carlos het leven gekost en Pablo gaat levenslang de bak in", doorbreek ik de stilte.

"Het is ook verschrikkelijk, maar ze hebben het er alle twee naar gemaakt. Carlos wilde er op een gegeven moment met alles vandoor, terwijl we hadden afgesproken dat we op fifty-fifty-basis zouden werken. Toen ik Pablo dit vertelde was hij niet meer te houden. Het is afschuwelijk wat hij toen gedaan heeft bij El Centro. Later, bij de politie, wilde hij mij ook nog eens de schuld geven. Ik hoop dat ik jou kan vertrouwen, Lex. Misschien ga je me nu eindelijk begrijpen."

Ze kruipt tegen mij aan en legt haar hoofd op mijn schouder. Ik voel haar stevige borsten tegen mijn rechterarm. Haar zachte haar raakt mijn wang. Ik ruik haar exotische parfum. Aangenaam, maar ik blijf op mijn hoede. Het spel wordt nu echt gevaarlijk.

"Waar is al het geld gebleven, ik weet dat de spullen verkocht zijn."

Ze aarzelt.

"Lex, ik weet nog steeds niet of ik je kan vertrouwen", is haar reactie.

Ik trek haar zacht tegen mij aan en fluister: "Ik hoor voor het eerst de waarheid. Nu pas kan ik je gaan vertrouwen."

Ik kan maar beter meedoen aan dit toneelstuk.

"Lex, ik wil met jou werken aan een nieuw bestaan. Als je me vertrouwt en met me meegaat, kunnen we samen een mooi leven opbouwen. Nooit meer armoede, altijd geluk en jij bent mijn beschermer."

Ze kijkt dromerig voor zich uit.

"Je zult me eerst volledige openheid van zaken moeten geven."

Ze staat op, loopt naar het dressoir en haalt er een la uit. Van onder de la komt een envelop tevoorschijn die ze voor mij op het bijzettafeltje legt.

"Dit is onze toekomst. De stortingsbewijzen van in totaal tien miljoen dollar op een bank in Luxemburg, twee uur rijden hiervandaan."

Ik werp een blik in de envelop en stop hem in mijn rechterzak. Vervolgens kijk ik haar strak aan.

"Moet je goed luisteren, Anita. Dit wordt uitgezocht door de politie. Stop ermee je eigen leven en dat van anderen te ruïneren. Het is afgelopen. Misschien dat je door een psychiatrisch onderzoek uit de bak kunt blijven."

Ik zie ongeloof en woede in haar ogen.

Bijna was ik te laat. Ze bukt voorover naar de la die nog op de grond ligt. Er flitst een metaalkleurig pistool tevoorschijn. Ik spring naar voren en sla het wapen uit haar hand, net op tijd.

"Schoft, schoft, schoft, schoft."

Krijsend stort ze zich op de grond. Ze krijgt het pistool weer te pakken. Ik spring boven op haar en hou haar handen vast. Ze bijt in mijn rechterhand. Ik voel het bloed stromen en ik laat haar even los. Ze is oersterk en watervlug. Ze rukt zich los en springt overeind. Van achteren trapt ze met haar hakken in mijn kruis. Huilend en loeiend van de pijn lig ik een paar seconden buiten westen op de grond. Als ik weer bij mijn positieven ben geef ik een achterwaartse schop, waarbij ik haar zo hoog mogelijk probeer te raken. Met een oorverdovende knal gaat het pistool af. Als ik me omkeer zie ik dat ze achterover valt. Er komt bloed uit haar mond en er zit een gat in haar achterhoofd waar een bloederige grijze massa uit komt. Haar bloeddoorlopen ogen verstarren, een laatste stuiptrekking gaat door haar benen. Ik lig buiten adem een meter bij haar vandaan.

"O, mijn god!"

Er wordt op de deur gebonsd.
"Beatrijs, Beatrijs. Wat is er gebeurd?"
Het is de stem van de conciërge.

Amsterdam, 3 dagen later

Verdwaasd word ik om negen uur wakker van het licht dat door de gordijnen schijnt. Boemibol vindt het onderhand ook welletjes, te horen aan het gekrabbel aan de deur. Ik heb twaalf uur aaneengesloten geslapen. Het lijkt of ik nu eindelijk toekom aan mijn jetlag na de gebeurtenissen van de afgelopen dagen. Ik had de politie in Antwerpen veel uit te leggen na het bloedbad van afgelopen zondag. Ook de Amsterdamse politie was bij dat verhoor betrokken. Het spreekt voor zich dat ik de nodige verwijten over me heen kreeg over onverantwoordelijk gedrag. Het was een geluk dat mijn verhaal bevestigd werd door het sporenonderzoek. Op het wapen van Anita stonden alleen haar vingerafdrukken. Zij houden het op een impulsieve zelfmoord. Ik moet eerlijk zeggen dat ik het niet zeker weet. In de chaos en de paniek van het moment had het ook een ongeluk kunnen zijn. Hoe het ook zij, het was een tragisch einde van een leven vol desillusies. Tegen wil en dank ben ik erbij betrokken geraakt. Toch heb ik met haar te doen. De afgelopen dagen heb ik hier veel over nagedacht. Natuurlijk had ik me veel eerder kunnen terugtrekken uit het hele gebeuren. Mijn hele leven lang al krijg ik het verwijt dat ik te roekeloos ben en te veel mijn eigen zaakjes wil opknappen. Mijn belangrijkste probleem is dat ik niet in de wieg gelegd ben als slachtoffer van de omstandigheden. Van de politie kon ik weinig verwachten, dat was van begin af aan duidelijk. Die is met handen en voeten gebonden aan wetten en politieke gevoeligheden. Het enig positieve van de afloop is dat de rechter nu kan gaan uitmaken aan wie het geld van de juwelenverkoop toebehoort. De Belgische politie heeft, aan de hand van de stortingsbewijzen die ik haar heb overhandigd, beslag gelegd op de miljoenenrekening in Luxemburg. Toen het verhaal op maandag in de Belgische kranten stond, kwamen de aanspraken uit Miami al dezelfde dag binnen. Jorge en zijn vrienden zullen het druk hebben. Ook de Cubaanse ambassadeur stond bij de politie op de stoep. Ze zoeken het maar uit. Ik hoop in godsnaam dat ik niet als getuige hoef op te draven.

Ik zit nog aan mijn ontbijt als Freddy aanbelt. Alsof hij op ziekenbezoek komt.

"En, hoe is het met onze held?"

Het verhaal kent hij al tot in details via de politierapporten.

"Het staat in elk geval vast dat ik nog leef. Ik heb mazzel gehad. Dat kun je van onze blonde fee niet zeggen."

Gelukkig begint hij niet te moraliseren. Daar herken je een vriend aan.

's Middags krijg ik een krakend en ruisend telefoontje uit Cuba. Ik hoor de stem van Orlaidis. Ze weet dat hier iets ernstigs is gebeurd. Dat het goed met mij gaat staat voor haar vast. In ruil voor kaarsjes en glaasjes rum heeft Ochún haar dagelijks op de hoogte gehouden van mijn toestand.

Ik vertel haar kort het laatste nieuws. Ze luistert ademloos toe aan de andere kant van de lijn.

"Lex, ik wil bij je zijn!" is haar enige reactie.

Er klinkt wanhoop en verlangen in haar stem. Het gesprek wordt onverwacht afgebroken.

Even zie ik niets om mij heen. Ik ben bij haar in Cuba.

Boemibol zit doodstil voor me en staart me aan met haar groene kattenogen. Wat is er met het baasje aan de hand?

HA 4/06
Ki 08/10
BRIE 04/2011